W9-BUK-214

# CHESS: GAMES TO REMEMBER

I. A. Horowitz

DAVID McKAY COMPANY, INC.
New York

CHESS: GAMES TO REMEMBER



LIBRARY OF CONGRESS CATALOG CARD NUMBER: 73-179355

MANUFACTURED IN THE UNITED STATES OF AMERICA

VAN REES PRESS • NEW YORK

# INTRODUCTION

The games in this book have been selected because, in the opinion of the editor, they represent the best that has been accomplished in Chess over the past decade. And what a decade it was! From the dour struggles that decide World Championships, to the exciting games played in a whole host of international tournaments (more of them, and stronger ones, in the past ten years than ever before in the history of Chess) down to the efforts of lesser-known players in competitions at every level, these games show not only that Chess is inexhaustible, but that it is constantly moving forward, affording ever-increasing and ever-deepening pleasures to its devotees.

To summarize all the important Chess events of the past decade would be at best very difficult, and is, indeed, unnecessary: the games themselves do that far better than could any bare summary. It is all here: from the meteoric rise of Mikhail Tal to world domination in the early sixties, to the triumph of the present Champion Boris Spassky, and throughout, the amazing career of the perhaps future World Champion Bobby Fischer. It is to be hoped that this collection, bringing together the best of the best of what has been accomplished in the art of Chess, will provide a sufficient testimony to their achievements, and those of so many others who have devoted themselves to the Royal Game.

## Moscow, 1960

Black demonstrates how to lose in the opening without really trying.

QUEEN'S GAMBIT

| | SHMATKOV | EIDLIN |
|---|---|---|
| | *White* | *Black* |
| 1 | P—Q4 | P—Q4 |
| 2 | P—QB4 | P x P |
| 3 | P—K3 | P—K4 |
| 4 | B x P | P x P |
| 5 | P x P | N—KB3 |
| 6 | N—QB3 | B—K2 |
| 7 | N—B3 | QN—Q2* |
| 8 | B x P ch | K x B |
| 9 | N—N5 ch | K—N3 |
| 10 | Q—Q3 ch | K—R4 |
| 11 | Q—R3 ch | K—N3 |
| 12 | Q—Q3 ch | K—R4 |
| 13 | N—K6 | Resigns |

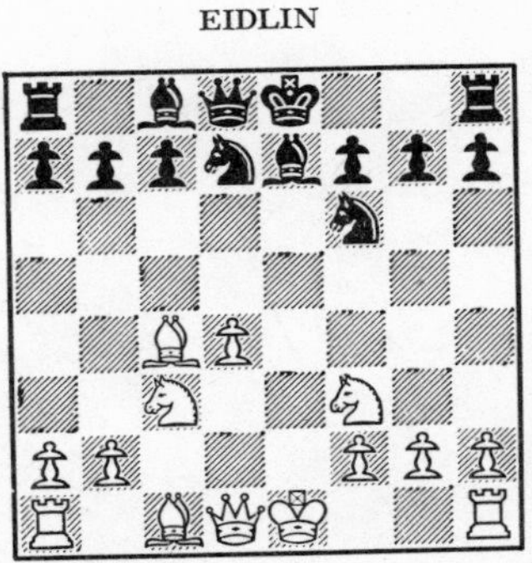


SHMATKOV

## Mar del Plata, 1960

As exciting as a "see-the-next-episode" serial. A last minute save keeps the action going.

CARO-KANN DEFENSE

| | B. SPASSKY<br>*White* | FOGUELMAN<br>*Black* |
|---|---|---|
| 1 | P—K4 | P—QB3 |
| 2 | P—Q4 | P—Q4 |
| 3 | N—QB3 | P x P |
| 4 | N x P | B—B4 |
| 5 | N—N3 | B—N3 |
| 6 | P—KR4 | P—KR3 |
| 7 | KN—K2 | N—KB3 |
| 8 | N—B4 | B—R2 |
| 9 | B—B4 | P—K4 |
| 10 | Q—K2 | Q x P |
| 11 | O—O | P—QN4 |
| 12 | B—N3 | B—QB4 |
| 13 | B—K3 | Q—Q3 |
| 14 | KR—Q1 | Q—K2 |
| 15 | B x B | Q x B |
| 16 | N/4—R5 | N x N |
| 17 | N x N | O—O |
| 18 | Q—N4 | P—N3 |
| 19 | R—Q3 | P—QR4 |
| 20 | QR—Q1 | R—R2* |
| 21 | R—Q6 | K—R1 |
| 22 | N—B6 | P—R5 |
| 23 | N x B | P x B |
| 24 | N x R | P x BP |
| 25 | N x P ch | P x N |
| 26 | R—Q8 ch | K—N2 |
| 27 | R—N8 ch | K x R |
| 28 | Q x P ch | R—N2 |
| 29 | R—Q8 ch | Q—B1 |
| 30 | R x Q ch | K x R |
| 31 | Q x BP | K—N1 |
| 32 | Q—QB5 | Resigns |

FOGUELMAN

B. SPASSKY

## Turkmenia, 1961

"A passed chance and an overworked queen blacken Black's game" J. S. B.

SLAV DEFENSE

| LIASHKOV | KHANOV |
|---|---|
| *White* | *Black* |
| 1 P—Q4 | P—Q4 |
| 2 P—QB4 | P x P |
| 3 N—KB3 | N—KB3 |
| 4 N—B3 | P—B3 |
| 5 P—K3 | P—QN4 |
| 6 P—QR4 | N—Q4 |
| 7 N—K5 | N x N |
| 8 P x N | Q—Q4 |
| 9 B—K2 | B—B4 |
| 10 P x P | P x P |
| 11 R—R5 | Q—N2 |
| 12 B—B3 | B—K5* |
| 13 R x NP | B x B |
| 14 Q—R4 | Resigns |

KHANOV

LIASHKOV

## U.S.S.R., 1961

A king-hunt in the old (19th-century) style.

SICILIAN DEFENSE

| Rekka *White* | Bobrinsky *Black* |
|---|---|
| 1 P—K4 | P—QB4 |
| 2 N—KB3 | N—QB3 |
| 3 P—Q4 | P x P |
| 4 N x P | P—K4 |
| 5 N—N3 | N—B3 |
| 6 B—KN5 | B—K2 |
| 7 N—B3 | N x P |
| 8 N x N | B x B |
| 9 N—Q6 ch | K—K2 |
| 10 B—B4 | R—B1 |
| 11 N—B5 ch | K—B3* |
| 12 Q—Q6 ch | K x N |
| 13 B—Q3 ch | P—K5 |
| 14 B x P ch | Resigns |

BOBRINSKY

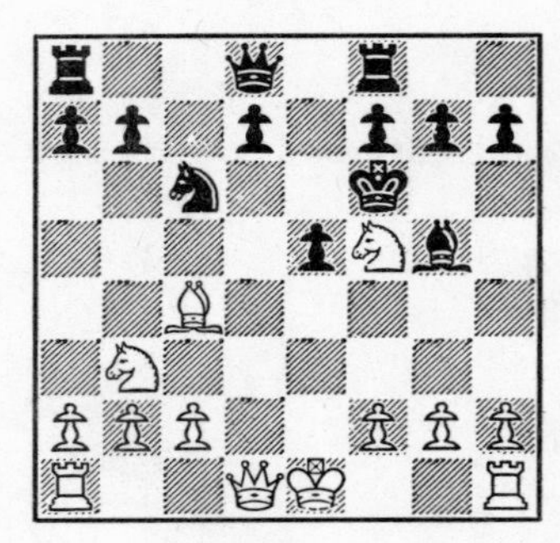

REKKA

## Marianská Lázně, 1961

One stratagem after another, and a prayer for good measure.

### SICILIAN DEFENSE

| | B. Spassky *White* | Chirich *Black* |
|---|---|---|
| 1 | P—K4 | P—QB4 |
| 2 | N—KB3 | N—KB3 |
| 3 | P—K5 | N—Q4 |
| 4 | N—B3 | P—K3 |
| 5 | N x N | P x N |
| 6 | P—Q4 | N—B3 |
| 7 | P x P | B x P |
| 8 | Q x P | Q—N3 |
| 9 | B—QB4 | B x P ch |
| 10 | K—K2 | O—O |
| 11 | R—B1 | B—B4 |
| 12 | N—N5 | N x P |
| 13 | Q x N | P—Q4 |
| 14 | Q x QP | R—K1 ch |
| 15 | K—B3 | Q—B3 ch* |
| 16 | K—N3 | B—Q3 ch |
| 17 | R—B4 | B—K3 |
| 18 | N x B | R x N |
| 19 | Q x B | Q—N3 ch |
| 20 | R—N4 | R—K6 ch |
| 21 | B x R | Q x Q ch |
| 22 | K—B2 | R—K1 |
| 23 | R—B4 | R—K2 |
| 24 | B—N3 | Q—K4 |
| 25 | R—K1 | P—KN4 |
| 26 | R—B3 | K—N2 |
| 27 | R—Q1 | P—B3 |
| 28 | K—N1 | P—N5 |
| 29 | B—Q4 | Resigns |

CHIRICH

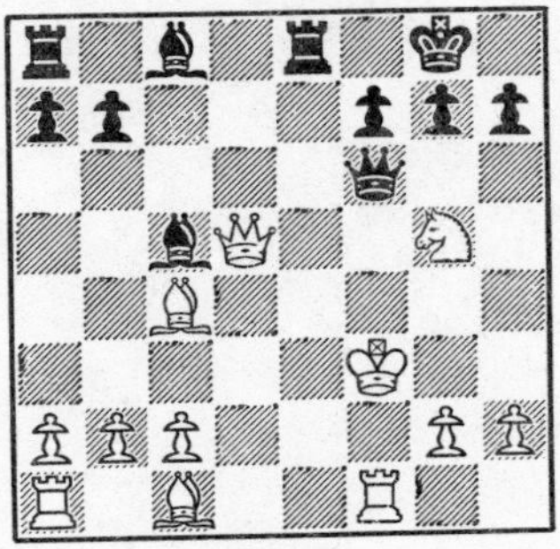

B. SPASSKY

## U.S. Championship, 1962

This splendid effort won for Bisguier the prize for the best played game of the '62 Championship.

CATALAN OPENING

| | W. ADDISON *White* | A. BISGUIER *Black* |
|---|---|---|
| 1 | N—KB3 | N—KB3 |
| 2 | P—QB4 | P—K3 |
| 3 | P—KN3 | P—Q4 |
| 4 | B—N2 | B—K2 |
| 5 | O—O | O—O |
| 6 | P—Q4 | QN—Q2 |
| 7 | QN—Q2 | P—QN3 |
| 8 | P—N3 | B—N2 |
| 9 | B—N2 | P—B4 |
| 10 | P—K3 | R—B1 |
| 11 | N—K5 | P x QP |
| 12 | KP x P | R—B2 |
| 13 | Q—K2 | Q—R1 |
| 14 | P—B4 | P x P |
| 15 | B x B | Q x B |
| 16 | P x P | P—QN4 |
| 17 | P—QB5* | ...... |
| 17 | ...... | N x P |
| 18 | P x N | B x P ch |
| 19 | R—B2 | B x R ch |
| 20 | Q x B | R—B7 |
| 21 | Q—Q4 | Q—N3 |
| 22 | Q x Q | P x Q |
| 23 | B—B1 | R—Q1 |
| 24 | N—B1 | R—Q8 |
| 25 | B—N2 | R x R |
| 26 | B x R | R x QRP |
| 27 | B—Q4 | N—Q4 |
| 28 | N—B3 | P—N5 |
| 29 | N/1—Q2 | K—B1 |
| 30 | K—B1 | R—B7 |
| 31 | K—K1 | P—B3 |
| 32 | K—Q1 | R—B1 |
| 33 | K—K2 | K—K2 |
| 34 | K—Q3 | K—Q2 |
| 35 | N—B4 | P—QN4 |
| 36 | N—R5 | N—B6 |
| 37 | N—Q2 | K—Q3 |
| 38 | N—N7 ch | K—B3 |
| 39 | N—B5 | K—Q4 |
| 40 | N—Q7 | N—R5 |
| | Resigns | |

A. BISGUIER

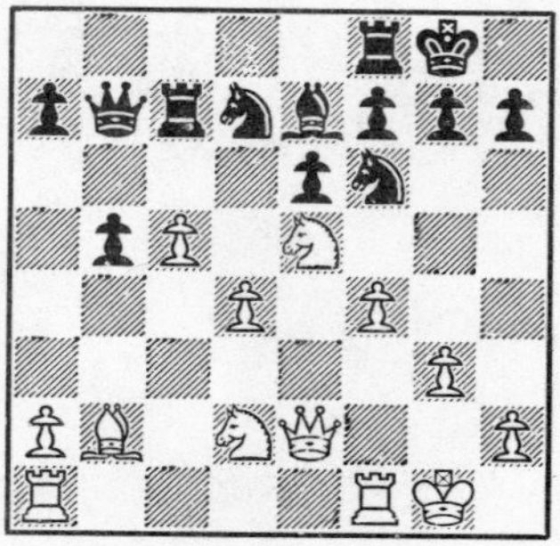

W. ADDISON

## U.S. Championship, 1962

Addison's best game of his first U.S. Championship.

QUEEN'S GAMBIT
ACCEPTED

| W. Addison *White* | H. Berliner *Black* |
|---|---|
| 1 P—Q4 | P—Q4 |
| 2 P—QB4 | P x P |
| 3 N—KB3 | N—KB3 |
| 4 P—K3 | P—K3 |
| 5 B x P | P—B4 |
| 6 O—O | P—QR3 |
| 7 Q—K2 | P—QN4 |
| 8 B—N3 | B—N2 |
| 9 R—Q1 | QN—Q2 |
| 10 N—B3 | Q—B2 |
| 11 P—K4 | P—N5* |
| 12 N—Q5 | P x N |
| 13 P x P ch | B—K2 |
| 14 P x P | N x QP |
| 15 B x N | B x B |
| 16 R x B | N x P |
| 17 B—K3 | N—Q2 |
| 18 B—N5 | P—B3 |
| 19 R—K1 | N—N3 |
| 20 B—B4 | Q—N2 |
| 21 R—QB5 | R—QB1 |
| 22 B—Q6 | R x R |
| 23 Q x B ch | Resigns |

H. BERLINER

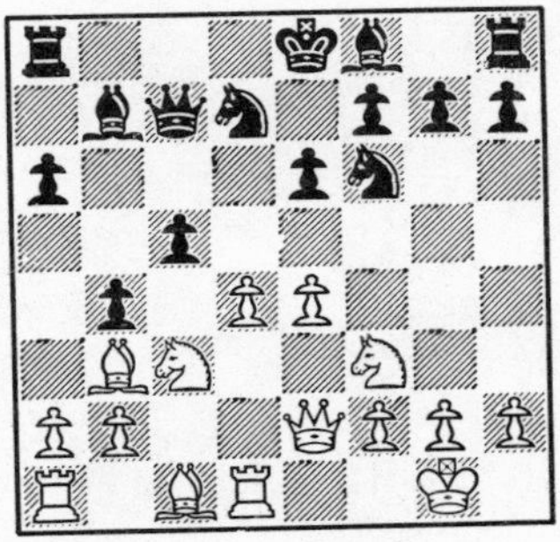

W. ADDISON

## U.S. Championship, 1962

Sherwin dares Bobby to a battle of book knowledge in an obscure variation of the Sicilian. There may be some line Fischer doesn't know, but this isn't it.

SICILIAN DEFENSE

| | R. FISCHER *White* | J. SHERWIN *Black* |
|---|---|---|
| 1 | P—K4 | P—QB4 |
| 2 | N—KB3 | N—KB3 |
| 3 | N—B3 | P—Q4 |
| 4 | B—N5 ch | B—Q2 |
| 5 | P—K5 | P—Q5 |
| 6 | P x N | P x N |
| 7 | P x NP | P x P ch |
| 8 | Q x P | B x P |
| 9 | B—Q3 | Q—B2 |
| 10 | O—O | P—B5 |
| 11 | B—K4 | N—B3 |
| 12 | Q—K2 | P—B6 |
| 13 | P x P | B x P |
| 14 | R—N1 | O—O—O* |
| 15 | Q—B4 | P—B4 |
| 16 | Q x B | P x B |
| 17 | N—N5 | KR—N1 |
| 18 | N x KP | N—Q5 |
| 19 | Q x Q ch | K x Q |
| 20 | N—N3 | B—B3 |
| 21 | R—K1 | N x P |
| 22 | R x P ch | R—Q2 |
| 23 | B—B4 ch | K—B1 |
| 24 | R x R | K x R |
| 25 | R—Q1 ch | K—B1 |
| 26 | N—B5 | R x P ch |
| 27 | K—B1 | P—N3 |
| 28 | N—K7 ch | K—N2 |
| 29 | N x B | Resigns |

J. SHERWIN

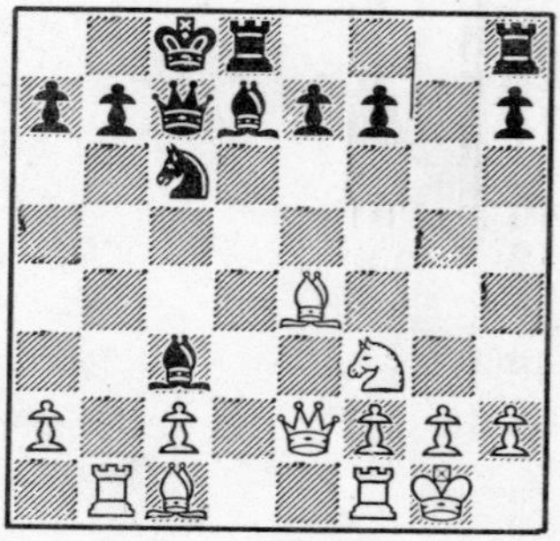

R. FISCHER

## Varna, Bulgaria, 1962

Hans Kmoch, annotating this game in *Chess Review*, called it a "fulminating victory" for Fischer. A pity no one knows what Robatsch called it.

CENTER COUNTER
DEFENSE

| R. FISCHER *White* | K. ROBATSCH *Black* |
|---|---|
| 1 P—K4 | P—Q4 |
| 2 P x P | Q x P |
| 3 N—QB3 | Q—Q1 |
| 4 P—Q4 | P—KN3 |
| 5 B—KB4 | B—N2 |
| 6 Q—Q2 | N—KB3 |
| 7 O—O—O | P—B3 |
| 8 B—KR6 | O—O |
| 9 P—KR4 | Q—R4 |
| 10 P—R5 | P x P |
| 11 B—Q3 | QN—Q2 |
| 12 KN—K2 | R—Q1* |
| 13 P—KN4 | N—B1 |
| 14 P x P | N—K3 |
| 15 QR—N1 | K—R1 |
| 16 B x B ch | N x B |
| 17 Q—R6 | R—KN1 |
| 18 R—N5 | Q—Q1 |
| 19 R/1—N1 | N—B4 |
| 20 B x N | Resigns |

K. ROBATSCH

R. FISCHER

## Varna, Bulgaria, 1962

With a daring pawn move, White threatens to drive Black's knight to an ignominious post at KR1. Black prevents that, only to find that there was another little threat. . . .

RUY LOPEZ

| R. FISCHER *White* | V. CIOCALTEA *Black* |
|---|---|
| 1 P—K4 | P—K4 |
| 2 N—KB3 | N—QB3 |
| 3 B—N5 | P—QR3 |
| 4 B—R4 | P—Q3 |
| 5 P—B3 | B—Q2 |
| 6 P—Q4 | KN—K2 |
| 7 B—N3 | P—R3 |
| 8 Q—K2 | N—N3 |
| 9 Q—B4 | Q—B3 |
| 10 P—Q5 | P—N4 |
| 11 Q—K2 | N—R4 |
| 12 B—Q1 | B—K2 |
| 13 P—KN3 | O—O |
| 14 P—KR4 | KR—B1* |
| 15 B—N5 | P x B |
| 16 P x P | Q x P |
| 17 N x Q | B x N |
| 18 N—R3 | P—QB3 |
| 19 P x P | B—K3 |
| 20 Q—R5 | B—R3 |
| 21 B—N4 | B x B |
| 22 Q x B/4 | N x P |
| 23 R—Q1 | P—N5 |
| 24 N—B4 | P x P |
| 25 P x P | N—Q5 |
| 26 N—N6 | Resigns |

V. CIOCALTEA

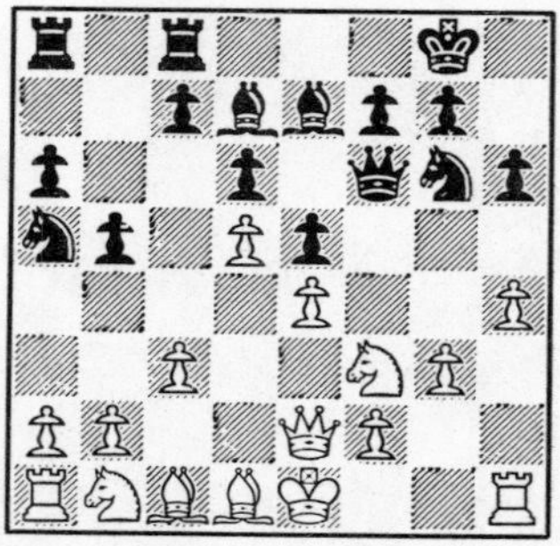

R. FISCHER

## Massachusetts, 1962

Both White and Black play combinations in this game. But where Black's combination ends, White's begins.

RUY LOPEZ

| W. LOMBARDY *White* | S. LYMAN *Black* |
|---|---|
| 1 P—K4 | P—K4 |
| 2 N—KB3 | N—QB3 |
| 3 B—N5 | P—QR3 |
| 4 B—R4 | N—B3 |
| 5 O—O | B—K2 |
| 6 R—K1 | P—QN4 |
| 7 B—N3 | P—Q3 |
| 8 P—B3 | O—O |
| 9 P—KR3 | P—KR3 |
| 10 P—Q4 | R—K1 |
| 11 B—K3 | P x P |
| 12 P x P | N—QR4 |
| 13 B—B2 | N—B5 |
| 14 B—B1 | P—B4 |
| 15 P—QN3 | N—N3 |
| 16 QN—Q2 | B—N2 |
| 17 P—Q5 | KN—Q2 |
| 18 N—B1 | B—KB3 |
| 19 R—N1 | N—K4 |
| 20 N/3—R2 | P—B5 |
| 21 N—N3 | R—QB1 |
| 22 N—B5 | K—R2 |
| 23 B—K3 | N—Q6 |
| 24 B x N/3 | P x B |
| 25 Q x P | R—B6 |
| 26 Q—Q2 | R x KP* |
| 27 B x N | R x R ch |
| 28 R x R | Q x B |
| 29 N—N4 | Q—Q1 |
| 30 R—K8 | Resigns |

S. LYMAN

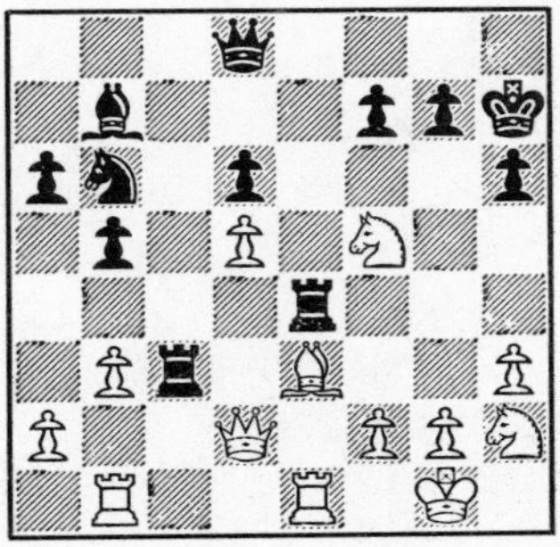

W. LOMBARDY

## Team Championship, U.S.S.R., 1962

O tempora. One tempo glorifies eons.

SICILIAN DEFENSE

| | Lutikov *White* | Klavins *Black* | | Lutikov *White* | Klavins *Black* |
|---|---|---|---|---|---|
| 1 | P—K4 | P—QB4 | 25 | N—K5 ch | K—B3* |
| 2 | N—KB3 | N—QB3 | 26 | Q—B8 ch | K x N |
| 3 | P—Q4 | P x P | 27 | Q x NP ch | N—B3 |
| 4 | N x P | P—K3 | 28 | Q—N3 ch | K—K5 |
| 5 | N—QB3 | Q—B2 | 29 | P—B3 ch | K—K6 |
| 6 | B—K3 | P—QR3 | 30 | R—K1 | P—B5 |
| 7 | P—QR3 | P—QN4 | 31 | R x Q ch | K x R |
| 8 | N x N | Q x N | 32 | Q x P | ...... |
| 9 | B—K2 | B—N2 | | White wins | |
| 10 | B—B3 | Q—B2 | | | |
| 11 | P—K5 | R—B1 | | | |
| 12 | O—O | B x B | | | |
| 13 | Q x B | P—Q3 | | | |
| 14 | P x P | B x P | | | |
| 15 | B—Q4 | B x P ch | | | |
| 16 | K—R1 | B—K4 | | | |
| 17 | N—Q5 | Q—N1 | | | |
| 18 | B x B | Q x B | | | |
| 19 | N—N6 | R—Q1 | | | |
| 20 | QR—Q1 | R x R | | | |
| 21 | R x R | P—B4 | | | |
| 22 | N—Q7 | Q—K5 | | | |
| 23 | Q—KN3 | Q—K7 | | | |
| 24 | Q—N8 ch | K—B2 | | | |

KLAVINS

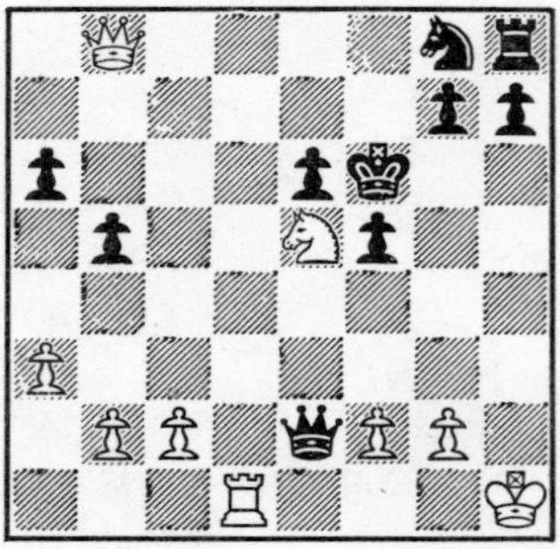

LUTIKOV

## Olympics, Varna, 1962

A fine victory by the Argentinian's first board.

QUEEN'S INDIAN
DEFENSE

| M. NAJDORF *White* | W. UNZICKER *Black* | M. NAJDORF *White* | W. UNZICKER *Black* |
|---|---|---|---|
| 1 P—Q4 | N—KB3 | 18 B—B3 | N—K2 |
| 2 P—QB4 | P—K3 | 19 P—Q5 | P x P |
| 3 N—KB3 | P—QN3 | 20 Q—N2 | P—Q5 |
| 4 P—K3 | B—N2 | 21 N x P | KR—Q1 |
| 5 B—Q3 | P—B4 | 22 R—K1 | P—QR3 |
| 6 O—O | B—K2 | 23 N—K6 | Q—B3 |
| 7 P—QN3 | O—O | 24 B—K4 | N x B |
| 8 B—N2 | P x P | 25 N x R | R x N |
| 9 P x P | P—Q4 | 26 N x N | P—B4 |
| 10 Q—K2 | N—B3 | 27 B x B | P x N |
| 11 QN—Q2 | R—B1 | 28 B—B6 | R—K1 |
| 12 QR—B1 | R—K1 | 29 B x N | R x B |
| 13 KR—Q1 | B—B1 | 30 QR—Q1 | P—K6 |
| 14 B—N1 | P—N3 | 31 P x P | R—K1 |
| 15 N—B1 | P x P | 32 R--K2 | Q x BP |
| 16 P x P | B—N2 | 33 R—Q7 | Resigns |
| 17 N—N3 | Q—B2 | | |

## Olympics, Varna, 1962

It is popular, nowadays, to snatch a pawn in the opening, defend in the middlegame, and win in the ending. Najdorf, however, is of the old school.

QUEEN'S GAMBIT DECLINED

| | M. NAJDORF *White* | L. PORTISCH *Black* |
|---|---|---|
| 1 | P—Q4 | P—Q4 |
| 2 | P—QB4 | P—K3 |
| 3 | N—QB3 | N—KB3 |
| 4 | N—B3 | P—B4 |
| 5 | P x QP | N x P |
| 6 | P—K3 | P x P |
| 7 | P x P | B—N5 |
| 8 | Q—B2 | N—QB3 |
| 9 | B—Q3 | N x N |
| 10 | P x N | N x P |
| 11 | N x N | Q x N |
| 12 | B—N5 ch | K—K2 |
| 13 | O—O | Q x P* |
| 14 | Q—K2 | B—Q3 |
| 15 | B—N2 | Q—R4 |
| 16 | KR—Q1 | R—Q1 |
| 17 | Q—R5 | P—B3 |
| 18 | Q x P | K—B2 |
| 19 | B—K2 | Q—KN4 |
| 20 | B—B1 | B x P ch |
| 21 | K x B | Q—K4 ch |
| 22 | P—B4 | Resigns |

L. PORTISCH

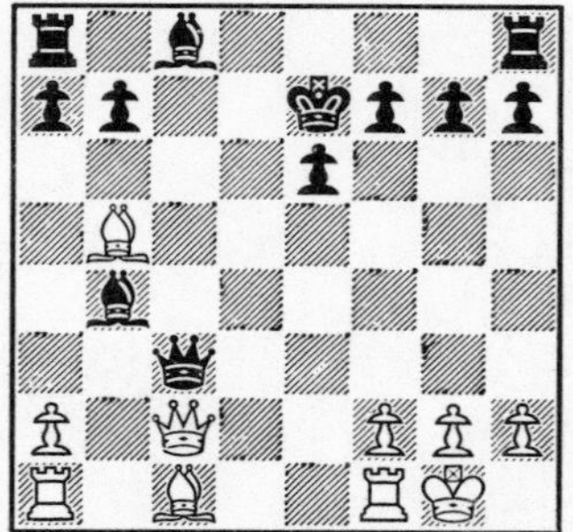

M. NAJDORF

## Olympics, Varna, 1962

Fridrik Olafsson of Iceland achieved the best score on first board at the Varna, Bulgaria, Olympiad. Here he exploits a slight inaccuracy in fine style.

SLAV DEFENSE

| | F. Olafsson *White* | A. O'Kelly *Black* |
|---|---|---|
| 1 | P—Q4 | P—Q4 |
| 2 | P—QB4 | P—QB3 |
| 3 | N—QB3 | P—K3 |
| 4 | P—K3 | N—B3 |
| 5 | N—B3 | QN—Q2 |
| 6 | B—Q3 | B—Q3 |
| 7 | O—O | O—O |
| 8 | P—K4 | P x KP |
| 9 | N x P | N x N |
| 10 | B x N | P—KR3 |
| 11 | R—K1 | P—K4 |
| 12 | B—B2 | P x P |
| 13 | Q x P | B—B4 |
| 14 | Q—B4 | N—B3 |
| 15 | P—KR3 | B—K3 |
| 16 | P—QN3 | B—Q3 |
| 17 | Q—R4 | N—Q2* |
| 18 | B—N5 | Q—R4 |
| 19 | B x P | P x B |
| 20 | Q x P | Resigns |

A. O'KELLY

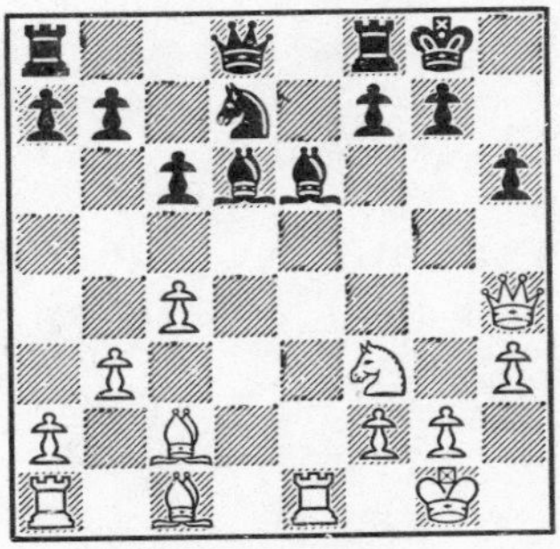

F. OLAFSSON

## Czechoslovakia, 1962

"This is a game worthy of Murder, Inc." J. S. B.

RUY LOPEZ

| L. PACHMAN | FICHTL |
|---|---|
| *White* | *Black* |
| 1 P—K4 | P—K4 |
| 2 N—KB3 | N—QB3 |
| 3 B—N5 | N—B3 |
| 4 O—O | N x P |
| 5 R—K1 | N—Q3 |
| 6 N x P | N x N |
| 7 R x N ch | B—K2 |
| 8 N—B3 | N x B |
| 9 N—Q5 | P—Q3 |
| 10 R x B ch | K—B1 |
| 11 Q—B3 | P—KB3 |
| 12 P—Q3 | P—B3* |
| 13 Q x P ch | P x Q |
| 14 B—R6 ch | K—N1 |
| 15 N x P mate | |

FICHTL

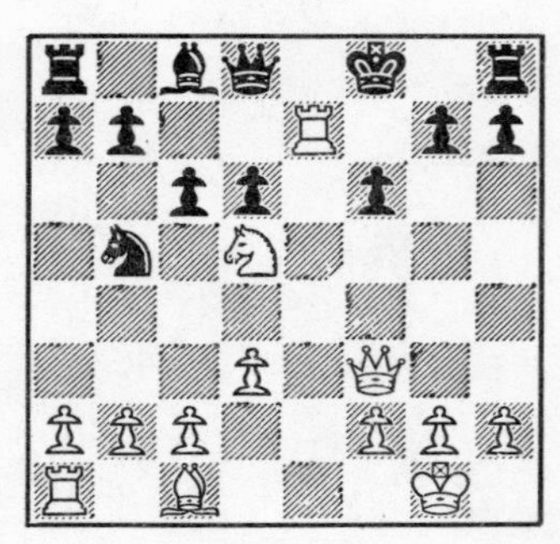

L. PACHMAN

## U.S. Championship, 1962

Reshevsky quickly obtains an opening advantage, sacrifices a pawn, and marches to victory.

QUEEN'S GAMBIT
DECLINED

| | S. RESHEVSKY *White* | H. BERLINER *Black* |
|---|---|---|
| 1 | P—QB4 | P—K3 |
| 2 | N—QB3 | P—Q4 |
| 3 | P x P | P x P |
| 4 | P—Q4 | B—K2 |
| 5 | N—B3 | N—KB3 |
| 6 | B—B4 | P—B3 |
| 7 | Q—B2 | P—KN3 |
| 8 | P—K3 | B—KB4 |
| 9 | B—Q3 | B x B |
| 10 | Q x B | N—R4 |
| 11 | B—R6 | B—B1 |
| 12 | B x B | K x B |
| 13 | P—QN4 | Q—K2 |
| 14 | O—O | Q x NP |
| 15 | QR—N1 | Q—K2 |
| 16 | P—K4 | P x P |
| 17 | N x P | K—N2 |
| 18 | KR—K1 | R—Q1 |
| 19 | N—N3 | Q—B3 |
| 20 | N x N ch | P x N* |
| 21 | R—K5 | N—Q2 |
| 22 | R—KB5 | Q—Q3 |
| 23 | N—N5 | P—B3 |
| 24 | N—K4 | Q—K3 |
| 25 | R x RP | N—B1 |
| 26 | N—B5 | Q—K1 |
| 27 | R x NP ch | K—N1 |
| 28 | Q—KN3 ch | Q—N3 |
| 29 | N—K4 | N—Q2 |
| 30 | R x N | R x R |
| 31 | N x P ch | K—B2 |
| 32 | R x P ch | Resigns |

H. BERLINER

S. RESHEVSKY

## Olympics, Varna, 1962

Soos' sensational victory in this game enabled Roumania to tie the Soviet Union in their match--the only team to do so.

KING'S INDIAN DEFENSE

| | B. Soos *White* | Y. Geller *Black* |
|---|---|---|
| 1 | P—Q4 | N—KB3 |
| 2 | P—QB4 | P—KN3 |
| 3 | N—QB3 | B—N2 |
| 4 | P—K4 | P—Q3 |
| 5 | P—B4 | P—B4 |
| 6 | P—Q5 | O—O |
| 7 | N—B3 | P—QR3 |
| 8 | P—QR4 | P—K3 |
| 9 | B—K2 | P x P |
| 10 | KP x P | P—QR4 |
| 11 | O—O | N—R3 |
| 12 | B—Q3 | N—QN5 |
| 13 | B—N1 | R—K1 |
| 14 | P—B5 | P x P |
| 15 | N—R4 | N—K5 |
| 16 | N x N | P x N |
| 17 | Q—R5 | Q—K2 |
| 18 | R—R3 | P—B4 |
| 19 | R—KN3 | R—B1* |
| 20 | B—R6 | R—B2 |
| 21 | R x P | B x R |
| 22 | N x B | Q—K4 |
| 23 | B x B | Resigns |

Y. GELLER

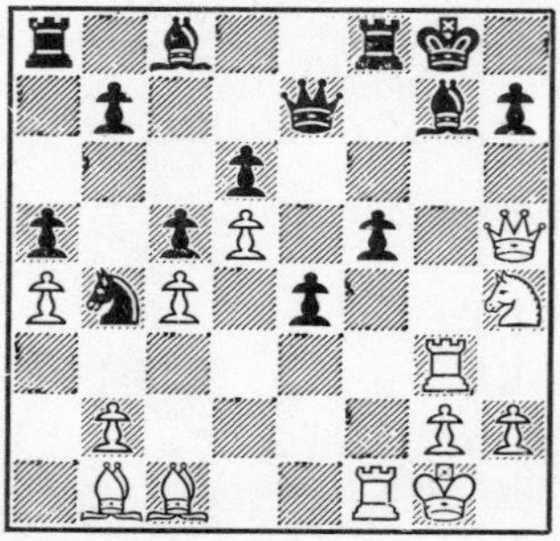

B. SOOS

## Olympics, Varna, 1962

Evans, as is sometimes his wont, takes everything that isn't nailed down. He usually gets away with it; here, however, Spassky quickly attains an overwhelming attack.

KING'S INDIAN DEFENSE

| | B. SPASSKY *White* | L. EVANS *Black* |
|---|---|---|
| 1 | P—Q4 | N—KB3 |
| 2 | P—QB4 | P—KN3 |
| 3 | N—QB3 | B—N2 |
| 4 | P—K4 | P—Q3 |
| 5 | P—B3 | P—B3 |
| 6 | B—K3 | P—QR3 |
| 7 | Q—Q2 | P—QN4 |
| 8 | O—O—O | P x P |
| 9 | B x P | O—O |
| 10 | P—KR4 | P—Q4 |
| 11 | B—N3 | P x P |
| 12 | P—R5 | KP x P |
| 13 | RP x P | RP x P* |
| 14 | B—R6 | P x P |
| 15 | R—R4 | N—N5 |
| 16 | B x B | K x B |
| 17 | Q x P | N—R3 |
| 18 | N—B3 | N—B4 |
| 19 | R—R2 | Q—Q3 |
| 20 | N—K5 | N—Q2 |
| 21 | N—K4 | Q—B2 |
| 22 | R/1—R1 | R—KN1 |
| 23 | R—R7 ch | K—B1 |
| 24 | R x P ch | K—K1 |
| 25 | Q x P | N x N |
| 26 | R—B8 ch | Resigns |

L. EVANS

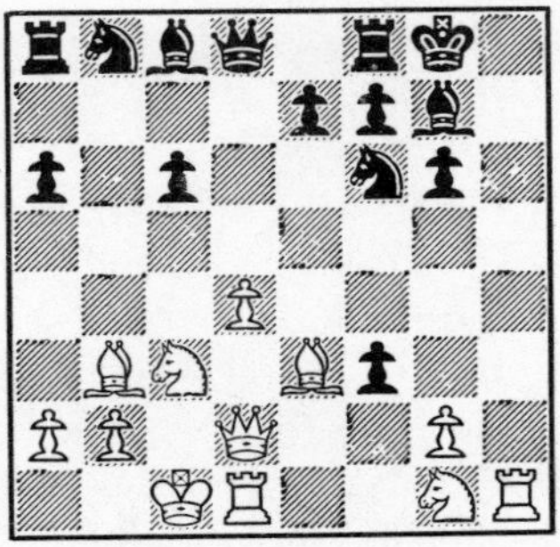

B. SPASSKY

## New Zealand, 1962

A combinative fight to the finish by two talented youngsters.

KING'S GAMBIT

| | R. J. SUTTON *White* | C. EVANS *Black* |
|---|---|---|
| 1 | P—K4 | P—K4 |
| 2 | P—KB4 | P x P |
| 3 | N—KB3 | B—K2 |
| 4 | B—B4 | N—KB3 |
| 5 | N—B3 | N x P |
| 6 | N—K5 | N—N4 |
| 7 | P—Q4 | P—Q3 |
| 8 | N—Q3 | P—QB3 |
| 9 | N x P | P—Q4 |
| 10 | B—Q3 | N—K3 |
| 11 | O—O | O—O |
| 12 | N/3—K2 | N—Q2 |
| 13 | P—B3 | N—B3 |
| 14 | N—N3 | N x N |
| 15 | B x N | B—K3 |
| 16 | Q—B2 | P—KN3 |
| 17 | QR—K1 | N—K1* |
| 18 | B x P | RP x B |
| 19 | R x B | P x R |
| 20 | Q x P ch | N—N2 |
| 21 | N—R5 | R—B2 |
| 22 | N x N | R x N |
| 23 | Q x P ch | K—R2 |
| 24 | Q—R6 ch | K—N1 |
| 25 | B—K5 | B—B1 |
| 26 | Q—K6 ch | K—R2 |
| 27 | R—B3 | Resigns |

C. EVANS

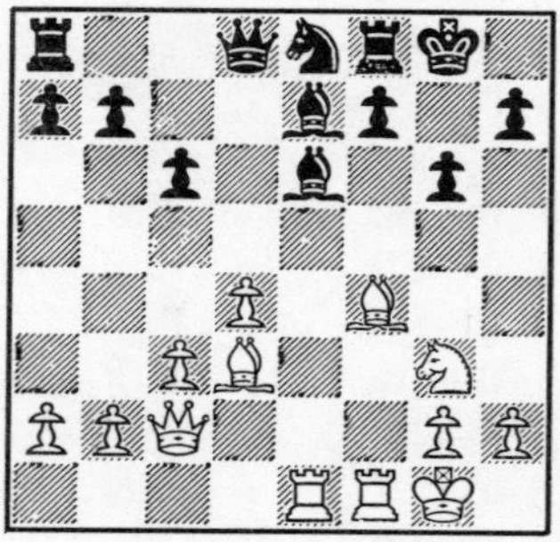

R. J. SUTTON

## U.S.S.R. Championship, 1962

Win, lose, or draw, Tal's games are always interesting; here he tries to solve a simple problem by elaborate means, and simply gives himself an elaborate problem.

SICILIAN DEFENSE

| M. TAL *White* | L. ARONIN *Black* |
|---|---|
| 1 P—K4 | P—QB4 |
| 2 N—KB3 | N—QB3 |
| 3 P—Q4 | P x P |
| 4 N x P | P—KN3 |
| 5 P—QB4 | B—N2 |
| 6 N—B2 | P—N3 |
| 7 B—K2 | B—QR3 |
| 8 O—O | R—B1 |
| 9 N—Q2 | N—B3 |
| 10 P—QN3 | Q—B2 |
| 11 P—B4 | O—O |
| 12 B—N2 | P—QN4 |
| 13 P—K5 | N—K1 |
| 14 P x P | B x NP |
| 15 B x B | Q—N3 ch |
| 16 N—K3 | Q x N ch |
| 17 K—R1 | N—B2 |
| 18 B—R4 | N—K3 |
| 19 N—B4 | Q—K5 |
| 20 Q x P | N—N5 |
| 21 KR—K1 | Q x BP |
| 22 R—KB1 | Q—N4 |
| 23 R x P* | ...... |
| 23 ...... | N—B5 |
| 24 P—N3 | K x R |
| 25 N—Q6 ch | K—N1 |
| 26 P x N | Q x BP |
| 27 N x R | Q—B6 ch |
| 28 K—N1 | Q—B7 ch |
| 29 K—R1 | Q—B6 ch |
| 30 K—N1 | Q—B7 ch |
| 31 K—R1 | Q x B |
| 32 R—Q1 | Q—K7 |
| 33 B—N5 | Q—B6 ch |
| 34 K—N1 | B—R3 |
| 35 N x P ch | K—R1 |
| 36 P—KR3 | Q—B7 ch |
| 37 K—R1 | B—B5 |
| Resigns | |

L. ARONIN

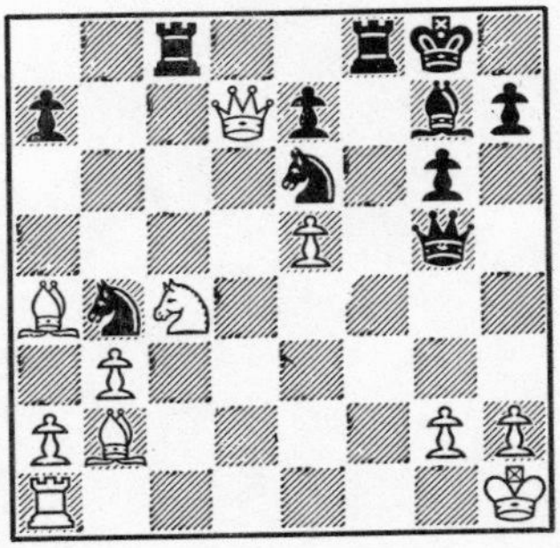

M. TAL

## Olympics, Varna, 1962

Faced with a strong attack, Barcza, in desperation, sacrifices a pawn. Tal is not to be bought off, however. He returns the pawn and quickly culminates his attack.

FRENCH DEFENSE

| M. Tal *White* | G. Barcza *Black* | M. Tal *White* | G. Barcza *Black* |
|---|---|---|---|
| 1 P—K4 | P—K3 | 15 B x N | B x B |
| 2 P—Q4 | P—Q4 | 16 B—B4 | Q—KN4 ch |
| 3 N—QB3 | N—KB3 | 17 K—N1 | B—N4 |
| 4 B—KN5 | P x P | 18 B x B | Q x N |
| 5 N x P | QN—Q2 | 19 B—R4 | P—N4 |
| 6 N x N ch | N x N | 20 B—N3 | B x P |
| 7 N—B3 | B—K2 | 21 Q—K4 | R—K1 |
| 8 B—Q3 | P—B4 | 22 Q—N4 ch | K—N1 |
| 9 Q—K2 | P x P | 23 R—K3 | K—R2 |
| 10 O—O—O | P—QR3 | 24 R—N3 | Q—K4 |
| 11 KR—K1 | B—Q2 | 25 P—KB4 | Q—K7 |
| 12 N x P | Q—R4 | 26 K x B | P—QR4 |
| 13 N—B5 | P—R3 | 27 R—Q7 | Resigns |
| 14 N x P ch | K—B1 | | |

## Olympics, Varna, 1962

Unzicker follows for a long time a game Tal played against Fischer some time before. In that game, Black had the better of the opening. Unzicker, one would think, has some improvement, but only proves how bad White's game really is.

SICILIAN DEFENSE

| W. Unzicker | R. Fischer | W. Unzicker | R. Fischer |
|---|---|---|---|
| *White* | *Black* | *White* | *Black* |
| 1 P—K4 | P—QB4 | 22 KR—K1 | P—R3 |
| 2 N—KB3 | P—Q3 | 23 K—R2 | B—N4 |
| 3 P—Q4 | P x P | 24 P—N3 | Q—R2 |
| 4 N x P | N—KB3 | 25 K—N2* | ...... |
| 5 N—QB3 | P—QR3 | 25 ...... | R—R7 |
| 6 B—K2 | P—K4 | 26 K—B1 | R x BP |
| 7 N—N3 | B—K3 | Resigns | |
| 8 O—O | QN—Q2 | | |
| 9 P—B4 | Q—B2 | | |
| 10 P—B5 | B—B5 | | |
| 11 P—QR4 | B—K2 | | |
| 12 B—K3 | O—O | | |
| 13 P—R5 | P—QN4 | | |
| 14 P x P e.p. | N x NP | | |
| 15 B x N | Q x B ch | | |
| 16 K—R1 | B—N4 | | |
| 17 B x B | P x B | | |
| 18 N—Q5 | N x N | | |
| 19 Q x N | R—R5 | | |
| 20 P—B3 | Q—R3 | | |
| 21 P—R3 | R—B1 | | |

R. FISCHER

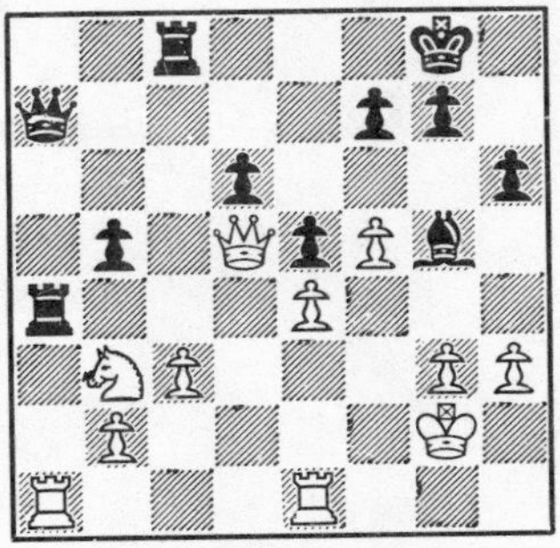

W. UNZICKER

## Lipsko, 1963

The Colle is not often seen these days, but shows some points here.

COLLE SYSTEM

| | M. BADER *White* | H. ZEHRFELD *Black* |
|---|---|---|
| 1 | P—Q4 | P—Q4 |
| 2 | P—K3 | P—K3 |
| 3 | B—Q3 | P—QB4 |
| 4 | P—QB3 | N—QB3 |
| 5 | N—B3 | B—Q3 |
| 6 | QN—Q2 | N—B3 |
| 7 | O—O | O—O |
| 8 | P x P | B x BP |
| 9 | P—K4 | P—Q5 |
| 10 | N—N3 | B—N3 |
| 11 | P—K5 | N—K1* |
| 12 | B x P ch | K—R1 |
| 13 | N—N5 | P—N3 |
| 14 | Q—N4 | K—N2 |
| 15 | Q—R4 | R—R1 |
| 16 | N x P ch | P x N |
| 17 | Q—R6 ch | K—B2 |
| 18 | Q x P ch | Resigns |

H. ZEHRFELD

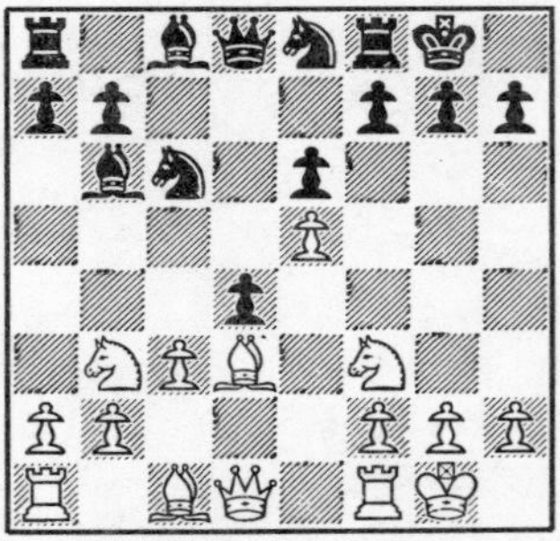

M. BADER

## Olympics, Tel Aviv, 1964

Kraidman's thirteenth move is an improvement on a famous game Benko lost to Fischer in the 1963 U.S. Championship—in the sense that he loses more slowly and less sensationally than his predecessor.

PIRC DEFENSE

| B. BEDNARSKI *White* | Y. KRAIDMAN *Black* |
|---|---|
| 1 P—K4 | P—Q3 |
| 2 P—Q4 | N—KB3 |
| 3 N—QB3 | P—KN3 |
| 4 P—B4 | B—N2 |
| 5 N—B3 | O—O |
| 6 B—Q3 | B—N5 |
| 7 P—KR3 | B x N |
| 8 Q x B | N—B3 |
| 9 B—K3 | P—K4 |
| 10 QP x P | P x P |
| 11 P—B5 | N—Q5 |
| 12 Q—B2 | P x P |
| 13 P x P | P—QN4 |
| 14 O—O | P—B4 |
| 15 N—K4 | P—B5 |
| 16 N x N ch | Q x N |
| 17 B—K4 | QR—Q1 |
| 18 P—B3 | KR—K1 |
| 19 K—R1 | K—R1 |
| 20 QR—K1 | P—N5 |
| 21 P x N | P x P |
| 22 B—B1 | P—Q6* |
| 23 P—QN3 | B—R3 |
| 24 B x B | Q x B |
| 25 B—B3 | R x R |
| 26 Q x R | P—B6 |

| B. BEDNARSKI *White* | Y. KRAIDMAN *Black* |
|---|---|
| 27 Q—K7 | Q—Q3 |
| 28 Q x BP | P—B7 |
| 29 B—K4 | Q—KR3 |
| 30 Q—K7 | R—QB1 |
| 31 Q—K5 ch | Q—N2 |
| 32 P—B6 | Q—QB2 |
| 33 Q—Q4 | Q—N3 |
| 34 Q x Q | P x Q |
| 35 P—B7 | P—Q7 |
| 36 B x BP | K—N2 |
| 37 R—B2 | Resigns |

Y. KRAIDMAN

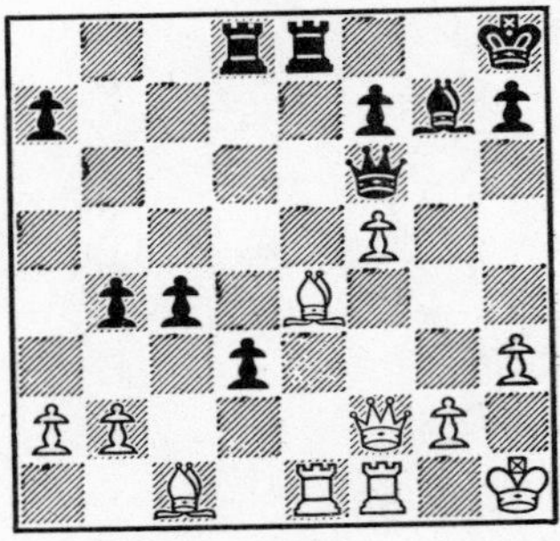

B. BEDNARSKI

## Boston, 1964

Black, in sight of a draw, plays for more and gets less.

PIRC DEFENSE

| | P. Benko *White* | D. Suttles *Black* |
|---|---|---|
| 1 | N—KB3 | P—KN3 |
| 2 | P—K4 | B—N2 |
| 3 | P—Q4 | P—Q3 |
| 4 | N—B3 | P—QB3 |
| 5 | B—K2 | N—Q2 |
| 6 | O—O | N—R3 |
| 7 | P—KR3 | O—O |
| 8 | B—K3 | P—B3 |
| 9 | Q—Q2 | N—B2 |
| 10 | P—Q5 | P—KB4 |
| 11 | KP x P | NP x P |
| 12 | N—Q4 | B x N |
| 13 | B x B | P x P |
| 14 | N x P | P—K4 |
| 15 | B—QB3 | P—B5 |
| 16 | B—B4 | N—B4 |
| 17 | N x P | N—K5 |
| 18 | Q—K3 | N x B |
| 19 | Q—N3 ch | K—R1 |
| 20 | Q x N | N—N4 |
| 21 | N—R5 | R—B6 |
| 22 | Q—Q2 | R x RP |
| 23 | B—K2 | R—R5 |
| 24 | QR—Q1 | B—N5 |
| 25 | B x B | R x B |
| 26 | N—N3 | Q—N3 |
| 27 | Q x P | N—B6 ch |
| 28 | P x N | R x N ch |
| 29 | K—R2 | R—N4 |
| 30 | P—KB4 | R—R4 ch |
| 31 | K—N2 | P—K5 |
| 32 | R—KN1 | R—N1 ch |
| 33 | K—B1 | Q—N4 ch* |
| 34 | R—Q3 | R x R ch |
| 35 | K x R | Resigns |

D. SUTTLES

P. BENKO

## U.S. Championship, 1963

It is one thing to get an advantage out of the opening, and another thing to exploit it. Here, Benko does both.

GRUENFELD DEFENSE

| | A. Bisguier *White* | P. Benko *Black* |
|---|---|---|
| 1 | P—Q4 | N—KB3 |
| 2 | P—QB4 | P—KN3 |
| 3 | N—QB3 | P—Q4 |
| 4 | N—B3 | B—N2 |
| 5 | Q—N3 | P x P |
| 6 | Q x BP | O—O |
| 7 | B—B4 | P—B3 |
| 8 | P—K4 | P—QN4 |
| 9 | Q—Q3 | Q—R4 |
| 10 | B—K2 | P—N5 |
| 11 | N—Q1 | P—B4 |
| 12 | O—O | B—QR3 |
| 13 | Q—B2 | P x P |
| 14 | N x P | R—B1 |
| 15 | Q—N1 | N—R4 |
| 16 | N—N3* | ...... |
| 16 | ...... | N x B |
| 17 | N x Q | N x B ch |
| 18 | K—R1 | R—B8 |
| 19 | Q x R | N x Q |
| 20 | R x N | B x R |
| 21 | R—B8 ch | B—B1 |
| 22 | N—K3 | B—QR3 |
| 23 | R—Q8 | P—K3 |
| 24 | N—N4 | K—N2 |
| 25 | P—K5 | B—K2 |
| 26 | R—K8 | B—KN4 |
| 27 | P—KR4 | B x P |
| 28 | P—KN3 | B—QN4 |
| 29 | N—KB6 | B x R |
| 30 | N x B ch | K—B1 |
| 31 | N—B7 | B—Q1 |
| | Resigns | |

P. BENKO

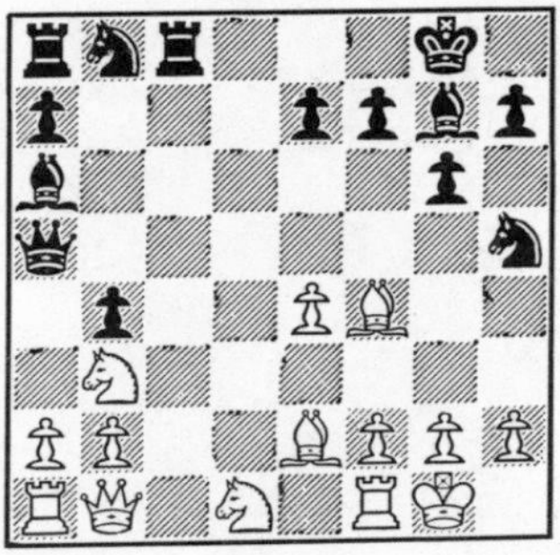

A. BISGUIER

## Olympics, Tel Aviv, 1964

White puts a pesky knight on a seemingly protected square not once, but twice, and there is nothing Black can do about it.

SICILIAN DEFENSE

| BOOUWMEESTER *White* | PADEVSKI *Black* | BOOUWMEESTER *White* | PADEVSKI *Black* |
|---|---|---|---|
| 1 P—K4 | P—QB4 | 18 P—B4 | KP x P |
| 2 N—KB3 | P—Q3 | 19 B x P | N—K1 |
| 3 P—Q4 | P x P | 20 P x P | P x P |
| 4 N x P | N—KB3 | 21 N—Q4 | P—N5 |
| 5 N—QB3 | P—QR3 | 22 N—B5 | B x N |
| 6 P—KR3 | P—K4 | 23 KP x B | R—R4 |
| 7 N/4—K2 | B—K3 | 24 P x P | RP x P |
| 8 P—KN4 | B—K2 | 25 K—R1 | N—K4 |
| 9 B—N2 | O—O | 26 B—N5 | R—Q2 |
| 10 B—K3 | QN—Q2 | 27 R—B1 | R—B4 |
| 11 N—N3 | N—N3 | 28 Q—Q2 | Q—N1 |
| 12 O—O | P—N3 | 29 B—K3 | R x R |
| 13 P—N3 | Q—B2 | 30 R x R | N—N2 |
| 14 N/B—K2 | N/N—Q2 | 31 B—N5 | N—K3 |
| 15 P—QB4 | P—QN4 | 32 B—B6 | R—R2 |
| 16 N—B5 | KR—K1 | 33 Q—R6 | Resigns |
| 17 N x B ch | R x N | | |

## Amsterdam, 1964

Bronstein is actually winning this exciting contest between two great tacticians. When he falters at a critical moment, Larsen gives him no second chance.

KING'S INDIAN
DEFENSE

| D. Bronstein *White* | B. Larsen *Black* |
|---|---|
| 1 P—Q4 | N—KB3 |
| 2 P—QB4 | P—KN3 |
| 3 N—QB3 | B—N2 |
| 4 P—K4 | P—Q3 |
| 5 B—K2 | O—O |
| 6 B—N5 | P—B4 |
| 7 P—Q5 | P—K3 |
| 8 N—B3 | P—KR3 |
| 9 B—B4 | P x P |
| 10 KP x P | R—K1 |
| 11 N—Q2 | N—R4 |
| 12 B—N3 | B—N5 |
| 13 O—O | N x B |
| 14 RP x N | B x B |
| 15 N x B | B x P |
| 16 R—N1 | B—N2 |
| 17 R x P | N—Q2 |
| 18 N—B4 | N—N3 |
| 19 R—K1 | B—B6 |
| 20 N—K4 | B x R* |
| 21 N—K6 | B x P ch |
| 22 K x B | P x N |
| 23 Q—N4 | R—B1 ch |
| 24 K—N1 | R—B3 |
| 25 Q—R3 | Q—KB1 |
| 26 N—N5 | R—B8 ch |
| 27 K—R2 | R—B4 |
| 28 N x P | R—R4 |
| 29 Q x R | P x Q |
| 30 N x Q | R x N |
| Resigns | |

B. LARSEN

D. BRONSTEIN

## Amsterdam, 1964

Trust Bronstein to turn up an original conception.

QUEEN'S GAMBIT
DECLINED

| D. Bronstein *White* | B. Berger *Black* | D. Bronstein *White* | B. Berger *Black* |
|---|---|---|---|
| 1 P—QB4 | P—K3 | 11 B—N3 | B—Q2 |
| 2 N—QB3 | P—Q4 | 12 N—K5 | R—B1 |
| 3 P—Q4 | N—KB3 | 13 Q—Q3 | N/N—Q4 |
| 4 B—N5 | B—K2 | 14 KR—K1 | B—B3 |
| 5 P—K3 | QN—Q2 | 15 Q—R3 | P—QR3 |
| 6 N—B3 | O—O | 16 QR—Q1 | P—N4 |
| 7 B—Q3 | P x P | 17 B—B2 | Q—Q3 |
| 8 B x BP | P—B4 | 18 N x B | R x N |
| 9 O—O | P x P | 19 B x N | N x B |
| 10 P x P | N—N3 | 20 N—K4 | Resigns |

## United States Championship, New York, 1963-64

"The culminating combination is of such depth that even at the moment at which I resigned, two grandmasters, commenting on the play for the spectators in a separate room, believed I had a won game." Robert Byrne.

GRUENFELD DEFENSE

| BYRNE *White* | FISCHER *Black* |
|---|---|
| 1 P—Q4 | N—KB3 |
| 2 P—QB4 | P—KN3 |
| 3 P—KN3 | P—B3 |
| 4 B—N2 | P—Q4 |
| 5 P x P | P x P |
| 6 N—QB3 | B—N2 |
| 7 P—K3 | O—O |
| 8 KN—K2 | N—B3 |
| 9 O—O | P—N3 |
| 10 P—N3 | B—QR3 |
| 11 B—QR3 | R—K1 |
| 12 Q—Q2 | P—K4 |
| 13 P x P | N x P |
| 14 KR—Q1 | N—Q6 |
| 15 Q—B2* | ...... |
| 15 ...... | N x P |
| 16 K x N | N—N5 ch |
| 17 K—N1 | N x KP |
| 18 Q—Q2 | N x B |
| 19 K x N | P—Q5 |
| 20 N x P | B—N2 ch |
| 21 K—B1 | Q—Q2 |
| Resigns | |

FISCHER

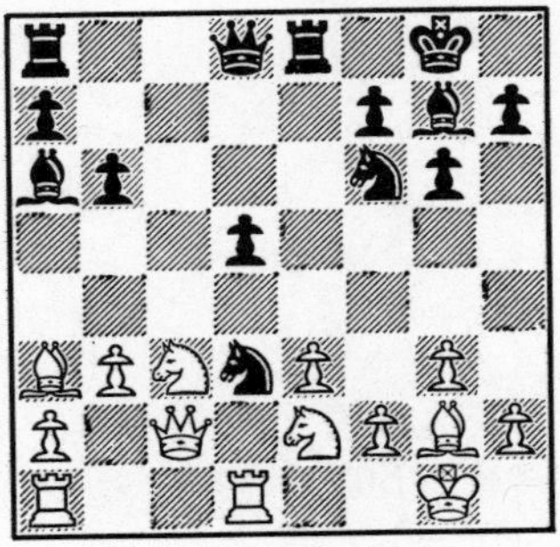

BYRNE

## Bad Liebenstein, 1963

Just when Black thinks he had warded off the attack, White breaks through with a surprising pawn sacrifice.

SICILIAN DEFENSE

| | V. Ciocaltea *White* | Jansa *Black* |
|---|---|---|
| 1 | P—K4 | P—QB4 |
| 2 | N—KB3 | P—Q3 |
| 3 | P—Q4 | P x P |
| 4 | N x P | N—KB3 |
| 5 | N—QB3 | P—QR3 |
| 6 | B—QB4 | P—K3 |
| 7 | B—N3 | B—K2 |
| 8 | P—B4 | O—O |
| 9 | Q—B3 | Q—B2 |
| 10 | P—N4 | N—B3 |
| 11 | N x N | P x N |
| 12 | P—N5 | N—Q2 |
| 13 | B—K3 | P—QB4 |
| 14 | O—O—O | P—B5 |
| 15 | B—R4 | R—N1 |
| 16 | B x N | B x B |
| 17 | P—B5 | Q—N2 |
| 18 | P—B6 | B—Q1 |
| 19 | P—N3 | BP x P |
| 20 | RP x P | B—R4 |
| 21 | P x P | KR—B1 |
| 22 | KR—B1 | B—B3* |
| 23 | P—N6 | RP x P |
| 24 | Q—R3 | K x P |
| 25 | Q—R6 ch | K—N1 |
| 26 | B—Q4 | P—K4 |
| 27 | R—Q3 | B—Q2 |
| 28 | N—Q5 | B—Q1 |
| 29 | R x P | K x R |
| 30 | Q—R7 ch | K—B1 |
| 31 | Q x P | B—K1 |
| 32 | R—B3 ch | B—B2 |
| 33 | Q—R6 ch | K—K1 |
| 34 | Q—R8 ch | K—Q2 |
| 35 | R x B ch | K—B3 |
| 36 | Q—K8 ch | Resigns |

JANSA

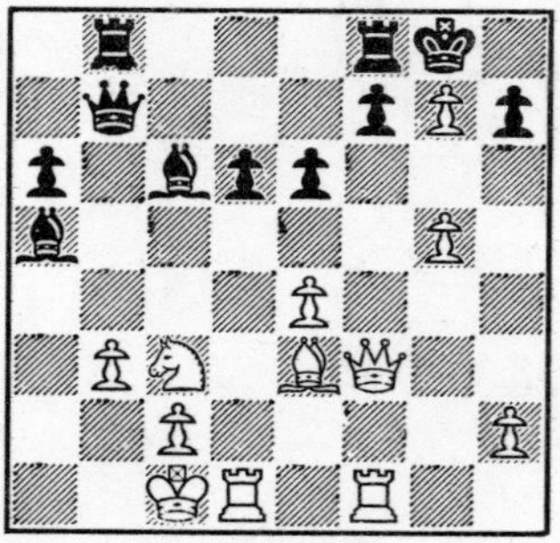

V. CIOCALTEA

## Hungary, 1963

White's breakthrough consists of a knight for the enemy king-pawn. Afterward, Black cannot patch up the breach.

PHILIDOR DEFENSE

| Z. Csapo *White* | F. Koberl *Black* | Z. Csapo *White* | F. Koberl *Black* |
|---|---|---|---|
| 1 P—K4 | P—Q3 | 17 KR—K1 | P—R3 |
| 2 P—Q4 | N—KB3 | 18 P—QN4 | P—N3 |
| 3 N—QB3 | QN—Q2 | 19 Q—B3 | N—N2 |
| 4 N—B3 | P—K4 | 20 B—K5 | Q—N2 |
| 5 B—QB4 | P—KR3 | 21 N—Q5 | P—N5 |
| 6 P—KR3 | P—B3 | 22 P x P | B x KP |
| 7 P—QR4 | B—K2 | 23 N x P ch | B x N |
| 8 O—O | Q—B2 | 24 B x KB | R—B1 |
| 9 B—K3 | N—B1 | 25 QR—Q1 | P—N4 |
| 10 Q—Q3 | P—KN4 | 26 P x P | RP x P |
| 11 P x P | P x P | 27 B—N3 | Q—QB2 |
| 12 N x KP | Q x N | 28 B x N | R x B |
| 13 B—Q4 | Q—B2 | 29 B x B | N x B |
| 14 P—K5 | N—R4 | 30 R x N ch | R—K2 |
| 15 P—K6 | P—B3 | 31 Q—B6 | Resigns |
| 16 P—KN3 | R—KN1 | | |

## Holland, 1964

In this sharp struggle between two aggressive players, the more experienced comes out on top.

RETI OPENING

| K. Darga *White* | P. Keres *Black* | K. Darga *White* | P. Keres *Black* |
|---|---|---|---|
| 1 N—KB3 | P—Q4 | 14 Q x KP | P x N |
| 2 P—B4 | P x P | 15 Q—N6 ch | K—B1 |
| 3 P—K3 | B—K3 | 16 P x P | B—K1 |
| 4 N—N5 | B—Q4 | 17 Q—B5 ch | K—N1 |
| 5 P—K4 | B—B3 | 18 R—R3 | P—QR4 |
| 6 B x P | P—K3 | 19 R—N1 | P—B3 |
| 7 P—Q4 | B—K2 | 20 B—B2 | N—Q2 |
| 8 P—KR4 | N—B3 | 21 R—N7 | Q—B1 |
| 9 N—QB3 | P—KR3 | 22 R—B3 | N—B1 |
| 10 N x KP | P x N | 23 P—B4 | Q x R |
| 11 P—K5 | N—Q4 | 24 P x N | B—N3 |
| 12 Q—N4 | P—QN4 | 25 Q—N4 | B x B |
| 13 B—N3 | P—N5 | Resigns | |

## Switzerland, 1963

"White's attack, starting with a beautiful breakthrough, leads to a particularly beautiful climax. There is enough brilliancy for two games." Hans Kmoch.

### DUTCH DEFENSE

| | K. Darga *White* | A. Dueckstein *Black* |
|---|---|---|
| 1 | P—Q4 | P—K3 |
| 2 | N—KB3 | P—KB4 |
| 3 | P—KN3 | N—KB3 |
| 4 | B—N2 | B—K2 |
| 5 | O—O | O—O |
| 6 | N—B3 | P—Q4 |
| 7 | B—B4 | P—QN3 |
| 8 | N—QN5 | N—K1 |
| 9 | P—B4 | B—N2 |
| 10 | P x P | P x P |
| 11 | Q—N3 | P—B3 |
| 12 | N—B3 | K—R1 |
| 13 | Q—B2 | N—Q2 |
| 14 | P—KR4 | N—Q3 |
| 15 | N—KN5 | B x N |
| 16 | P x B | Q—K2 |
| 17 | N x P | P x N |
| 18 | Q—B7 | N—N4 |
| 19 | Q x B | N x P |
| 20 | QR—K1 | QR—Q1 |
| 21 | B x P | Q—N5 |
| 22 | Q—B7 | Q x P |
| 23 | K—N2 | N—N4 |
| 24 | Q—N7 | N—B4 |
| 25 | Q—B6 | N—Q5* |
| 26 | Q—N6 | Resigns |

A. DUECKSTEIN

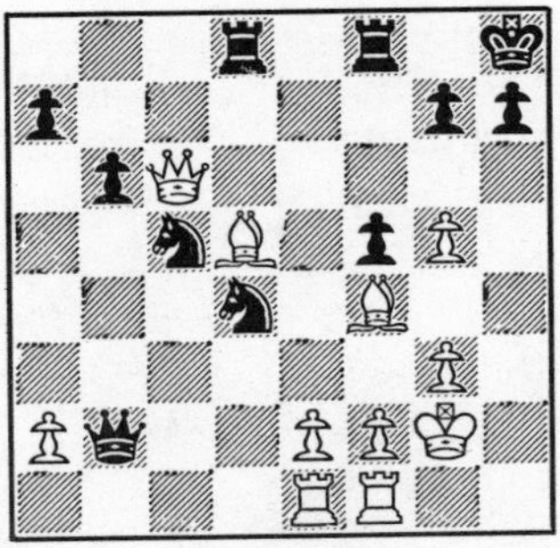

K. DARGA

## Hungary, 1963

A game of thrust and counter-thrust, in which a desperate counter-attack by White fails by a hair.

PIRC DEFENSE

| A. Dely *White* | S. Koeberl *Black* | A. Dely *White* | S. Koeberl *Black* |
|---|---|---|---|
| 1 P—K4 | P—KN3 | 26 B x P | P—R5 |
| 2 P—Q4 | B—N2 | 27 Q—B4 | Q—KB8 |
| 3 N—KB3 | P—Q3 | 28 K—N3 | Q—KR8 |
| 4 B—QB4 | N—KB3 | 29 N—R4 | P x B |
| 5 Q—K2 | O—O | 30 B—B6 | R—R5 |
| 6 P—K5 | P x P | 31 Q—R6 | Q—N8 ch |
| 7 P x P | N—Q4 | 32 N—N2 | R—N5 ch |
| 8 O—O | B—N5 | 33 K x R | Q x N ch |
| 9 R—Q1 | P—QB3 | 34 K—B4 | Q x P ch |
| 10 QN—Q2 | P—QN4 | 35 K—N4 | Q—N7 ch |
| 11 B—N3 | N—B5 | Resigns | |
| 12 Q—K4 | B—R3 | | |
| 13 Q—K1 | Q—B1 | | |
| 14 P—KR3* | ...... | | |
| 14 ...... | N x NP | | |
| 15 K x N | B x P ch | | |
| 16 K—R1 | Q—N5 | | |
| 17 Q—N1 | B x N | | |
| 18 N x B | B—N7 ch | | |
| 19 Q x B | Q x R ch | | |
| 20 Q—N1 | Q—K7 | | |
| 21 Q—N3 | N—Q2 | | |
| 22 N—B3 | Q—B8 ch | | |
| 23 K—R2 | N—B4 | | |
| 24 B—K3 | Q x R | | |
| 25 B x N | P—QR4 | | |

S. KOEBERL

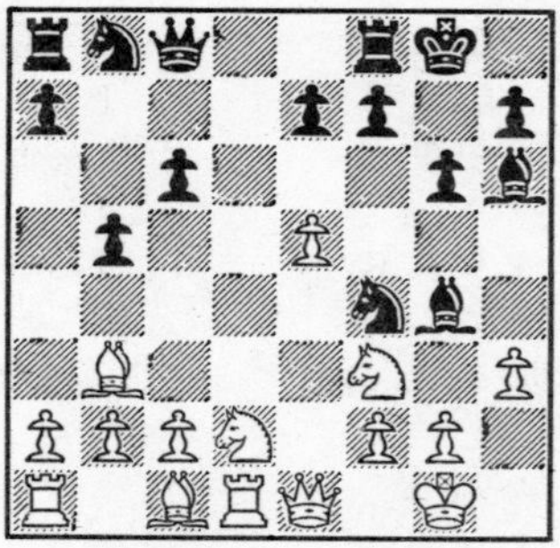

A. DELY

## Amsterdam, 1964

This battle is very tactical and complicated right up through the endgame.

CARO-KANN DEFENSE

| | A. DUECKSTEIN *White* | G. BARCZA *Black* |
|---|---|---|
| 1 | P—K4 | P—QB3 |
| 2 | P—Q4 | P—Q4 |
| 3 | N—QB3 | P x P |
| 4 | N x P | N—Q2 |
| 5 | B—QB4 | KN—B3 |
| 6 | N—N5 | P—K3 |
| 7 | Q—K2 | N—N3 |
| 8 | B—N3 | P—B4 |
| 9 | KN—B3 | P—KR3 |
| 10 | P x P | B x P |
| 11 | N—K4 | N x N |
| 12 | Q x N | O—O |
| 13 | B—Q2 | N—Q2 |
| 14 | O—O—O | Q—N3 |
| 15 | P—N4 | B—K2 |
| 16 | P—N5 | N—B4 |
| 17 | Q—K2 | N x B ch |
| 18 | RP x N | P x P |
| 19 | KR—N1 | P—B3 |
| 20 | P—R4 | Q—R3 |
| 21 | Q x Q | P x Q |
| 22 | P x P | P x P* |
| 23 | B x P | B—B4 |
| 24 | N—K5 | R x P |
| 25 | B—R6 | R—B2 |
| 26 | R—Q8 ch | K—R2 |
| 27 | R—R8 ch | K x R |
| 28 | N x R ch | K—N1 |
| 29 | R x P ch | K—B1 |
| 30 | K—Q2 | B—Q5 |
| 31 | N—K5 | B x N |
| 32 | R x P ch | K—K1 |
| 33 | R x R | K—Q2 |
| 34 | R—R7 ch | K—B3 |
| 35 | R—K7 | B x P |
| 36 | P—B3 | B—R6 |
| 37 | P—N4 | B—Q2 |
| 38 | K—B2 | K—Q3 |
| 39 | R x B ch | K x R |
| 40 | K—N3 | Resigns |

G. BARCZA

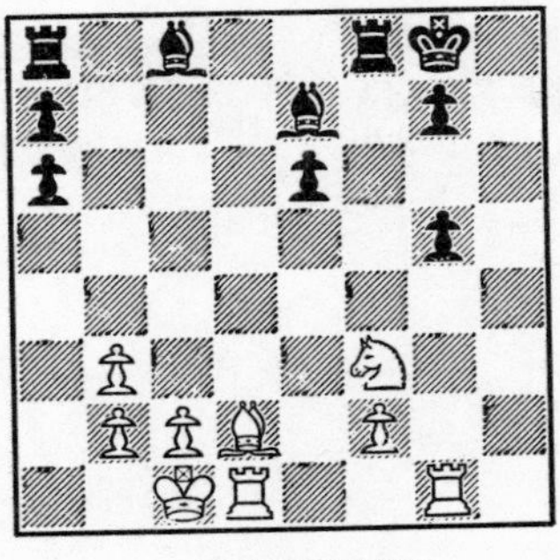

A. DUECKSTEIN

## East Germany, 1963

A blindspot by White followed by a *fingerfehler* and second-rate moves with impunity lead to a mating net.

NIMZO-INDIAN DEFENSE

| | EWALD *White* | TURKE *Black* |
|---|---|---|
| 1 | P—QB4 | N—KB3 |
| 2 | N—QB3 | P—K3 |
| 3 | P—Q4 | B—N5 |
| 4 | B—Q2 | P—B4 |
| 5 | P x P | B x P |
| 6 | N—B3 | N—B3 |
| 7 | P—QR3 | P—QR4 |
| 8 | Q—B2 | O—O |
| 9 | R—Q1 | N—Q5 |
| 10 | N x N | B x N |
| 11 | N—N5* | ...... |
| 11 | ...... | B x P ch |
| 12 | K x B | N—N5 ch |
| 13 | K—N3 | Q—B3 |
| 14 | K x N | P—R4 ch |
| 15 | K x P | P—Q4 |
| 16 | B—N5 | P—N3 ch |
| 17 | K—R4 | Q—B7 ch |
| 18 | P—N3 | K—N2 |
| 19 | Q—B3 ch | P—B3 |
| 20 | B—R6 ch | K x B |
| 21 | Q—B3 | P—K4 |
| | Resigns | |

TURKE

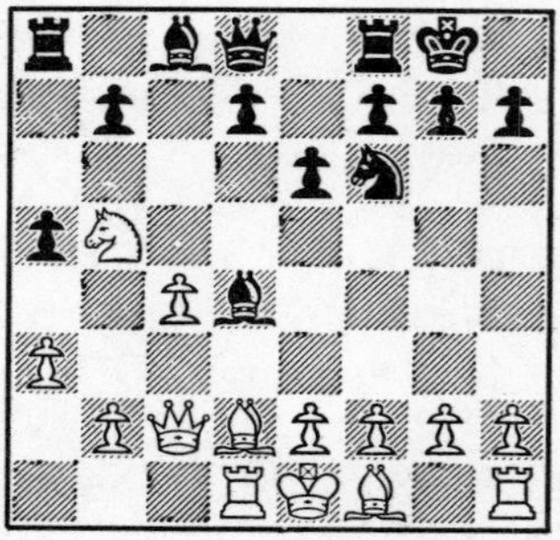

EWALD

## Washington Sq. Park, N.Y., 1963

Mired in *zugzwang*, Black chooses sui-mate as the most promising course.

DANISH GAMBIT

| A. Feldman *White* | F. Duvall *Black* | A. Feldman *White* | F. Duvall *Black* |
|---|---|---|---|
| 1 P—K4 | P—K4 | 11 P x N | P x P |
| 2 P—Q4 | P x P | 12 B—K3 | P—QR3 |
| 3 P—QB3 | P x P | 13 R—Q1 | Q—B2 |
| 4 N x P | N—QB3 | 14 B—N6 | Q—B5 |
| 5 N—B3 | P—Q3 | 15 R—Q8 ch | K—K2 |
| 6 B—QB4 | N—B3 | 16 Q x Q | P x Q |
| 7 Q—N3 | Q—Q2 | 17 O—O | P—R3 |
| 8 N—KN5 | N—K4 | 18 N—Q5 ch | N x N |
| 9 B—N5 | P—B3 | 19 R x P mate | |
| 10 P—B4 | P x B | | |

## New York, 1963

An old-fashioned King's Gambit collapses for Black with the fall of its pawn chains.

KING'S GAMBIT

| R. FISCHER *White* | L. EVANS *Black* | R. FISCHER *White* | L. EVANS *Black* |
|---|---|---|---|
| 1 P—K4 | P—K4 | 19 N—B1 | Q—K2 |
| 2 P—KB4 | P x P | 20 N x RP | R—N1 |
| 3 B—B4 | Q—R5 ch | 21 N/1—N3 | R—N3 |
| 4 K—B1 | P—Q3 | 22 N—B4 | R—N4 |
| 5 N—QB3 | B—K3 | 23 B—K3 | N—B2 |
| 6 Q—K2 | P—QB3 | 24 Q—Q2 | R—N1 |
| 7 N—B3 | Q—K2 | 25 N/4—K2 | P—B3 |
| 8 P—Q4 | B x B | 26 P x P | Q x P |
| 9 Q x B | P—KN4 | 27 B x N | B—Q3 |
| 10 P—K5 | P—Q4 | 28 R—KB1 | Q—K3 |
| 11 Q—Q3 | N—QR3 | 29 B—B4 | QR—K1 |
| 12 N—K2 | N—N5 | 30 R—R6 | B x B |
| 13 Q—Q1 | O—O—O | 31 Q x B | Q—K2 |
| 14 P—B3 | N—QR3 | 32 R—B6 | N—K3 |
| 15 P—KR4 | P—N5 | 33 Q—K5 | N—N4 |
| 16 N—R2 | P—R4 | 34 Q x Q | R x Q |
| 17 N x BP | Q x RP | 35 R—B8 ch | R x R |
| 18 K—N1 | N—R3 | 36 R x R ch | Resigns |

## United States Championship, New York, 1963-64

Black ensnares his own queen. The victory was Fischer's last in the series with an over-all result of 11-0.

CARO-KANN DEFENSE

| R. FISCHER | R. STEINMAYER |
|---|---|
| *White* | *Black* |
| 1 P—K4 | P—QB3 |
| 2 P—Q4 | P—Q4 |
| 3 N—QB3 | P x P |
| 4 N x P | B—B4 |
| 5 N—N3 | B—N3 |
| 6 N—B3 | N—B3 |
| 7 P—KR4 | P—KR3 |
| 8 B—Q3 | B x B |
| 9 Q x B | P—K3 |
| 10 B—Q2 | QN—Q2 |
| 11 O—O—O | Q—B2 |
| 12 P—B4 | O—O—O |
| 13 B—B3 | Q—B5 ch |
| 14 K—N1 | N—B4 |
| 15 Q—B2 | N/4—K5* |
| 16 N—K5 | N x P |
| 17 QR—KB1 | Resigns |

R. STEINMAYER

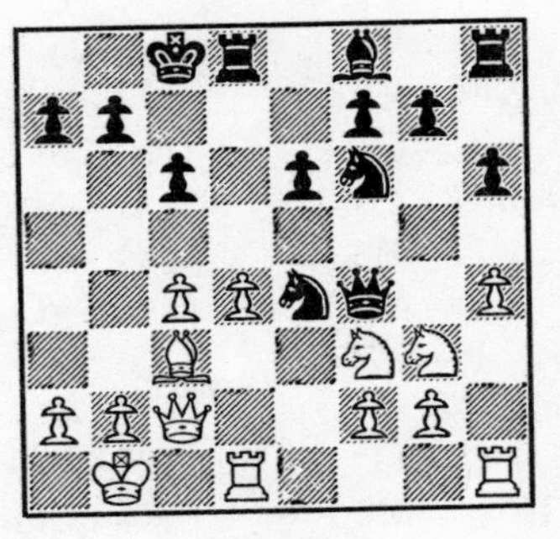

R. FISCHER

## Chicago, 1964

In a simultaneous, Fischer stands off a notable opponent with yet another of his Bishop's Gambits.

KING'S GAMBIT

| R. Fischer *White* | A. Sandrin *Black* | R. Fischer *White* | A. Sandrin *Black* |
|---|---|---|---|
| 1 P—K4 | P—K4 | 13 B x BP | P—QB4 |
| 2 P—KB4 | P x P | 14 Q—K3 | N—QB3 |
| 3 B—QB4 | N—KB3 | 15 B x QNP | B—N2 |
| 4 N—QB3 | B—N5 | 16 QR—K1 | P—Q4 |
| 5 N—B3 | Q—K2 | 17 P x P e.p. | Q—B3 |
| 6 Q—K2 | O—O | 18 Q x R ch | R x Q |
| 7 P—K5 | B x N | 19 R x R ch | K—N2 |
| 8 QP x B | N—R4 | 20 B x N | N x B |
| 9 O—O | R—K1 | 21 P—Q7 | N—K7 ch |
| 10 Q—K4 | P—QB3 | 22 R x N | B x B |
| 11 Q—Q4 | P—QN4 | 23 N—K5 | Resigns |
| 12 B—Q3 | P—KN3 | | |

## New York, 1963

A surprise rook "sack" binds the black king who cannot wriggle out of mate.

PIRC DEFENSE

| R. Fischer *White* | P. Benko *Black* |
|---|---|
| 1 P—K4 | P—KN3 |
| 2 P—Q4 | B—N2 |
| 3 N—QB3 | P—Q3 |
| 4 P—B4 | N—KB3 |
| 5 N—B3 | O—O |
| 6 B—Q3 | B—N5 |
| 7 P—KR3 | B x N |
| 8 Q x B | N—B3 |
| 9 B—K3 | P—K4 |
| 10 QP x P | P x P |
| 11 P—B5 | P x P |
| 12 Q x P | N—Q5 |
| 13 Q—B2 | N—K1 |
| 14 O—O | N—Q3 |
| 15 Q—N3 | K—R1 |
| 16 Q—N4 | P—QB3 |
| 17 Q—R5 | Q—K1 |
| 18 B x N | P x B* |
| 19 R—B6 | K—N1 |
| 20 P—K5 | P—KR3 |
| 21 N—K2 | Resigns |

P. BENKO

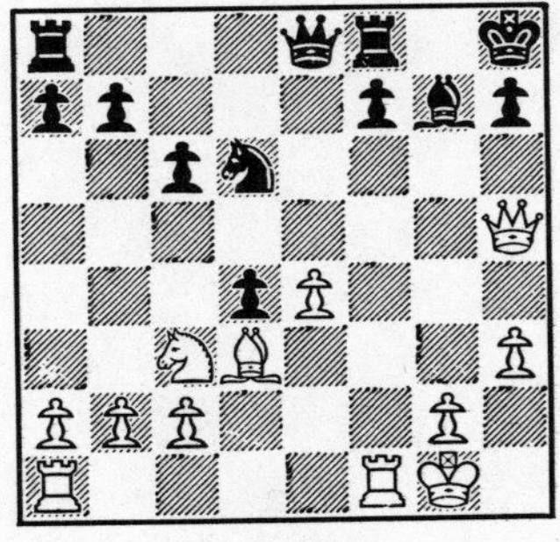

R. FISCHER

## New York, 1963

"All those who enter here, leave all hope behind." Steinmeyer forces his way in.

CARO-KANN DEFENSE

| R. FISCHER *White* | R. STEINMEYER *Black* | R. FISCHER *White* | R. STEINMEYER *Black* |
|---|---|---|---|
| 1 P—K4 | P—QB3 | 10 B—Q2 | QN—Q2 |
| 2 P—Q4 | P—Q4 | 11 O—O—O | Q—B2 |
| 3 N—QB3 | P x P | 12 P—B4 | O—O—O |
| 4 N x P | B—B4 | 13 B—B3 | Q—B5 ch |
| 5 N—N3 | B—N3 | 14 K—N1 | N—B4 |
| 6 N—B3 | N—B3 | 15 Q—B2 | N/4—K5 |
| 7 P—KR4 | P—KR3 | 16 N—K5 | N x P |
| 8 B—Q3 | B x B | 17 QR—KB1 | Resigns |
| 9 Q x B | P—K3 | | |

## Hungary, 1963

The simple idea behind the Four Pawns' attack is to blow Black right off the board. Sometimes it even works.

KING'S INDIAN DEFENSE

| | G. Forintos *White* | L. Szabo *Black* |
|---|---|---|
| 1 | P—Q4 | N—KB3 |
| 2 | P—QB4 | P—KN3 |
| 3 | N—QB3 | B—N2 |
| 4 | P—K4 | P—Q3 |
| 5 | P—B4 | O—O |
| 6 | B—K2 | P—B4 |
| 7 | P—Q5 | P—K3 |
| 8 | N—B3 | P x P |
| 9 | KP x P | N—R4 |
| 10 | O—O | B x N |
| 11 | P x B | N—N2 |
| 12 | R—N1 | N—Q2 |
| 13 | R—N2 | N—B3 |
| 14 | B—Q3 | N—B4 |
| 15 | R—K1 | R—N1 |
| 16 | P—KR3 | P—KR4 |
| 17 | N—N5 | P—R5 |
| 18 | Q—B3 | N—R4 |
| 19 | B x N | B x B |
| 20 | B—K3 | B—Q6 |
| 21 | B—B2 | B x P |
| 22 | B x RP | R—K1* |
| 23 | R x R ch | Q x R |
| 24 | P—B5 | P—B3 |
| 25 | N—K6 | P—KN4 |
| 26 | R—Q2 | P—N4 |
| 27 | B—B2 | P—QN5 |
| 28 | P—KR4 | P x BP |
| 29 | Q x P | R—N8 ch |
| 30 | K—R2 | Q—N4 |
| 31 | Q—B3 | N—N2 |
| 32 | N x N | B x RP |
| 33 | R—K2 | K x N |
| 34 | Q—R5 | B x P |
| 35 | Q—N6 ch | K—B1 |
| 36 | Q x P ch | B—B2 |
| 37 | Q—R6 ch | Resigns |

L. SZABO

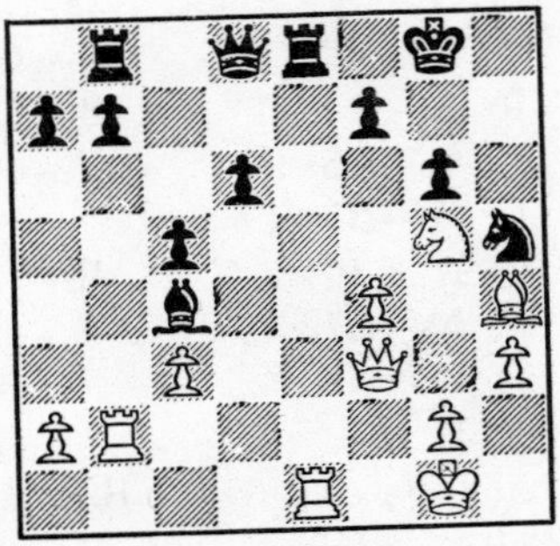

G. FORINTOS

## Soviet Union, 1963

World champion Petrosian plays his favorite French Defense and finds himself positionally lost as early as the tenth move!

FRENCH DEFENSE

| | Y. GELLER<br>*White* | T. PETROSIAN<br>*Black* |
|---|---|---|
| 1 | P—K4 | P—K3 |
| 2 | P—Q4 | P—Q4 |
| 3 | N—QB3 | B—N5 |
| 4 | P—K5 | P—QN3 |
| 5 | N—B3 | Q—Q2 |
| 6 | B—Q2 | B—B1 |
| 7 | P—QR4 | N—QB3 |
| 8 | B—K2 | KN—K2 |
| 9 | O—O | P—B3 |
| 10 | R—K1 | P x P* |
| 11 | B—QN5 | N—N3 |
| 12 | N x KP | N/N x N |
| 13 | R x N | P—QR3 |
| 14 | B x N | Q x B |
| 15 | N x P | B—Q2 |
| 16 | B—N5 | B—Q3 |
| 17 | Q—R5 ch | K—B1 |
| 18 | Q—B3 ch | K—N1 |
| 19 | R x P | R—B1 |
| 20 | N—K7 ch | B x N |
| 21 | Q x Q | B x Q |
| 22 | R x B/7 | R—B2 |
| 23 | QR—K1 | B x RP |
| 24 | P—QN3 | B—B3 |
| 25 | R/1—K6 | B—Q4 |
| 26 | R—K8 ch | R—B1 |
| 27 | R/6—K7 | P—R3 |
| 28 | R x R ch | K x R |
| 29 | R x BP | K—N1 |
| 30 | B—B4 | P—KN4 |
| 31 | B—K5 | R—R2 |
| 32 | R—B8 ch | K—B2 |
| 33 | P—QB4 | B—N2 |
| 34 | R—Q8 | K—K3 |
| 35 | R—Q6 ch | K—B4 |
| 36 | P—B3 | P—N5 |
| 37 | R—B6 ch | K—N4 |
| 38 | P—B4 ch | K—R4 |
| 39 | R x NP | B—K5 |
| 40 | K—B2 | R—QN2 |
| 41 | R x R | B x R |
| 42 | P—Q5 | Forfeits |

T. PETROSIAN

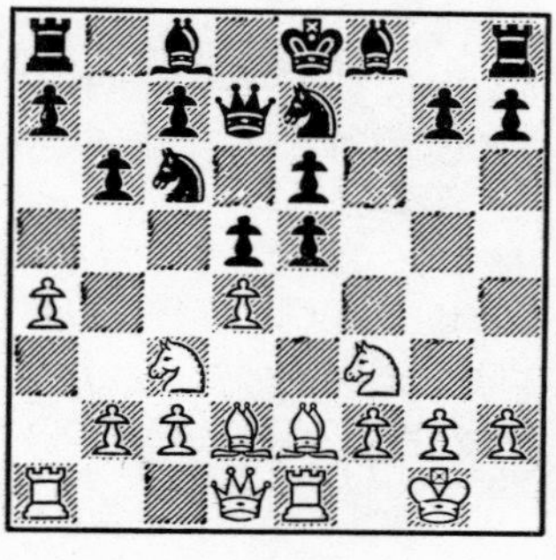

Y. GELLER

## Roumania, 1963

This is one of two victories by young Roumanian star Florian Gheorghiu over World Championship contender Portisch in the '63 Hungary-Roumania match.

SICILIAN DEFENSE

| F. GHEORGHIU *White* | L. PORTISCH *Black* | F. GHEORGHIU *White* | L. PORTISCH *Black* |
|---|---|---|---|
| 1 P—K4 | P—QB4 | 15 Q—R3 | N—B4 |
| 2 N—KB3 | N—QB3 | 16 N x N | P x N |
| 3 P—Q4 | P x P | 17 P—K5 | P—R3 |
| 4 N x P | Q—N3 | 18 P—B5 | Q x P |
| 5 N—N3 | N—B3 | 19 P—B6 | B x P |
| 6 N—B3 | P—K3 | 20 B—KB4 | Q—Q5 ch |
| 7 B—K3 | Q—B2 | 21 K—R1 | P—B5 |
| 8 P—QR3 | P—QR3 | 22 B—K4 | Q—N3 |
| 9 P—B4 | P—Q3 | 23 B x P | KR—Q1 |
| 10 B—Q3 | P—QN4 | 24 B—K3 | N—Q5 |
| 11 Q—B3 | B—N2 | 25 Q—R7 ch | K—B1 |
| 12 O—O | N—Q2 | 26 B x B | Q x B |
| 13 QR—Q1 | B—K2 | 27 R x B | P x R |
| 14 Q—N3 | O—O | 28 B x N | Resigns |

## U.S. Open, 1963

"An attempted Nimzovich Defense goes altogether irregular, and Gligorich makes nimzmeat of it." J. S. B.

IRREGULAR OPENING

| S. GLIGORICH *White* | J. ROSENSTEIN *Black* |
|---|---|
| 1 P—K4 | N—QB3 |
| 2 N—KB3 | P—Q3 |
| 3 P—Q4 | P—B4 |
| 4 N—B3 | P x P |
| 5 N x P | N—B3 |
| 6 N x N ch | KP x N |
| 7 P—Q5 | N—K4 |
| 8 N—Q4 | Q—K2 |
| 9 B—K2 | P—QB4 |
| 10 P x P e.p. | P x P |
| 11 O—O | Q—QB2 |
| 12 P—KB4 | N—B2 |
| 13 B—B3 | N—Q1 |
| 14 R—K1 ch | B—K2 |
| 15 Q—K2 | P—Q4 |
| 16 P—B5 | B—N2 |
| 17 B—B4 | Q—Q2 |
| 18 B—R5 ch | K—B1* |
| 19 Q x B ch | Q x Q |
| 20 B—Q6 | Q x B |
| 21 R—K8 mate | |

J. ROSENSTEIN

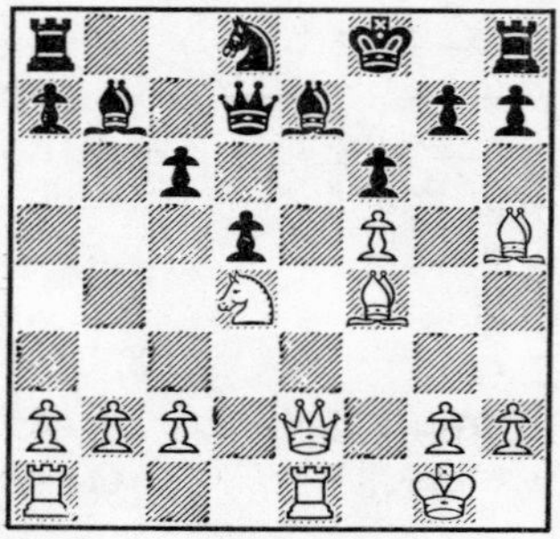

S. GLIGORICH

## Los Angeles, 1963

In this opening, so goes the theory, Black must strive to keep the position closed. Panno apparently thinks otherwise, but fails to prove his point.

SLAV DEFENSE

| S. GLIGORICH *White* | O. PANNO *Black* |
|---|---|
| 1 P—Q4 | P—Q4 |
| 2 P—QB4 | P—QB3 |
| 3 N—KB3 | N—B3 |
| 4 N—B3 | P—K3 |
| 5 P—K3 | QN—Q2 |
| 6 B—Q3 | P x P |
| 7 B x BP | P—QN4 |
| 8 B—Q3 | P—QR3 |
| 9 P—K4 | P—B4 |
| 10 P—Q5 | P—B5 |
| 11 P x P | P x P |
| 12 B—B2 | Q—B2 |
| 13 N—N5 | Q—B3 |
| 14 O—O | P—K4 |
| 15 N—Q5 | B—B4 |
| 16 N—K6 | K—B2 |
| 17 N x B | N x N |
| 18 P—B4 | B—N5 |
| 19 Q—K1 | N x N |
| 20 P x P ch | K—K1 |
| 21 P x N | Q x P |
| 22 B—K3 | N—Q6 |
| 23 Q—N3 | B—K7* |
| 24 KR—K1 | N x R |
| 25 R x N | B—Q6 |
| 26 B—Q1 | P—N3 |
| 27 B—B3 | B—K5 |
| 28 B x B | Q x B |
| 29 P—K6 | R—KB1 |
| 30 Q—B7 | Q—Q4 |
| 31 B—B5 | Resigns |

O. PANNO

S. GLIGORICH

## Hungary, 1963

A rook offer sparks a bomb burst and Black's barricade comes tumbling down.

SLAV DEFENSE

| | E. HAAG<br>*White* | F. CSISZAR<br>*Black* |
|---|---|---|
| 1 | P—Q4 | N—KB3 |
| 2 | P—QB4 | P—K3 |
| 3 | N—KB3 | P—Q4 |
| 4 | P—K3 | P—B3 |
| 5 | N—B3 | QN—Q2 |
| 6 | Q—B2 | B—Q3 |
| 7 | P—QR3 | O—O |
| 8 | P—QN4 | R—K1 |
| 9 | B—N2 | P x P |
| 10 | B x P | P—K4 |
| 11 | O—O—O | P x P |
| 12 | R x P | Q—K2 |
| 13 | R/1—Q1 | B—B2 |
| 14 | B—N3 | P—QR4 |
| 15 | N—KN5 | R—B1 |
| 16 | R—R4 | P—R3* |
| 17 | R x P | P x R |
| 18 | Q—N6 ch | K—R1 |
| 19 | Q x P ch | K—N1 |
| 20 | R x N | Resigns |

F. CSISZAR

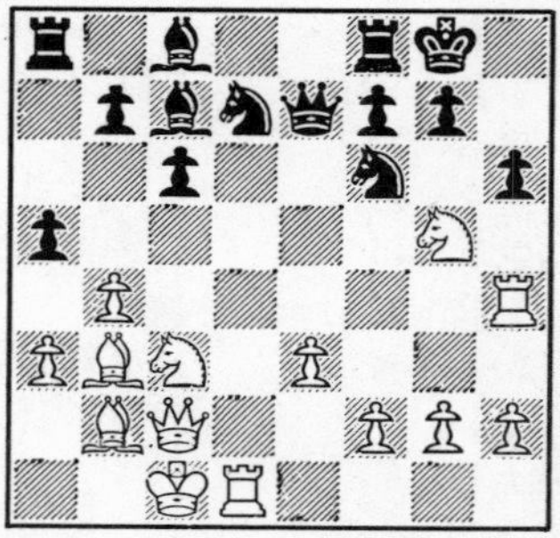

E. HAAG

## New York, 1964

White, encountering an unfamiliar opening line, rashly tries to refute it. The result is a huge lead in development for Black, who utilizes his advantage perfectly.

KING'S INDIAN DEFENSE

| B. Hill *White* | M. Valvo *Black* | B. Hill *White* | M. Valvo *Black* |
|---|---|---|---|
| 1 P—Q4 | N—KB3 | 11 P x P e.p. | B x P |
| 2 P—QB4 | P—KN3 | 12 P—KN3 | B x P |
| 3 N—QB3 | B—N2 | 13 P—KR3 | N/5—B3 |
| 4 P—K4 | O—O | 14 B—N2 | R—K1 |
| 5 B—K3 | P—Q3 | 15 Q—B2 | P—Q4 |
| 6 P—B3 | N—B3 | 16 P—K5 | P—Q5 |
| 7 P—Q5 | N—K4 | 17 N—K4 | B x N |
| 8 P—B4 | N/4—N5 | 18 P x N | N x NP |
| 9 B—Q2 | N—R4 | 19 P x B | Q—R5 ch |
| 10 KN—K2 | P—K4 | Resigns | |

## Czechoslovakia, 1963

Sixteenth-century Spanish Bishop Ruy Lopez advised placing the chessboard so that the sun shone into the eyes of one's hapless opponent. This is sometimes very effective strategy, as witness the following game:

RUY LOPEZ

| Iljagujev *White* | Vannerstrom *Black* | Iljagujev *White* | Vannerstrom *Black* |
|---|---|---|---|
| 1 P—K4 | P—K4 | 9 P—Q4 | N—K3 |
| 2 N—KB3 | N—QB3 | 10 P—KB4 | O—O |
| 3 B—N5 | P—QR3 | 11 P—B5 | N—N4 |
| 4 B—R4 | N—B3 | 12 P—KR4 | P—B3 |
| 5 O—O | B—K2 | 13 N—N6 | P x N |
| 6 B x N | NP x B | 14 P x P | P—Q4 |
| 7 N x P | N x P | 15 P x N | B—KB4 |
| 8 R—K1 | N—B4 | 16 Q—R5 | Resigns |

## Sarajevo, 1964

White instigates a decisive king-side attack with a surprising rook offer.

RUY LOPEZ

| | B. Ivkov *White* | Gufeld *Black* |
|---|---|---|
| 1 | P—K4 | P—K4 |
| 2 | N—KB3 | N—QB3 |
| 3 | B—N5 | P—QR3 |
| 4 | B—R4 | N—B3 |
| 5 | O—O | B—K2 |
| 6 | R—K1 | P—QN4 |
| 7 | B—N3 | O—O |
| 8 | P—B3 | P—Q3 |
| 9 | P—KR3 | N—N1 |
| 10 | P—Q3 | QN—Q2 |
| 11 | QN—Q2 | P—QR4 |
| 12 | N—B1 | P—R5 |
| 13 | B—B2 | R—K1 |
| 14 | N—N3 | P—N3 |
| 15 | B—R6 | B—B1 |
| 16 | Q—Q2 | B x B |
| 17 | Q x B | Q—K2 |
| 18 | P—Q4 | N—B1 |
| 19 | P—R3 | P—B4 |
| 20 | QR—Q1 | N/3—Q2 |
| 21 | P x KP | P x P* |
| 22 | R—Q6 | P—B5 |
| 23 | R/1—Q1 | N—B4 |
| 24 | N x P | B—K3 |
| 25 | N—B6 | Q—B2 |
| 26 | P—K5 | B—Q2 |
| 27 | R/1—Q5 | N—Q6 |
| 28 | R x B | N x R |
| 29 | R x N | Q x R |
| 30 | N—K4 | R—K3 |
| 31 | N—B6 ch | Resigns |

GUFELD

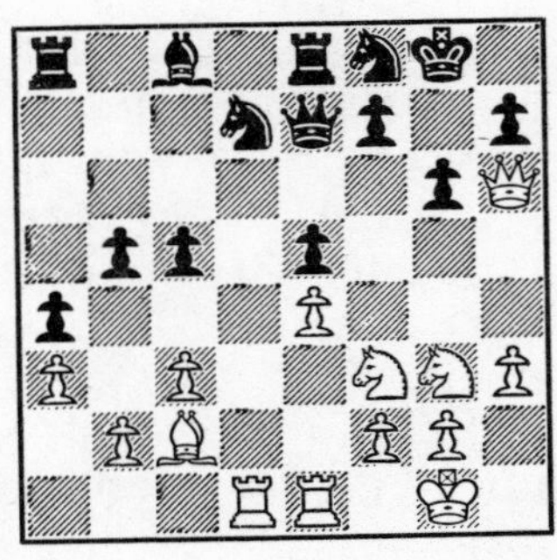

B. IVKOV

## U.S.S.R. Championship, 1963

Kholmov's thirteenth move seemingly immolates his bishop, but it is all according to plan.

DUTCH INDIAN
DEFENSE

| | R. Kholmov *White* | A. Bannik *Black* |
|---|---|---|
| 1 | P—Q4 | P—KB4 |
| 2 | P—QB4 | N—KB3 |
| 3 | N—KB3 | P—KN3 |
| 4 | P—KN3 | B—N2 |
| 5 | B—N2 | O—O |
| 6 | O—O | P—Q3 |
| 7 | N—B3 | P—B3 |
| 8 | R—K1 | N—K5 |
| 9 | Q—Q3 | N x N |
| 10 | P x KN | P—K4 |
| 11 | P—K4 | Q—R4 |
| 12 | B—N5 | R—K1* |
| 13 | N—R4 | P—B5 |
| 14 | NP x P | P—KR3 |
| 15 | B x P | B x B |
| 16 | Q—N3 | B—N2 |
| 17 | Q x P | R—B1 |
| 18 | N—B5 | B x N |
| 19 | P x B | P—K5 |
| 20 | P—B6 | R x P |
| 21 | Q—K8 ch | R—B1 |
| 22 | Q—K6 ch | R—B2 |
| 23 | B x P | N—R3 |
| 24 | B—N6 | QR—KB1 |
| 25 | Q—R3 | B—B3 |
| 26 | B x R ch | R x B |
| 27 | R—K8 ch | K—N2 |
| 28 | K—R1 | R—K2 |
| 29 | Q—R8 ch | K—N3 |
| 30 | R—N1 ch | Resigns |

A. BANNIK

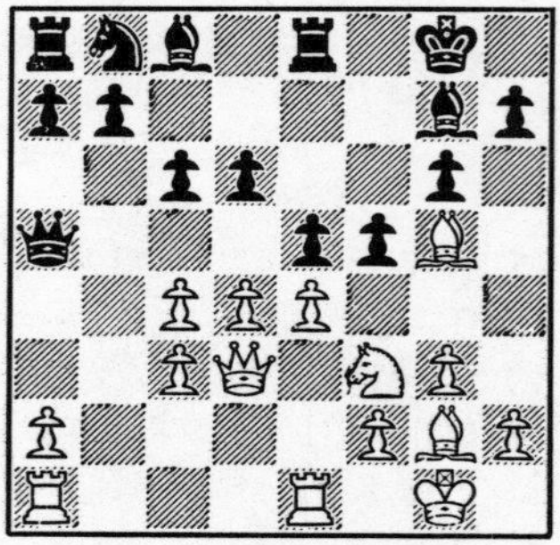

R. KHOLMOV

## U.S.S.R. Championship, 1964

An impressive victory contributing to an even more impressive result: Korchnoi won the '64 Russian Championship by two full points.

QUEEN'S GAMBIT

| V. KORCHNOI *White* | PETERSON *Black* |
|---|---|
| 1 P—Q4 | P—Q4 |
| 2 P—QB4 | P x P |
| 3 N—KB3 | N—KB3 |
| 4 P—K3 | B—N5 |
| 5 B x P | P—K3 |
| 6 P—KR3 | B—R4 |
| 7 N—B3 | QN—Q2 |
| 8 O—O | B—K2 |
| 9 P—K4 | N—N3 |
| 10 B—K2 | O—O |
| 11 B—K3 | B—N3 |
| 12 B—Q3 | KN—Q2 |
| 13 B—KB4 | B—Q3 |
| 14 P—K5 | B x B |
| 15 Q x B | B—K2 |
| 16 QR—Q1 | P—QB3 |
| 17 Q—K4 | R—K1 |
| 18 R—Q3 | N—Q4 |
| 19 B—B1 | N—B1 |
| 20 P—KR4 | N x N |
| 21 P x N | Q—Q4 |
| 22 Q—N4 | P—KB4 |
| 23 P x P e.p. | B x P |
| 24 N—N5 | Q—KB4 |
| 25 Q—K2 | P—KR3 |
| 26 N—K4 | B—K2 |
| 27 R—B3 | Q—Q4* |
| 28 B x P | P x B |
| 29 R—N3 ch | K—B2 |
| 30 Q—N4 | KR—Q1 |
| 31 Q—N7 ch | K—K1 |
| 32 Q x B ch | Resigns |

PETERSON

V. KORCHNOI

## U.S.S.R. Championship, 1963

In this, his second Russian Championship victory, Korchnoi took ten points out of his first twelve games.

KING'S INDIAN
DEFENSE

| | V. KORCHNOI *White* | V. SAVON *Black* |
|---|---|---|
| 1 | P—Q4 | N—KB3 |
| 2 | P—QB4 | P—KN3 |
| 3 | N—QB3 | B—N2 |
| 4 | P—KN3 | O—O |
| 5 | B—N2 | P—Q3 |
| 6 | N—B3 | N—B3 |
| 7 | O—O | P—K4 |
| 8 | P—Q5 | N—K2 |
| 9 | P—K4 | N—Q2 |
| 10 | P—QN4 | P—QR4 |
| 11 | P x P | R x P |
| 12 | P—QR4 | P—KB4 |
| 13 | B—QR3 | B—R3 |
| 14 | P x P | N x BP |
| 15 | B—N4 | R—R3 |
| 16 | P—R5 | N—B3 |
| 17 | R—K1 | P—B4 |
| 18 | P x P e.p. | R x BP |
| 19 | N x P | P x N |
| 20 | KB x R | P x B |
| 21 | B x R | Q x B |
| 22 | P—R6 | N—Q5 |
| 23 | P—R7 | B—QN2 |
| 24 | R—N1 | Q—B2 |
| 25 | R x P | P—B4* |
| 26 | R x B | Q x R |
| 27 | N—Q5 | Q x P |
| 28 | N x N ch | K—B2 |
| 29 | N—Q5 | Q—R7 |
| 30 | Q—N4 | Resigns |

V. SAVON

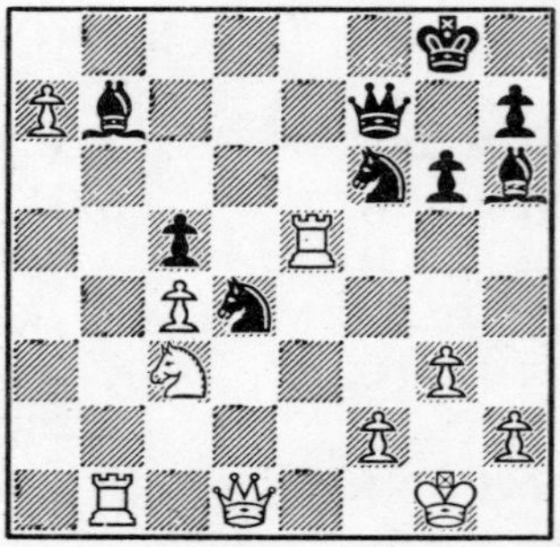

V. KORCHNOI

## The Netherlands, 1963

A violent "sack" exposes the black king to mate, or worse.

SICILIAN DEFENSE

| DR. J. KUPPER *White* | A. POMAR *Black* |
|---|---|
| 1 P—K4 | P—QB4 |
| 2 N—KB3 | P—Q3 |
| 3 P—Q4 | N—KB3 |
| 4 N—B3 | P x P |
| 5 N x P | P—KN3 |
| 6 B—K3 | B—N2 |
| 7 P—B3 | N—B3 |
| 8 Q—Q2 | O—O |
| 9 B—QB4 | N—QR4 |
| 10 B—N3 | P—N3 |
| 11 B—R6 | B—R3 |
| 12 O—O—O | N x B ch |
| 13 N x N | B—B5 |
| 14 P—KR4 | B x N |
| 15 RP x B | R—K1 |
| 16 B x B | K x B |
| 17 P—R5 | N—N1 |
| 18 P x P | RP x P |
| 19 Q—B4 | P—K4* |
| 20 R—R7 ch | K x R |
| 21 Q x P ch | K—R3 |
| 22 R—R1 ch | K—N4 |
| 23 Q—R7 | K—B3 |
| 24 N—Q5 ch | K—K3 |
| 25 N—B7 ch | K—B3 |
| 26 Q—R8 ch | Resigns |

A. POMAR

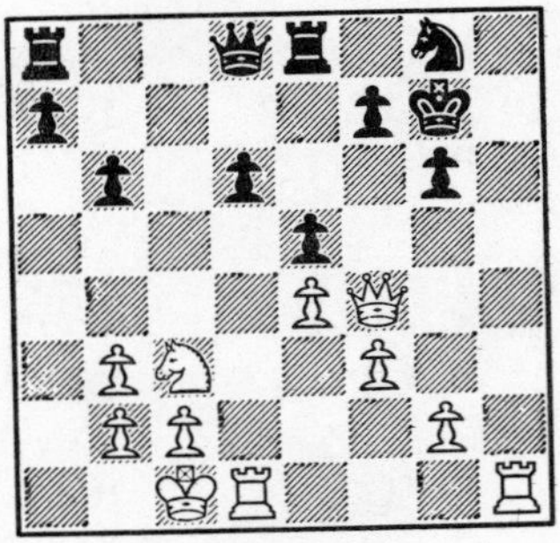

DR. J. KUPPER

## Yugoslavia, 1964

Spassky exploits Larsen's somewhat odd king-side formation for a fine, if quiet, victory.

SICILIAN REVERSED

| B. LARSEN *White* | B. SPASSKY *Black* | B. LARSEN *White* | B. SPASSKY *Black* |
|---|---|---|---|
| 1 P—QB4 | P—K4 | 22 P—B4 | Q—R5 |
| 2 P—KN3 | N—QB3 | 23 B x NP | B x P |
| 3 B—N2 | P—KN3 | 24 QR—N1 | N x P |
| 4 N—QB3 | B—N2 | 25 Q—KN3 | Q—B3 |
| 5 P—K3 | KN—K2 | 26 P—N5 | B—Q5 ch |
| 6 KN—K2 | O—O | 27 K—R1 | R x R ch |
| 7 O—O | P—Q3 | 28 R x R | Q—B4 |
| 8 P—Q4 | P x P | 29 R—KB1 | B x B |
| 9 P x P | B—N5 | 30 R x N | Q—K4 |
| 10 P—B3 | B—B4 | 31 R—B1 | R—K1 |
| 11 P—KN4 | B—B1 | 32 Q—KB3 | N—Q1 |
| 12 B—B4 | P—Q4 | 33 Q—QN3 | B—K6 |
| 13 P—B5 | P—N3 | 34 B x P | N—K3 |
| 14 N—N5 | B—QR3 | 35 N—N4 | Q x P |
| 15 N x BP | B x N | 36 N—B6 | N—B5 |
| 16 Q x B | N x P | 37 B—B3 | B—B4 |
| 17 Q—Q3 | R—B1 | 38 Q—B2 | R—K6 |
| 18 P x P | P x P | 39 Q—N1 | R x B |
| 19 B—K3 | N/2—B3 | 40 Q—N8 ch | K—N2 |
| 20 N—R6 | R—K1 | Resigns | |
| 21 KR—K1 | N—K3 | | |

## Hastings, 1963

The most aggressive of the English players proves a poor host to a visiting grandmaster in the '63 Hastings Congress.

KING'S GAMBIT

| | N. Littlewood *White* | L. Lengyel *Black* |
|---|---|---|
| 1 | P—K4 | P—K4 |
| 2 | P—KB4 | P x P |
| 3 | B—K2 | P—Q4 |
| 4 | P x P | N—K2 |
| 5 | B—B3 | N x P |
| 6 | N—K2 | B—K2 |
| 7 | O—O | O—O |
| 8 | P—B4 | N—KB3 |
| 9 | P—Q4 | P—KN4 |
| 10 | QN—B3 | K—R1 |
| 11 | P—QN4 | QN—Q2 |
| 12 | B—N2 | R—K1 |
| 13 | P—Q5 | N—K4 |
| 14 | N—K4 | N x N |
| 15 | KB x N | B—B3* |
| 16 | N x P | P x N |
| 17 | Q—R5 | N—N3 |
| 18 | R x P | B x B |
| 19 | R x P | B—Q5 ch |
| 20 | K—R1 | B—N2 |
| 21 | B x N | P—KR3 |
| 22 | R x B | K x R |
| 23 | B x R | Q—B3 |
| 24 | R—K1 | B—B4 |
| 25 | R—KB1 | B—N3 |
| 26 | Q—Q1 | Q—QB6 |
| 27 | B x B | Resigns |

L. LENGYEL

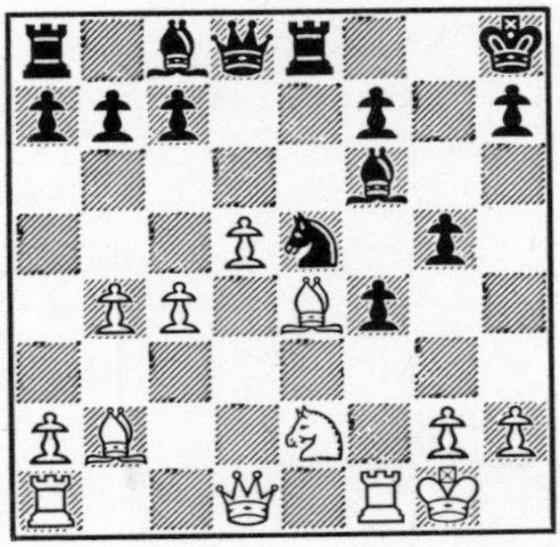

N. LITTLEWOOD

## New York, 1963

"The pin is mightier than the sword," is the lesson.

RUY LOPEZ

| | T. Lux<br>*White* | K. Clayton<br>*Black* | | T. Lux<br>*White* | K. Clayton<br>*Black* |
|---|---|---|---|---|---|
| 1 | P—K4 | P—K4 | 23 | N x N | P—R4 |
| 2 | N—KB3 | N—QB3 | 24 | N—R6 ch | K—R2* |
| 3 | B—N5 | P—QR3 | 25 | N—B5 | B x N |
| 4 | B—R4 | N—B3 | 26 | P x B | P—K5 |
| 5 | O—O | B—K2 | 27 | P x P ch | P x P |
| 6 | R—K1 | P—QN4 | 28 | B x KP | P—Q4 |
| 7 | B—N3 | P—Q3 | 29 | Q x P ch | Resigns |
| 8 | P—B3 | O—O | | | |
| 9 | P—KR3 | P—R3 | | | |
| 10 | P—Q4 | R—K1 | | | |
| 11 | QN—Q2 | B—B1 | | | |
| 12 | N—B1 | B—Q2 | | | |
| 13 | B—B2 | P—QR4 | | | |
| 14 | P—Q5 | N—K2 | | | |
| 15 | N—R4 | P—B3 | | | |
| 16 | P x P | N x BP | | | |
| 17 | N—K3 | P—N3 | | | |
| 18 | B—Q3 | R—N1 | | | |
| 19 | N—B3 | B—K3 | | | |
| 20 | Q—K2 | Q—N3 | | | |
| 21 | N—R2 | B—N2 | | | |
| 22 | N/2—N4 | N x N | | | |

K. CLAYTON

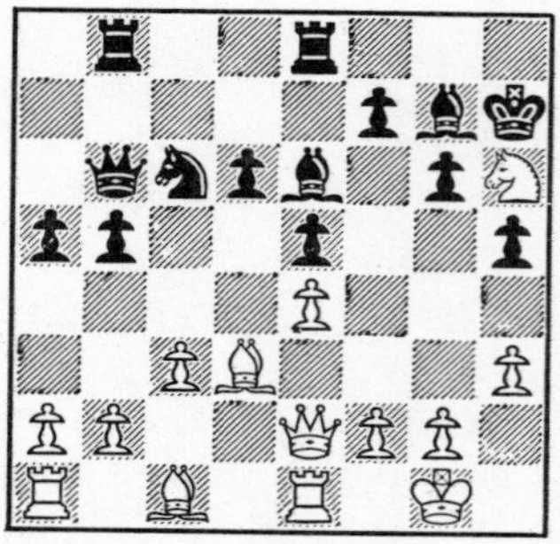

T. LUX

## Olympics, Tel Aviv, 1964

Black, with a winning position, chooses a flashy line, alas, unsound. When White fails to refute it, however, Black wins quickly.

RUY LOPEZ

R. F. MADAN
DR. T. GRAGGER

| | *White* | *Black* |
|---|---|---|
| 1 | P—K4 | P—K4 |
| 2 | N—KB3 | N—QB3 |
| 3 | B—N5 | P—QR3 |
| 4 | B—R4 | N—B3 |
| 5 | O—O | B—K2 |
| 6 | Q—K2 | P—QN4 |
| 7 | B—N3 | O—O |
| 8 | P—QR4 | P—N5 |
| 9 | P—R5 | P—Q4 |
| 10 | P x P | P—K5 |
| 11 | P x N | B—N5 |
| 12 | Q—K3 | P x N |
| 13 | P—N3 | R—K1 |
| 14 | P—Q4 | B—QB4 |
| 15 | Q—Q3 | Q x P |
| 16 | Q x Q | B x Q |
| 17 | N—Q2 | R—K7 |
| 18 | B—B4 | R x P |
| 19 | R x R | R—K1 |
| 20 | N—N3 | R—K8 ch |

R. F. MADAN
DR. T. GRAGGER

| | *White* | *Black* |
|---|---|---|
| 21 | B—B1 | B x R ch |
| 22 | K x B* | ...... |
| 22 | ...... | N—K5 ch |
| 23 | K—N1 | R x B ch |
| 24 | K x R | B—R6 ch |
| | Resigns | |

DR. T. GRAGGER

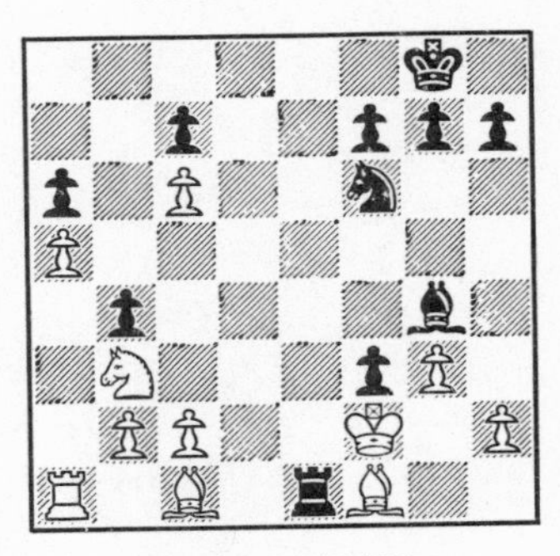

R. F. MADAN

## Los Angeles, 1963

Fellow countryman Oscar Panno has always been a difficult opponent for Najdorf. Here, however, the elder man has a surprisingly easy victory.

BENONI

| M. Najdorf *White* | O. Panno *Black* | M. Najdorf *White* | O. Panno *Black* |
|---|---|---|---|
| 1 P—Q4 | N—KB3 | 20 R—R3 | R—N2 |
| 2 P—QB4 | P—B4 | 21 Q—Q2 | N—R2 |
| 3 P—Q5 | P—K4 | 22 O—O—O | N—N4 |
| 4 N—QB3 | P—Q3 | 23 R—R2 | R/2—R2 |
| 5 P—K4 | P—KN3 | 24 R/1—R1 | N—B2 |
| 6 N—B3 | B—N2 | 25 Q—K1 | P—R6 |
| 7 P—KR3 | N—R3 | 26 P—KN3 | P—B3 |
| 8 B—N5 | B—Q2 | 27 Q—B1 | R—R3 |
| 9 N—Q2 | Q—K2 | 28 B—Q3 | Q—R2 |
| 10 B—K2 | P—R3 | 29 P—B4 | N—B2 |
| 11 B—R4 | P—KN4 | 30 Q—B3 | Q—N1 |
| 12 B—N3 | P—KR4 | 31 B—B1 | R—N3 |
| 13 N—B1 | P—R5 | 32 R x P | R x R |
| 14 B—R2 | P—N5 | 33 B x R | N—K1 |
| 15 P x P | B—R3 | 34 N—B5 | B x N |
| 16 P—B3 | O—O—O | 35 KP x B | R—N2 |
| 17 B—N1 | R—R2 | 36 P—N5 | KP x P |
| 18 B—K3 | B x B | 37 P/3 x P | Resigns |
| 19 N x B | QR—R1 | | |

## Belgrade, 1963

Awarded the prize for the best played game in the tournament.

SICILIAN DEFENSE

| DR. S. NEDELJKOVICH | VELIMIROVICH |
|---|---|
| *White* | *Black* |
| 1 P—K4 | P—QB4 |
| 2 N—KB3 | P—Q3 |
| 3 P—Q4 | P x P |
| 4 N x P | N—KB3 |
| 5 N—QB3 | P—QR3 |
| 6 B—KN5 | P—K3 |
| 7 P—B4 | B—K2 |
| 8 Q—B3 | P—R3 |
| 9 B—R4 | P—KN4 |
| 10 P x P | KN—Q2 |
| 11 N x P | P x N |
| 12 Q—R5 ch | K—B1 |
| 13 B—N5 | R—KR2 |
| 14 O—O ch | K—N1 |
| 15 P—N6 | R—N2 |
| 16 R—B7 | B—N4 |
| 17 B x N | N x B |
| 18 R/1—KB1 | K—R1 |
| 19 K—R1 | R x R |
| 20 P x R | K—N2 |
| 21 B x B | P x B |
| 22 P—B8/Q ch | N x Q |
| 23 Q—B7 ch | K—R1 |
| 24 Q x N ch | Q x Q |
| 25 R x Q ch | K—N2 |
| 26 R—Q8 | K—B2 |
| 27 N—R4 | K—K2 |
| 28 R—R8 | B—Q2 |
| 29 R—R7 ch* | ...... |
| 29 ...... | Resigns |

VELIMIROVICH

DR. S. NEDELJKOVICH

## Yugoslav Championship, 1963

It is commonplace in some Sicilian variations for Black to sacrifice an exchange on White's QB3—usually he gets good counterplay. Here Parma carries the motif one step further.

SICILIAN DEFENSE

| NEMET | B. PARMA | NEMET | B. PARMA |
|---|---|---|---|
| *White* | *Black* | *White* | *Black* |
| 1 P—K4 | P—QB4 | 19 N—R5 | ...... |
| 2 N—KB3 | P—Q3 | 19 ...... | Q x N |
| 3 P—Q4 | P x P | 20 P x Q | N x R |
| 4 N x P | N—KB3 | 21 P—N4 | N x BP |
| 5 N—QB3 | P—QR3 | 22 Q—B3 | N/6 x P |
| 6 B—K2 | P—K4 | 23 R—N2 | R—B6 |
| 7 N—N3 | B—K3 | 24 P—R4 | P—Q4 |
| 8 O—O | QN—Q2 | 25 R—K2 | QR—QB1 |
| 9 B—K3 | B—K2 | 26 P—N5 | RP x P |
| 10 P—QR4 | O—O | 27 P x P | N x P |
| 11 P—R5 | Q—B2 | 28 Q—N2 | N/4—K5 |
| 12 P—B4 | B—B5 | 29 N—N3 | R/1—B5 |
| 13 R—R4 | B x B | 30 N—Q2 | N x N |
| 14 Q x B | KR—B1 | 31 B x N | R—QR6 |
| 15 P—B5 | P—R3 | 32 K—B1 | R—KN5 |
| 16 R—B2 | Q—B3 | 33 Q—R2 | N—K5 |
| 17 Q—Q1 | P—QN4 | 34 Q x P | R—B6 ch |
| 18 P x P e.p. | N x NP | Resigns | |

## Cuba, 1963

White loses time and finds trouble.

KING'S INDIAN
DEFENSE

| A. O'KELLY *White* | Y. GELLER *Black* |
|---|---|
| 1 P—Q4 | N—KB3 |
| 2 P—QB4 | P—KN3 |
| 3 N—QB3 | B—N2 |
| 4 P—K4 | O—O |
| 5 B—K3 | P—Q3 |
| 6 P—B3 | N—B3 |
| 7 KN—K2 | P—QR3 |
| 8 N—B1 | P—K4 |
| 9 N—N3 | P x P |
| 10 N x P | N—K4 |
| 11 B—K2 | P—B3 |
| 12 O—O | P—QN4 |
| 13 P x P | RP x P |
| 14 P—QR3 | P—Q4 |
| 15 P x P | N x P |
| 16 N x N | Q x N |
| 17 Q—Q2 | N—B5 |
| 18 B x N | P x B |
| 19 QR—Q1 | R—N1 |
| 20 P—QR4 | R—K1 |
| 21 B—B2 | B—B4 |
| 22 N x B | Q x N |
| 23 B—Q4* | ...... |
| 23 ...... | QR—Q1 |
| 24 Q—KB2 | Q—Q4 |
| Resigns | |

Y. GELLER

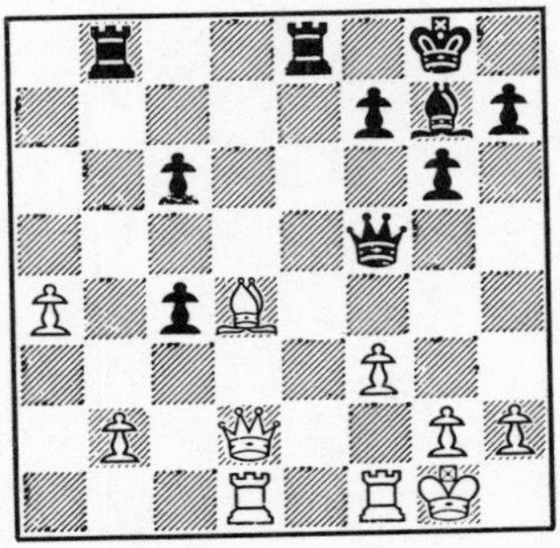

A. O'KELLY

## Holland, 1963

This is the best game of Donner's finest tournament victory—clear first at Beverwijk, in a strong field.

QUEEN'S GAMBIT
DECLINED

| | A. O'Kelly *White* | J. H. Donner *Black* | | A. O'Kelly *White* | J. H. Donner *Black* |
|---|---|---|---|---|---|
| 1 | P—QB4 | N—KB3 | 21 | Q x Q | P x Q |
| 2 | N—QB3 | P—K3 | 22 | R—B3 | P—QR4 |
| 3 | N—B3 | P—Q4 | 23 | P—QR4 | R—R3 |
| 4 | P—Q4 | B—K2 | 24 | N—Q4 | R—N3 |
| 5 | B—N5 | O—O | 25 | N—N5 | R—K4 |
| 6 | P—K3 | P—QN3 | 26 | R—R3 | P—R4 |
| 7 | P x P | N x P | 27 | P—R4 | R—KB4 |
| 8 | B x B | Q x B | 28 | P—KN3 | K—N2 |
| 9 | N x N | P x N | 29 | R—KR2 | K—B3 |
| 10 | B—Q3 | P—QB4 | 30 | K—Q2 | K—K4 |
| 11 | P x P | P x P | 31 | P—N3 | R/3—KB3 |
| 12 | Q—B2 | P—N3 | 32 | K—K1 | K—Q4 |
| 13 | R—QB1 | N—R3 | 33 | N—Q4 | ...... |
| 14 | P—QR3 | P—B5 | 33 | ...... | P—B6 |
| 15 | B—K2 | B—B4 | 34 | N x R | R x N |
| 16 | Q—B3 | N—B4 | 35 | R—QR1 | K—B4 |
| 17 | N—Q4 | N—Q6 ch | 36 | R—Q1 | R—Q4 |
| 18 | B x N | B x B | 37 | P—B4 | P x P e.p. |
| 19 | N—B6 | Q—K5 | 38 | R—KB2 | B—K7 |
| 20 | Q—K5 | KR—K1 | | Resigns | |

## Amsterdam, 1964

A closed variation against the Sicilian does not thwart Tal's tactics.

SICILIAN DEFENSE

| L. Pachman *White* | M. Tal *Black* |
|---|---|
| 1 P—K4 | P—QB4 |
| 2 P—KN3 | N—QB3 |
| 3 B—N2 | P—KN3 |
| 4 N—K2 | B—N2 |
| 5 O—O | P—Q3 |
| 6 P—QB3 | P—K4 |
| 7 P—Q3 | KN—K2 |
| 8 B—K3 | O—O |
| 9 P—Q4 | KP x P |
| 10 P x P | Q—N3 |
| 11 QN—B3 | P x P |
| 12 N—R4 | Q—R4 |
| 13 N x P | N—K4 |
| 14 B—Q2 | Q—R3 |
| 15 B—N5 | B—N5 |
| 16 P—B3* | ...... |
| 16 ...... | N—Q6 |
| 17 B x N | B x N ch |
| 18 K—R1 | KR—K1 |
| 19 B x P | B—Q2 |
| Resigns | |

M. TAL

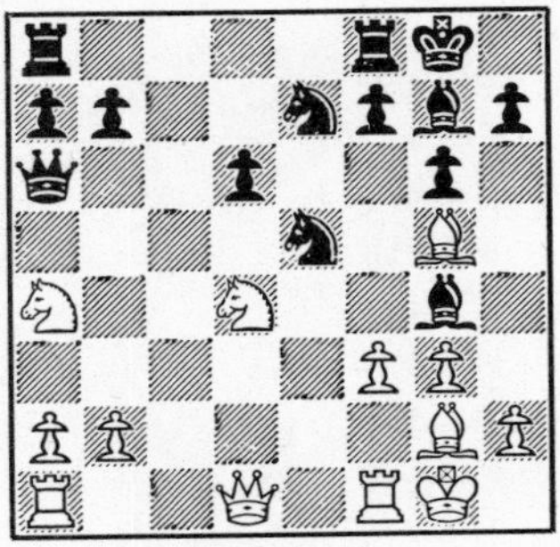

L. PACHMAN

## Czechoslovakia, 1963

In the Steinitz Variation of the Queen's Gambit, Black must be constantly on the look out for White's P-Q5. Sometimes even when it's prevented, it isn't prevented.

### QUEEN'S GAMBIT

| | L. PACHMAN *White* | NOVAK *Black* |
|---|---|---|
| 1 | P—Q4 | N—KB3 |
| 2 | P—QB4 | P—K3 |
| 3 | N—KB3 | P—B4 |
| 4 | P—K3 | P x P |
| 5 | P x P | P—Q4 |
| 6 | N—B3 | P x P |
| 7 | B x P | B—K2 |
| 8 | O—O | O—O |
| 9 | R—K1 | P—QR3 |
| 10 | P—QR3 | P—QN4 |
| 11 | B—R2 | B—N2 |
| 12 | B—N5 | P—R3 |
| 13 | B—R4 | QN—Q2 |
| 14 | P—Q5 | P x P |
| 15 | N—Q4 | R—K1 |
| 16 | N—B5 | B—KB1 |
| 17 | N x QP | P—KN4* |
| 18 | N/Q—K7 ch | K—R1 |
| 19 | B—KN3 | B x N |
| 20 | N x P | R—KB1 |
| 21 | N x P ch | R x N |
| 22 | B x R | K—N2 |
| 23 | B—R2 | N—B4 |
| 24 | Q x Q | B x Q |
| 25 | QR—Q1 | N/4—K5 |
| 26 | B—K5 | K—N3 |
| 27 | B—N1 | K—R4 |
| 28 | P—B3 | B—N3 ch |
| 29 | B—Q4 | B x B ch |
| 30 | R x B | N—B4 |
| 31 | R—Q6 | R—KB1 |
| 32 | R—K7 | R—K1 |
| 33 | R—R7 ch | N x R |
| 34 | P—N4 ch | K—R5 |
| 35 | R—R6 mate | |

NOVAK

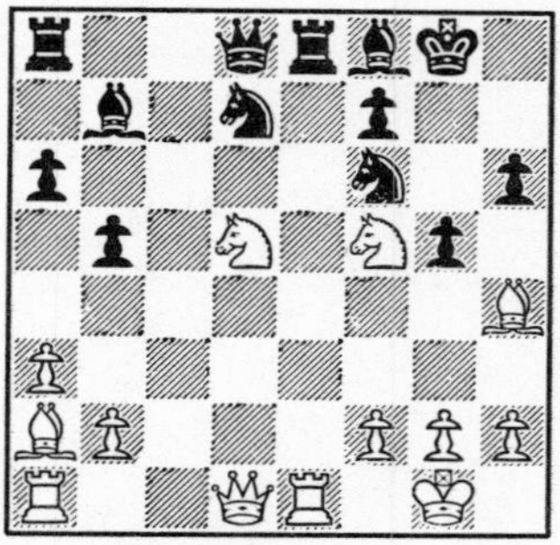

L. PACHMAN

## Beverwijk, 1963

Just as White's king-side attack is beginning to look formidable, Black cooperatively opens yet another line in that sector. The result is just as one might expect.

SICILIAN DEFENSE

| B. PARMA | C. VAN DEN BERG | B. PARMA | C. VAN DEN BERG |
|---|---|---|---|
| *White* | *Black* | *White* | *Black* |
| 1 P—K4 | P—QB4 | 12 P—K5 | N—Q4 |
| 2 N—KB3 | P—Q3 | 13 P x P | B x P |
| 3 P—Q4 | P x P | 14 B—Q2 | P—QR4 |
| 4 N x P | N—KB3 | 15 N—K4 | N x P |
| 5 N—QB3 | P—K3 | 16 R x N | B x R |
| 6 P—B4 | B—K2 | 17 N—B6 ch | P x N |
| 7 B—Q3 | O—O | 18 Q—N4 ch | B—N4 |
| 8 O—O | P—QR3 | 19 B x B | P x B |
| 9 K—R1 | Q—B2 | 20 Q x P ch | K—R1 |
| 10 Q—K2 | N—B3 | 21 Q—R6 | Resigns |
| 11 N x N | P x N | | |

## The Netherlands, 1963

Black's loss kayoes him from the interzonals.

RUY LOPEZ

| J. PENROSE *White* | M. FILIP *Black* | J. PENROSE *White* | M. FILIP *Black* |
|---|---|---|---|
| 1 P—K4 | P—K4 | 13 Q—Q3 | P—B3 |
| 2 N—KB3 | N—QB3 | 14 P—QR3 | Q—Q3 |
| 3 B—N5 | P—QR3 | 15 N—K5 | P—KN3 |
| 4 B—R4 | N—B3 | 16 Q—B3 | KR—K1 |
| 5 O—O | B—K2 | 17 B—N3 | K—N2 |
| 6 R—K1 | P—Q3 | 18 QR—B1 | QR—Q1 |
| 7 P—B3 | O—O | 19 N—R4 | N—Q2 |
| 8 P—Q4 | P x P | 20 B—Q2 | B—B3 |
| 9 P x P | P—Q4 | 21 N x N | R x N |
| 10 P x P | N—QN5 | 22 N—B5 | R/2—K2 |
| 11 N—B3 | QN x QP | 23 N—K4 | Resigns |
| 12 B—KN5 | B—K3 | | |

## Bad Liebenstein, 1963

At first blush, Black's 19—RxB—looks rather drastic, but further analysis reveals that desperation is justified.

ENGLISH OPENING

| L. POLUGAYEVSKY *White* | FUCHS *Black* | L. POLUGAYEVSKY *White* | FUCHS *Black* |
|---|---|---|---|
| 1 P—QB4 | N—KB3 | 20 QR x R | O—O |
| 2 N—QB3 | P—B3 | 21 R—B2 | B—K6 |
| 3 P—K4 | P—Q4 | 22 Q—B3 | B—B4 |
| 4 BP x P | P x P | 23 R—Q7 | Q—N5 |
| 5 P—K5 | N—K5 | 24 R/2—Q2 | B—N3 |
| 6 N x N | P x N | 25 Q—K2 | Q—B4 |
| 7 Q—R4 ch | B—Q2 | 26 R—Q1 | Q—B3 |
| 8 Q x KP | B—B3 | 27 P—QN4 | P—KR3 |
| 9 Q—KB4 | P—K3 | 28 P—QR3 | P—B4 |
| 10 N—B3 | B x N | 29 Q—B3 | Q—N4 |
| 11 Q x B | N—B3 | 30 Q—KN3 | R—B2 |
| 12 B—N5 | R—B1 | 31 R/7—Q6 | P—B5 |
| 13 O—O | B—B4 | 32 Q—N6 | P—B6 |
| 14 P—Q4 | B x P | 33 P x P | Q x KP |
| 15 B x N ch | R x B | 34 R x P | Q—B5 |
| 16 R—Q1 | Q—N3 | 35 R—K8 ch | R—B1 |
| 17 Q—B4 | B—B4 | 36 R x R ch | Q x R |
| 18 Q—KN4 | B x P ch | 37 Q—K4 | Q—B3 |
| 19 K—R1 | R x B | 38 Q x P | Resigns |

## The Netherlands, 1963

Black's sidestep with his king initiates a decisive onslaught.

KING'S INDIAN DEFENSE

| L. S. Popov *White* | S. Gligorich *Black* |
|---|---|
| 1 P—Q4 | N—KB3 |
| 2 P—QB4 | P—KN3 |
| 3 N—QB3 | B—N2 |
| 4 P—K4 | P—Q3 |
| 5 P—B3 | O—O |
| 6 B—K3 | P—K4 |
| 7 P—Q5 | P—B3 |
| 8 KN—K2 | BP x P |
| 9 BP x P | P—QR3 |
| 10 Q—Q2 | QN—Q2 |
| 11 N—B1 | N—R4 |
| 12 N—N3 | P—B4 |
| 13 O—O—O | N/2—B3 |
| 14 B—Q3 | B—Q2 |
| 15 K—N1 | P—QN4 |
| 16 P x P | P x P |
| 17 P—KR3 | P—N5 |
| 18 N—K2 | P—B5 |
| 19 B—KB2 | P—R4 |
| 20 Q—K1 | K—R1 |
| 21 B—R4 | Q—K1 |
| 22 B x N | N x B |
| 23 Q—R4 | B—N4 |
| 24 N/3—B1 | B x B ch |
| 25 R x B | Q—N3 |
| 26 P—KN3 | QR—B1 |
| 27 P x P | P—K5 |
| 28 R—N1 | Q x R |
| 29 N x Q | P x R |
| 30 N x P | KR—K1 |
| 31 Q—B2 | N x P |
| 32 N—K2 | P—R5 |
| 33 N/3—B1 | P—R6 |
| 34 P—N3 | N—B6 ch |
| 35 N x N | R x N |
| 36 Q—Q2 | R x BP |
| 37 Q x NP | B—N7 |
| 38 N—Q3 | R x N |
| Resigns | |

## Olympics, Tel Aviv, 1964

Sometimes just the threat of the "stone-age" combination BxP ch on KR7 can be very effective in modern Grandmaster chess.

QUEEN'S GAMBIT
DECLINED

| | L. Portisch *White* | E. Eliskases *Black* |
|---|---|---|
| 1 | P—Q4 | P—Q4 |
| 2 | P—QB4 | P—K3 |
| 3 | N—QB3 | B—K2 |
| 4 | N—B3 | N—KB3 |
| 5 | B—B4 | O—O |
| 6 | P—K3 | P—B4 |
| 7 | QP x P | Q—R4 |
| 8 | P—QR3 | P x P |
| 9 | B x P | Q x BP |
| 10 | Q—K2 | P—QR3 |
| 11 | P—K4 | P—QN4 |
| 12 | B—Q3 | B—N2 |
| 13 | R—QB1 | Q—N3 |
| 14 | P—KR4 | QN—Q2 |
| 15 | P—K5 | N—Q4 |
| 16 | N x N | P x N |
| 17 | B—K3 | P—Q5* |
| 18 | B x QP | B x N |
| 19 | Q—K3 | Q—K3 |
| 20 | P x B | QR—B1 |
| 21 | K—K2 | N—N1 |
| 22 | Q—K4 | P—N3 |
| 23 | P—R5 | N—B3 |
| 24 | B—B3 | KR—Q1 |
| 25 | QR—KN1 | B—B1 |
| 26 | P x P | RP x P |
| 27 | P—B4 | B—N2 |
| 28 | P—B5 | Q—Q2 |
| 29 | P—B6 | B x P |
| 30 | P x B | R—K1 |
| 31 | R x P ch | P x R |
| 32 | P—B7 ch | Resigns |

E. ELISKASES

L. PORTISCH

## East Germany, 1963

This game decided first place in the Halle '63 Zonal Tournament.

NIMZO-INDIAN
DEFENSE

| L. PORTISCH *White* | B. LARSEN *Black* | L. PORTISCH *White* | B. LARSEN *Black* |
|---|---|---|---|
| 1 P—QB4 | N—KB3 | 24 KR—Q1 | R x Q |
| 2 N—QB3 | P—K3 | 25 R x Q | R x P |
| 3 P—Q4 | B—N5 | 26 B x N | N x B |
| 4 P—K3 | O—O | 27 B x P ch | K x B |
| 5 N—B3 | P—QN3 | 28 R—B7 ch | K—N1 |
| 6 B—Q3 | B—N2 | 29 R x B | R—QB1 |
| 7 O—O | KB x N | 30 P—R4 | P—N3 |
| 8 P x B | B—K5 | 31 N—Q4 | Resigns |
| 9 B—K2 | P—B4 | | |
| 10 N—Q2 | B—N2 | | |
| 11 P—B3 | P—Q4 | | |
| 12 N—N3 | Q—B2 | | |
| 13 P x BP | NP x P | | |
| 14 P x P | P x P | | |
| 15 P—QB4 | R—K1 | | |
| 16 Q—B2 | QN—Q2 | | |
| 17 P x P | N x P | | |
| 18 P—K4 | N—N5 | | |
| 19 Q—B3 | N—Q4 | | |
| 20 Q—R5 | N/4—N3 | | |
| 21 B—K3 | P—B5 | | |
| 22 QR—B1 | R—K4* | | |
| 23 B x P | Q—Q3 | | |

B. LARSEN

L. PORTISCH

## Switzerland, 1963

White loses a tempo early, and in its pursuit invites a crushing attack.

SICILIAN DEFENSE

| P. PUIG | E. WALTHER |
|---|---|
| *White* | *Black* |
| 1 P—K4 | P—QB4 |
| 2 N—KB3 | P—K3 |
| 3 P—B3 | N—KB3 |
| 4 B—Q3 | N—B3 |
| 5 O—O | P—Q4 |
| 6 P—K5 | N—Q2 |
| 7 R—K1 | P—B3 |
| 8 P x P | Q x P |
| 9 B—N5 | B—Q3 |
| 10 P—Q4 | O—O |
| 11 B—N5 | Q—N3 |
| 12 B—KR4 | P x P |
| 13 P x P* | . . . . . . |
| 13 . . . . . . | R x N |
| 14 B x N | R—Q6 |
| 15 Q—B1 | R x P |
| 16 B x N | B x P ch |
| 17 K—R1 | R x B |
| Resigns | |

E. WALTHER

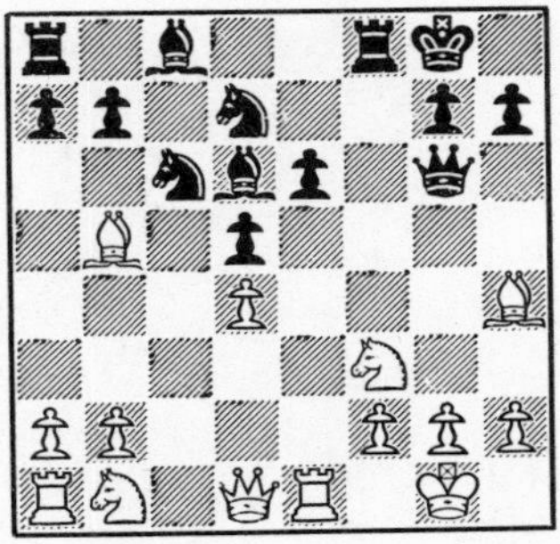

P. PUIG

## Los Angeles, 1963

Keres has often played the line he tries against Reshevsky in this game, but this time encounters a clear-cut refutation.

SICILIAN REVERSED

| S. Reshevsky | P. Keres | S. Reshevsky | P. Keres |
|---|---|---|---|
| *White* | *Black* | *White* | *Black* |
| 1 P—QB4 | P—K4 | 22 KR—Q1 | B x B |
| 2 N—QB3 | N—KB3 | 23 K x B | P—QR3 |
| 3 P—KN3 | P—B3 | 24 P—Q6 | R—B1 |
| 4 N—B3 | P—K5 | 25 Q—Q5 | R—B3 |
| 5 N—Q4 | P—Q4 | 26 R x R | P x R |
| 6 P x P | Q—N3 | 27 Q—QR5 | R—QR1 |
| 7 N—N3 | P x P | 28 R—Q4 | R—R2 |
| 8 B—N2 | B—KB4 | 29 Q—R5 | Q—K3 |
| 9 P—Q3 | B—QN5 | 30 Q—N4 ch | Q x Q |
| 10 O—O | B x N | 31 R x Q ch | K—B1 |
| 11 P x B | O—O | 32 R—QB4 | K—K1 |
| 12 B—K3 | Q—B2 | 33 R x P | R—R1 |
| 13 R—B1 | N—B3 | 34 P—QR4 | P—QR4 |
| 14 P—QB4 | QR—Q1 | 35 R—N6 | R—B1 |
| 15 N—Q4 | N x N | 36 P—Q7 ch | K x P |
| 16 B x N | KP x P | 37 R x P | K—K2 |
| 17 BP x P | Q—Q2 | 38 R—B5 | R—QR1 |
| 18 B x N | P x P | 39 R—R5 | K—K3 |
| 19 Q x P | P x B | 40 R x KRP | R—QN1 |
| 20 Q—N2 | K—N2 | 41 R—R5 | Resigns |
| 21 Q—Q4 | B—R6 | | |

## Sweden, 1963

When Black threatens to win a pawn, White sacrifices three and obtains a crushing attack.

ALEKHINE DEFENSE

| | K. Skold<br>*White* | K. Arnstam<br>*Black* |
|---|---|---|
| 1 | P—K4 | N—KB3 |
| 2 | P—K5 | N—Q4 |
| 3 | P—Q4 | P—Q3 |
| 4 | N—KB3 | B—N5 |
| 5 | B—K2 | P—KN3 |
| 6 | P—KR3 | B x N |
| 7 | B x B | P—QB3 |
| 8 | O—O | B—N2 |
| 9 | P—B4 | N—B2 |
| 10 | P x P | Q x P |
| 11 | P—Q5 | P x P |
| 12 | P x P | O—O |
| 13 | N—B3 | R—Q1 |
| 14 | N—K4 | Q—N3* |
| 15 | B—K3 | Q x P |
| 16 | R—N1 | Q x RP |
| 17 | P—Q6 | P x P |
| 18 | B—N5 | R—Q2 |
| 19 | R—K1 | Q—R3 |
| 20 | Q—Q2 | N—K3 |
| 21 | N—B6 ch | B x N |
| 22 | B x B | N—B3 |
| 23 | Q—R6 | QN—Q5 |
| 24 | B—N4 | N—KB4 |
| 25 | B x N | P x B |
| 26 | R—N3 | P—B5 |
| 27 | R—K4 | Q—B3 |
| 28 | R—N3 ch | Resigns |

K. ARNSTAM

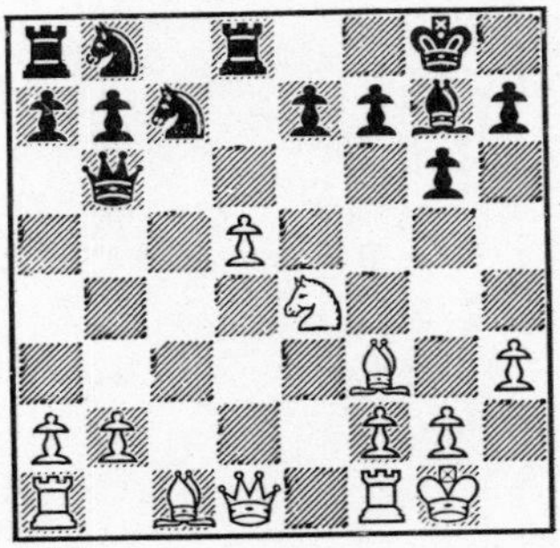

K. SKOLD

## Soviet Union, 1963

The old-fashioned Benoni—here brought about in a peculiarly modern way—is a difficult defense at best. At worst, it can be a nightmare.

BENONI DEFENSE

| V. SMYSLOV *White* | I. BILEK *Black* | V. SMYSLOV *White* | I. BILEK *Black* |
|---|---|---|---|
| 1 P—Q4 | P—KN3 | 28 P x P | P x P |
| 2 P—K4 | B—N2 | 29 B—N3 | N—K3 |
| 3 N—KB3 | P—QB4 | 30 P—N5 | N—B5 |
| 4 P—Q5 | P—Q3 | 31 B x N | P x B |
| 5 B—K2 | B—N5 | 32 R/1—Q7 | N—Q3 |
| 6 P—QR4 | N—KB3 | 33 R x P | R—K1 |
| 7 N—B3 | B x N | 34 R x N | B x R |
| 8 B x B | O—O | 35 R—Q7 | B—N1 |
| 9 O—O | N—K1 | 36 P—R7 | B x P |
| 10 P—R4 | P—K3 | 37 R x B | R—K8 ch |
| 11 P x P | P x P | 38 K—R2 | R—QN8 |
| 12 P—K5 | P—Q4 | 39 P—B4 | R—N5 |
| 13 B—N5 | Q—N3* | 40 R—QB7 | Resigns |
| 14 N x P | P x N | | |
| 15 P—QR5 | Q—R3 | | |
| 16 Q x P ch | R—B2 | | |
| 17 P—K6 | R x B | | |
| 18 Q x R | Q x KP | | |
| 19 KR—K1 | Q—B2 | | |
| 20 Q x Q ch | K x Q | | |
| 21 R—K7 ch | K—B1 | | |
| 22 R x P | N—QB3 | | |
| 23 P—QB3 | K—N1 | | |
| 24 P—R6 | B—B1 | | |
| 25 R—Q1 | P—R3 | | |
| 26 B—B4 | N—Q1 | | |
| 27 P—QN4 | P—N4 | | |

I. BILEK

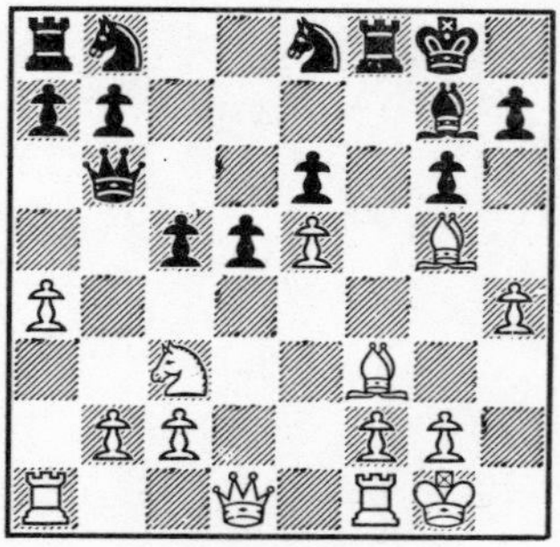

V. SMYSLOV

## Amsterdam, 1964

When Tal lets a pawn go, it's sure to be baited.

CARO-KANN DEFENSE

| M. Tal *White* | P. Benko *Black* |
|---|---|
| 1 P—K4 | P—QB3 |
| 2 P—Q4 | P—Q4 |
| 3 N—QB3 | P x P |
| 4 N x P | N—Q2 |
| 5 B—QB4 | KN—B3 |
| 6 N—N5 | P—K3 |
| 7 Q—K2 | N—N3 |
| 8 B—N3 | P—KR3 |
| 9 N/5—B3 | B—K2 |
| 10 N—R3 | P—B4 |
| 11 B—K3 | N/N—Q4 |
| 12 O—O—O | N x B |
| 13 P x N | Q—B2 |
| 14 N—K5 | P—R3 |
| 15 P—N4 | B—Q3 |
| 16 P—N5 | P x P |
| 17 N x NP | B x N |
| 18 P x B | Q x P* |
| 19 R—Q8 ch | K—K2 |
| 20 R x R | Q x N |
| 21 Q—Q2 | Resigns |

P. BENKO

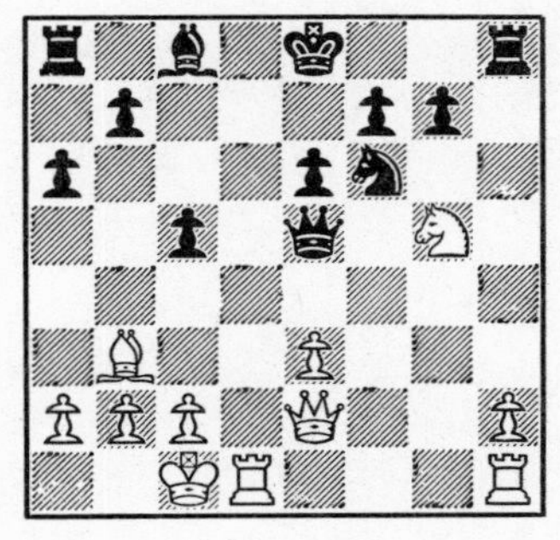

M. TAL

## Havana, 1963

A neat twist on White's 23rd overturns the foe.

RUY LOPEZ

| | M. TAL *White* | R. LETELIER *Black* |
|---|---|---|
| 1 | P—K4 | P—K4 |
| 2 | N—KB3 | N—QB3 |
| 3 | B—N5 | P—QR3 |
| 4 | B—R4 | P—Q3 |
| 5 | P—B3 | B—Q2 |
| 6 | P—Q4 | KN—K2 |
| 7 | B—N3 | P—R3 |
| 8 | N—R4 | P—KN4 |
| 9 | Q—R5 | R—KR2 |
| 10 | B x NP | P x P |
| 11 | P—KB4 | Q—B1 |
| 12 | P—B5 | P x P |
| 13 | N x P | N—K4 |
| 14 | B—B6 | N—N1 |
| 15 | B x N | P x B |
| 16 | N—N6 | B—Q3 |
| 17 | B x P ch | K x N |
| 18 | N—Q5 | K—N2 |
| 19 | O—O | N—B3 |
| 20 | N x N | K x N* |
| 21 | N x P | Q—K1 |
| 22 | N x B ch | R x N |
| 23 | P—K5 ch | B x P |
| 24 | Q x P ch | K—B2 |
| 25 | QR—K1 | R—Q4 |
| 26 | Q—R7 ch | K—B3 |
| 27 | R—K4 | B—Q5 ch |
| 28 | K—R1 | Resigns |

R. LETELIER

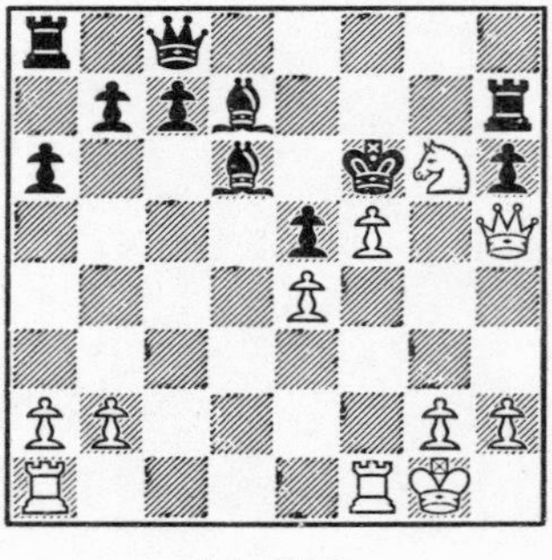

M. TAL

## Moscow, 1963

*Tal j'étais en autrefois, et Tal je suis encore.*

FRENCH DEFENSE

| M. Tal<br>*White* | N. Padevski<br>*Black* |
|---|---|
| 1 P—K4 | P—K3 |
| 2 P—Q4 | P—Q4 |
| 3 N—QB3 | B—N5 |
| 4 P—K5 | P—QN3 |
| 5 Q—N4 | B—B1 |
| 6 B—KN5 | Q—Q2 |
| 7 N—B3 | N—QB3 |
| 8 P—QR3 | B—N2 |
| 9 B—Q3 | P—KR3 |
| 10 B—Q2 | O—O—O |
| 11 P—KR4 | KN—K2 |
| 12 O—O—O | P—B4 |
| 13 P x P e.p. | P x P |
| 14 QR—K1 | R—N1 |
| 15 Q x P | R x P |
| 16 Q—K3 | K—N1 |
| 17 B—B1 | R—N1 |
| 18 B—R3 | P—B4 |
| 19 Q—Q3 | B—B1 |
| 20 P—R5 | Q—K1 |
| 21 B—B4 | Q x P |
| 22 N—QN5 | R—Q2 |
| 23 Q—B3 | B—QN2 |
| 24 N—K5 | N x N |
| 25 P x N | P—Q5* |
| 26 P—K6 | P x Q |
| 27 P x R | B—N2 |
| 28 N x BP | Resigns |

N. PADEVSKI

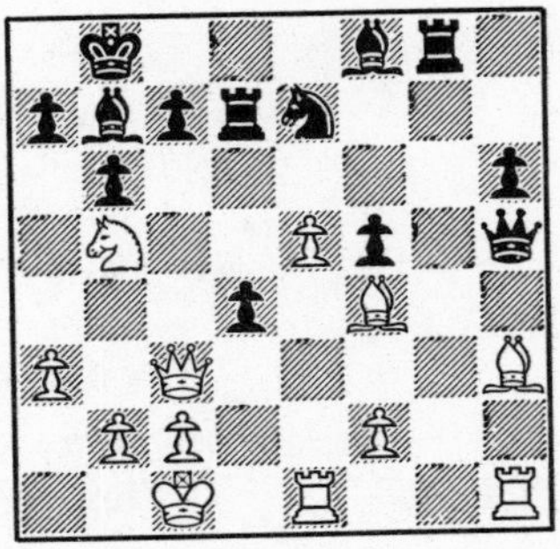

M. TAL

## Moscow, 1963

Of many dour struggles between these two great adversaries, this is perhaps the best known.

SICILIAN DEFENSE

| | M. TAL *White* | S. GLIGORICH *Black* |
|---|---|---|
| 1 | P—K4 | P—QB4 |
| 2 | N—KB3 | P—Q3 |
| 3 | P—Q4 | P x P |
| 4 | N x P | N—KB3 |
| 5 | N—QB3 | P—QR3 |
| 6 | B—KN5 | P—K3 |
| 7 | P—B4 | B—K2 |
| 8 | Q—B3 | Q—B2 |
| 9 | O—O—O | QN—Q2 |
| 10 | P—KN4 | P—N4 |
| 11 | B x N | N x B |
| 12 | P—N5 | N—Q2 |
| 13 | P—QR3 | B—N2 |
| 14 | B—R3 | O—O—O* |
| 15 | B x P | P x B |
| 16 | N x KP | Q—B5 |
| 17 | N—Q5 | B x N |
| 18 | P x B | K—N2 |
| 19 | P—N3 | Q—B1 |
| 20 | R—Q3 | N—N3 |
| 21 | R—B3 | Q—Q2 |
| 22 | R—B7 ch | Q x R |
| 23 | N x Q | K x N |
| 24 | Q—B3 ch | K—N1 |
| 25 | Q x P | N—B1 |
| 26 | R—K1 | QR—N1 |
| 27 | Q—Q4 | B—Q1 |
| 28 | R—K6 | R—B1 |
| 29 | P—KR4 | P—R3 |
| 30 | P—N6 | KR—N1 |
| 31 | P—R5 | R—B4 |
| 32 | Q—K4 | R x RP |
| 33 | R—K8 | R x R |
| 34 | Q x R | B—B3 |
| 35 | P—B4 | P x P |
| 36 | P x P | R—R6 |
| 37 | K—Q2 | B—B6 ch |
| 38 | K—B2 | B—Q5 |
| 39 | P—KB5 | R x P |
| 40 | P—B5 | P x P |
| 41 | P—Q6 | R—R7 ch |
| 42 | K—Q3 | R—R6 ch |
| 43 | K—B4 | Resigns |

S. GLIGORICH

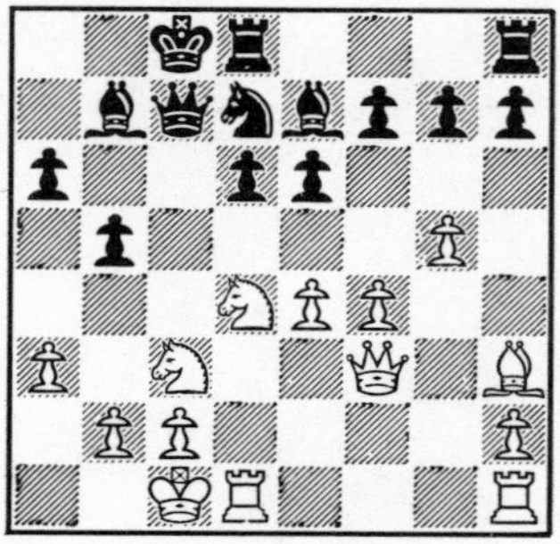

M. TAL

## Cuba, 1963

Trifunovich, despite his reputation as a drawing-master, is one of the most courageous of the top players. Here he exchanges blow for blow with Tal, and gets in the final blow, at that.

FALKBEER
COUNTER-GAMBIT

| | M. Tal<br>*White* | P. Trifunovich<br>*Black* |
|---|---|---|
| 1 | P—K4 | P—K4 |
| 2 | P—KB4 | P—Q4 |
| 3 | P x QP | P—K5 |
| 4 | P—Q3 | N—KB3 |
| 5 | P x P | N x KP |
| 6 | B—K3 | Q—R5 ch |
| 7 | P—KN3 | N x P |
| 8 | P x N | Q x R |
| 9 | Q—K2 | B—N5 ch |
| 10 | P—B3 | B—Q3 |
| 11 | B—N2 | Q—R3 |
| 12 | B—Q4 ch | K—Q1 |
| 13 | N—B3 | B—KN5 |
| 14 | Q—KB2 | R—K1 ch |
| 15 | K—B1 | N—Q2 |
| 16 | QN—Q2 | Q—N3 |
| 17 | K—N1 | P—KB3 |
| 18 | R—QB1 | P—QN3 |
| 19 | P—N4 | ...... |
| 19 | ...... | P—QR4 |
| 20 | N—R4 | Q—Q6 |
| 21 | N/2—B3 | R—K7 |
| 22 | Q—B1 | P x P |
| 23 | R—Q1 | R x B ch |
| 24 | K x R | R x P ch |
| 25 | K—N1 | Q x Q ch |
| 26 | K x Q | P—KN4 |
| | Resigns | |

P. TRIFUNOVICH

M. TAL

## Czechoslovakia, 1963

A fine victory by one of the Old Guard against an up-and-coming youngster.

SICILIAN DEFENSE

| | J. TRAPL<br>*White* | DR. L. ALSTER<br>*Black* |
|---|---|---|
| 1 | P—K4 | P—QB4 |
| 2 | N—KB3 | P—Q3 |
| 3 | P—Q4 | P x P |
| 4 | N x P | N—KB3 |
| 5 | N—QB3 | QN—Q2 |
| 6 | P—B4 | P—QR3 |
| 7 | B—K2 | P—KN3 |
| 8 | B—K3 | B—N2 |
| 9 | N—N3 | P—QN4 |
| 10 | B—B3 | B—N2 |
| 11 | Q—Q3 | Q—B2 |
| 12 | O—O—O | O—O |
| 13 | K—N1 | P—N5 |
| 14 | N—Q5 | N x N |
| 15 | P x N | P—QR4 |
| 16 | B—Q4 | N—B3 |
| 17 | P—N4 | P—R5 |
| 18 | N—B1 | KR—B1 |
| 19 | P—N5 | N x P |
| 20 | B x B | N x P |
| 21 | Q—K3 | B x B |
| 22 | Q x B | Q x P ch |
| 23 | K—R1 | N—K3 |
| 24 | KR—B1* | ...... |
| 24 | ...... | N x P |
| 25 | Q—K3 | K x B |
| 26 | Q x P | P—R6 |
| 27 | Q—B6 ch | K—N1 |
| 28 | P x P | P x P |
| 29 | P—R4 | R—B6 |
| | Resigns | |

DR. L. ALSTER

J. TRAPL

## Yugoslavia, 1964

This game features a curious reversal of roles: it's a Sicilian Defense, but Black nevertheless attacks on the king-side and wins an impressive miniature.

SICILIAN DEFENSE

| | ZUIDEMA<br>*White* | B. IVKOV<br>*Black* |
|---|---|---|
| 1 | P—K4 | P—QB4 |
| 2 | N—KB3 | P—K3 |
| 3 | P—Q4 | P x P |
| 4 | N x P | P—QR3 |
| 5 | B—Q3 | B—B4 |
| 6 | N—N3 | B—R2 |
| 7 | O—O | N—QB3 |
| 8 | K—R1 | N—KB3 |
| 9 | P—KB4 | P—KR4 |
| 10 | P—QR4 | N—KN5 |
| 11 | Q—B3 | Q—R5 |
| 12 | P—R3 | ...... |
| 12 | ...... | P—KN4 |
| 13 | B—Q2 | N—B7 ch |
| 14 | K—R2 | P—N5 |
| 15 | Q—N3 | Q x Q ch |
| | Resigns | |

B. IVKOV

ZUIDEMA

## Olympics, Tel Aviv, 1964

White's sixteenth move is more an investment than a sacrifice.

CATALAN OPENING

| B. ANDERSON *White* | W. UNZICKER *Black* | B. ANDERSON *White* | W. UNZICKER *Black* |
|---|---|---|---|
| 1 P—QB4 | N—KB3 | 22 P—K4 | P x P |
| 2 P—KN3 | P—K3 | 23 B x P | Q—B3 |
| 3 B—N2 | P—Q4 | 24 N—B3 | N—N3 |
| 4 N—KB3 | P x P | 25 B—N6 | KR—QB1 |
| 5 Q—R4 ch | B—Q2 | 26 N/3—K5 | K—R1 |
| 6 Q x BP | B—B3 | 27 R—KB1 | R—B1 |
| 7 N—B3 | QN—Q2 | 28 N—KN4 | Resigns |
| 8 P—Q4 | N—N3 | | |
| 9 Q—Q3 | B—N5 | | |
| 10 O—O | O—O | | |
| 11 R—Q1 | Q—K2 | | |
| 12 B—N5 | P—KR3 | | |
| 13 B x N | Q x B | | |
| 14 N—K4 | Q—K2 | | |
| 15 QR—B1 | KR—Q1* | | |
| 16 R x B | P x R | | |
| 17 N—K5 | Q—B1 | | |
| 18 N x QBP | R—K1 | | |
| 19 P—QR3 | B—Q3 | | |
| 20 P—B4 | N—Q4 | | |
| 21 N—Q2 | P—B4 | | |

W. UNZICKER

B. ANDERSON

## Hastings, 1964

In the initial position, the pawn on KB2, protected only by the king, is an obvious weakness. Good players learn very quickly how to protect it; however, when they don't bother, they usually know something.

RUY LOPEZ

| Dr. M. Bely<br>*White* | L. Lengyel<br>*Black* |
|---|---|
| 1 P—K4 | P—K4 |
| 2 N—KB3 | N—QB3 |
| 3 B—N5 | P—QR3 |
| 4 B—R4 | N—B3 |
| 5 O—O | B—K2 |
| 6 Q—K2 | P—QN4 |
| 7 B—N3 | P—Q3 |
| 8 P—B3 | B—N5 |
| 9 P—QR4 | P—N5 |
| 10 Q—B4 | N—QR4 |
| 11 Q x P ch | K—Q2 |
| 12 N—N5 | N x B |
| 13 Q x N/3 | P—R3 |
| 14 P—B3 | P x N |
| 15 P x B* | ...... |
| 15 ...... | R x P |
| 16 R x N | P x R |
| 17 K x R | Q—R1 ch |
| 18 K—N1 | Q—R5 |
| 19 Q—Q1 | R—R1 |
| 20 K—B1 | Q—R8 ch |
| 21 K—K2 | Q x P ch |
| 22 K—Q3 | R—R8 |
| 23 Q—N3 | Q—B8 ch |
| Resigns | |

L. LENGYEL

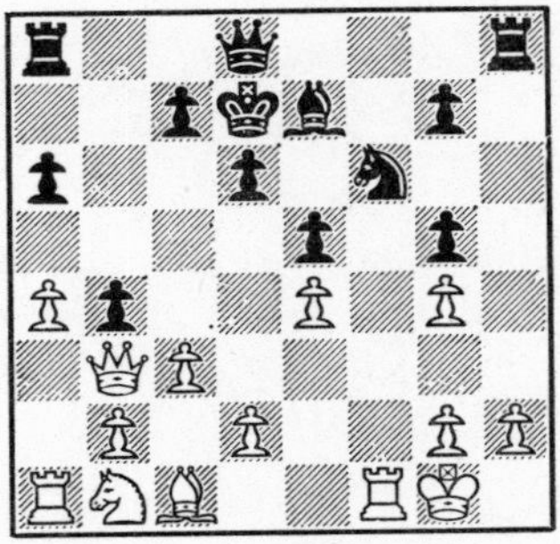

DR. M. BELY

## New York, 1964

On his seventh move, Black, in need of development, opens lines instead. The consequences are catastrophic.

VIENNA GAME

| | P. BENKO *White* | A. BISGUIER *Black* |
|---|---|---|
| 1 | P—K4 | P—K4 |
| 2 | N—QB3 | N—QB3 |
| 3 | P—KN3 | B—B4 |
| 4 | B—N2 | P—Q3 |
| 5 | N—QR4 | B—N3 |
| 6 | N x B | RP x N |
| 7 | N—K2 | P—B4 |
| 8 | P x P | B x P |
| 9 | O—O | KN—K2 |
| 10 | P—Q4 | O—O |
| 11 | P x P | N x P |
| 12 | N—Q4 | B—N5 |
| 13 | P—KB3 | B—Q2 |
| 14 | P—KB4 | N/4—B3 |
| 15 | N—B3 | N—B4 |
| 16 | B—Q2 | R—K1* |
| 17 | N—N5 | N—R3 |
| 18 | B—Q5 ch | K—R1 |
| 19 | B—QB3 | N—K4 |
| 20 | Q—Q2 | N/4—N5 |
| 21 | Q—Q3 | Resigns |

A. BISGUIER

P. BENKO

## Amsterdam, 1964

The tournament bulletins call this a "savage little game." Trying to salvage a pawn, White loses the Exchange.

BIRD'S OPENING

| B. Berger | G. P. Tringov | B. Berger | G. P. Tringov |
|---|---|---|---|
| *White* | *Black* | *White* | *Black* |
| 1 P—KB4 | P—QB4 | 11 B—N5 | P—B3 |
| 2 N—KB3 | N—QB3 | 12 B—Q2 | B x QNP |
| 3 P—KN3 | P—Q4 | 13 R—N1 | B—K4 |
| 4 B—N2 | P—KN3 | 14 P—KR3 | P—K3 |
| 5 O—O | B—N2 | 15 P—B4 | P x N |
| 6 P—Q3 | N—B3 | 16 B x P ch | K—N2 |
| 7 N—B3 | O—O | 17 P x N | R—QN1 |
| 8 N—K5 | N x N | 18 K—N2 | QB x P |
| 9 P x N | N—N5 | 19 B x P | Q—Q2 |
| 10 N x P | B x P | Resigns | |

## Havana, 1964

Black plays a defense that offers many problems on the queenside. He solves these satisfactorily—only to succumb instead to a mating attack.

ENGLISH OPENING

| C. Bielicki *White* | L. Evans *Black* | C. Bielicki *White* | L. Evans *Black* |
|---|---|---|---|
| 1 P—QB4 | N—KB3 | 15 N x KBP | B—Q3 |
| 2 N—QB3 | P—Q4 | 16 P—K3 | B x N |
| 3 P x P | N x P | 17 R x B | QR—Q1 |
| 4 P—KN3 | P—QB4 | 18 B—Q5 ch | K—R1 |
| 5 B—N2 | N—B2 | 19 R—R4 | P—R3 |
| 6 N—B3 | N—B3 | 20 R/1—B4 | B—B4 |
| 7 O—O | P—K4 | 21 B x N | P x B |
| 8 P—QN3 | B—K2 | 22 B—B3 | Q—N4 |
| 9 B—N2 | O—O | 23 R x P ch | P x R |
| 10 R—B1 | P—B3 | 24 Q—R5 | N—B2 |
| 11 N—K1 | B—Q2 | 25 Q x P ch | K—N1 |
| 12 N—QR4 | N—R3 | 26 B x P | N—K3 |
| 13 N—Q3 | Q—R4 | 27 R—N4 ch | Resigns |
| 14 P—B4 | P x P | | |

## Amsterdam, 1964

Evans works persistently to open the king bishop file and ultimately earns a reward.

BENONI DEFENSE

| | I. Bilek | L. Evans |
|---|---|---|
| | *White* | *Black* |
| 1 | P—Q4 | N—KB3 |
| 2 | P—QB4 | P—B4 |
| 3 | P—Q5 | P—K3 |
| 4 | N—QB3 | P x P |
| 5 | P x P | P—Q3 |
| 6 | P—K4 | P—KN3 |
| 7 | N—B3 | B—N2 |
| 8 | B—K2 | O—O |
| 9 | B—KN5 | P—KR3 |
| 10 | B—R4 | P—KN4 |
| 11 | B—N3 | N—R4 |
| 12 | N—Q2 | N x B |
| 13 | RP x N | P—B4 |
| 14 | P x P | B x P |
| 15 | N—B4 | P—R3 |
| 16 | P—R4 | Q—K2 |
| 17 | N—N6 | R—R2 |
| 18 | O—O | N—Q2 |
| 19 | N x N | Q x N |
| 20 | P—R5 | R/2—R1 |
| 21 | N—R4 | QR—K1 |
| 22 | N—N6 | Q—QB2 |
| 23 | N—B4 | B—Q5 |
| 24 | B—Q3 | B x B |
| 25 | Q x B | R—B3 |
| 26 | N—K3 | Q—R2 |
| 27 | R—R3 | B x P |
| 28 | Q x Q ch | K x Q |
| 29 | R—N3 | B—Q5 |
| 30 | R x P ch | K—N3 |
| 31 | N—B2 | R—K4 |
| 32 | R—N6 | R x QP |
| 33 | R x RP | ...... |
| 33 | ...... | B x P ch |
| 34 | K—R1 | B x P |
| 35 | R—QN1 | R—Q7 |
| 36 | N—K3 | R—B5 |
| 37 | R—N3 | R—Q8 ch |
| | Resigns | |

L. EVANS

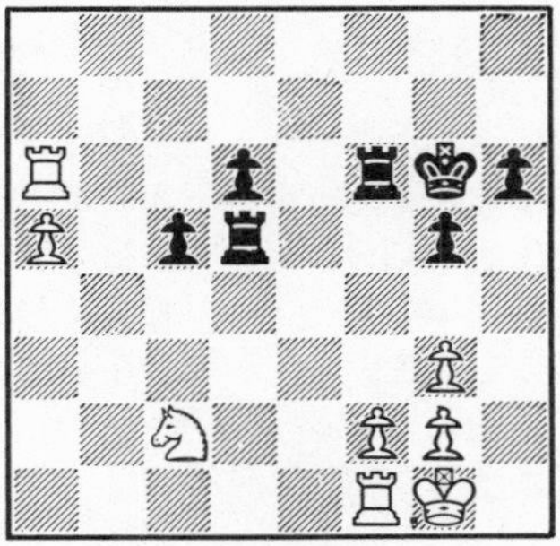

I. BILEK

## Amsterdam, 1964

Black exploits his positional advantage with a witty sacrifice of the Exchange.

BARCZA SYSTEM

| | I. Bilek *White* | B. Ivkov *Black* |
|---|---|---|
| 1 | N—KB3 | P—Q4 |
| 2 | P—KN3 | P—QB3 |
| 3 | B—N2 | B—N5 |
| 4 | P—Q4 | N—Q2 |
| 5 | QN—Q2 | P—K3 |
| 6 | P—KR3 | B—R4 |
| 7 | P—B3 | P—KB4 |
| 8 | Q—N3 | R—N1 |
| 9 | P—B4 | B—Q3 |
| 10 | Q—K3 | Q—K2 |
| 11 | N—N5 | N—B1 |
| 12 | P—B4 | N—B3 |
| 13 | O—O | P—KR3 |
| 14 | N/5—B3 | N/1—Q2 |
| 15 | N—K5 | O—O |
| 16 | P—N3 | N—K5 |
| 17 | QN x N | QP x N |
| 18 | B—N2 | N x N |
| 19 | BP x N | B—QB2 |
| 20 | P—QR4 | B—R4 |
| 21 | K—R2 | QR—Q1 |
| 22 | R—B2 | P—B4 |
| 23 | R/2—B1 | P x P |
| 24 | B x QP* | ...... |
| 24 | ...... | R x B |
| 25 | Q x R | B x P |
| 26 | KR—B1 | B—B2 |
| 27 | R—R2 | B—Q6 |
| 28 | Q x RP | B x KP |
| 29 | Q—N1 | Q—N4 |
| 30 | R—Q1 | Q x P ch |
| 31 | K—R1 | P—B5 |
| 32 | B—B1 | Q—B6 ch |
| 33 | B—N2 | Q—R4 |
| | Resigns | |

B. IVKOV

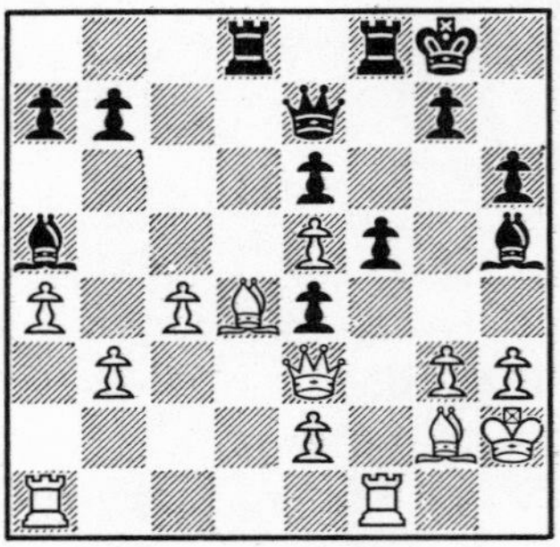

I. BILEK

## U.S.S.R. Championship, 1964

The official "best-played game" of this Soviet Championship.

QUEEN'S PAWN GAME

I. BONDAREVSKY — D. BRONSTEIN

| | White | Black |
|---|---|---|
| 1 | P—Q4 | N—KB3 |
| 2 | N—KB3 | P—KN3 |
| 3 | B—B4 | B—N2 |
| 4 | P—K3 | O—O |
| 5 | QN—Q2 | P—N3 |
| 6 | P—KR3 | P—Q3 |
| 7 | P—B3 | P—B4 |
| 8 | B—K2 | B—QR3 |
| 9 | B x B | N x B |
| 10 | O—O | Q—Q2 |
| 11 | Q—K2 | N—B2 |
| 12 | P x P | NP x P |
| 13 | P—K4 | P—K4 |
| 14 | B—K3 | QR—N1 |
| 15 | P—QN3 | Q—B3 |
| 16 | Q—B4 | N—Q2 |
| 17 | N—R2 | N—N3 |
| 18 | Q—Q3 | P—Q4 |
| 19 | P—B3 | QR—Q1 |
| 20 | Q—B2 | P—B4 |
| 21 | QR—Q1 | N—K3 |
| 22 | P x QP | N x P |
| 23 | N—B4 | N/3—B5 |
| 24 | R—B2 | N x B |

I. BONDAREVSKY — D. BRONSTEIN

| | White | Black |
|---|---|---|
| 25 | N x N | R x R ch |
| 26 | Q x R* | ...... |
| 26 | ...... | P—K5 |
| 27 | Q—B2 | B—R3 |
| 28 | N/2—B1 | N—Q6 |
| 29 | R—Q2 | P—QB5 |
| 30 | N x P | Q—B4 ch |
| 31 | K—R2 | B—B5 ch |
| 32 | P—N3 | N—K8 |
| | Resigns | |

D. BRONSTEIN

I. BONDAREVSKY

## Olympics, Tel Aviv, 1964

In really good combinations, the best moves are those that come *after* the flashy sacrifices: note 31 . . . P—Q6!!

BENONI DEFENSE

| Y. ALONI *White* | M. BOTVINNIK *Black* | Y. ALONI *White* | M. BOTVINNIK *Black* |
|---|---|---|---|
| 1 P—Q4 | N—KB3 | 27 R—K1 | R—B6 |
| 2 P—QB4 | P—B4 | 28 Q—N1 | R/1—KB1 |
| 3 P—Q5 | P—KN3 | 29 R—K4* | . . . . . . |
| 4 N—QB3 | P—Q3 | 29 . . . . . . | R x P ch |
| 5 P—K4 | B—N2 | 30 P x R | Q x P ch |
| 6 P—KR3 | O—O | 31 K—R1 | P—Q6 |
| 7 B—K3 | P—K3 | 32 N—K7 ch | K—R1 |
| 8 P x P | B x P | 33 Q—K1 | Q—R6 ch |
| 9 N—B3 | Q—R4 | 34 K—N1 | P—Q7 |
| 10 Q—Q2 | N—B3 | 35 N x P ch | P x N |
| 11 B—K2 | N—Q2 | 36 Q—R4 ch | K—N1 |
| 12 O—O | N/2—K4 | Resigns | |
| 13 N x N | P x N | | |
| 14 KR—Q1 | N—Q5 | | |
| 15 B—Q3 | B x RP | | |
| 16 P—QN4 | P x P | | |
| 17 N—Q5 | B—N5 | | |
| 18 KR—N1 | Q—Q1 | | |
| 19 B x N | P x B | | |
| 20 R x P | P—N3 | | |
| 21 P—R4 | P—B4 | | |
| 22 P x P | B x P | | |
| 23 P—R5 | P x P | | |
| 24 R—N5 | B x B | | |
| 25 Q x B | Q—R5 | | |
| 26 P—N3 | Q—N5 | | |

M. BOTVINNIK

Y. ALONI

## France, 1964

The tournament winner exploits White's inaccuracies in lovely style.

QUEEN'S GAMBIT

| | P. H. CLARKE *White* | K. DARGA *Black* |
|---|---|---|
| 1 | P—Q4 | N—KB3 |
| 2 | N—KB3 | P—Q4 |
| 3 | P—B4 | P—K3 |
| 4 | N—B3 | P—B4 |
| 5 | P—K3 | N—B3 |
| 6 | P—QR3 | P x QP |
| 7 | KP x P | B—K2 |
| 8 | B—Q3 | O—O |
| 9 | O—O | P x P |
| 10 | B x BP | P—QN3 |
| 11 | R—K1 | B—N2 |
| 12 | B—R2 | R—QB1 |
| 13 | Q—Q3 | R—K1 |
| 14 | B—N5 | N—Q4 |
| 15 | B x B | N/3 x B |
| 16 | QR—Q1 | N—B5 |
| 17 | Q—K3* | ...... |
| 17 | ...... | N x P |
| 18 | K x N | N—B4 |
| 19 | Q—B4 | P—KN4 |
| 20 | Q—B1 | N—R5 ch |
| 21 | K—B1 | B—R3 ch |
| 22 | R—K2 | N x N |
| 23 | Q—K3 | P—N5 |
| 24 | Q—R6 | Q—N4 |
| 25 | Q x Q ch | N x Q |
| 26 | B—N1 | B x R ch |
| 27 | K x B | K—N2 |
| 28 | K—K3 | P—B4 |
| 29 | N—K2 | QR—Q1 |
| 30 | R—QB1 | K—B3 |
| 31 | R—B6 | R—QB1 |
| | Resigns | |

K. DARGA

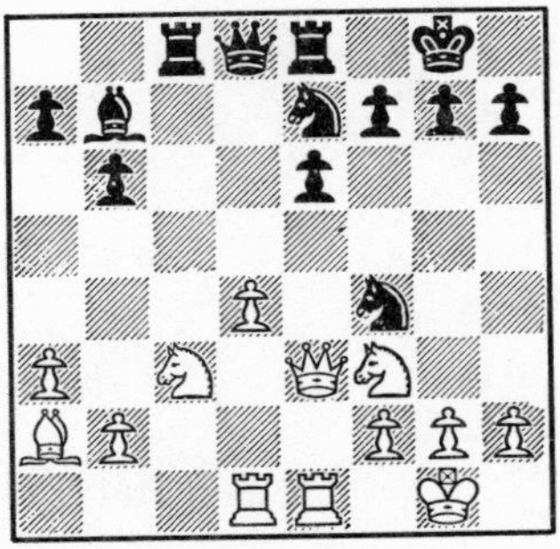

P. H. CLARKE

## Hungary, 1964

A sly king-move traps the White queen for a pleasing finish.

SICILIAN REVERSED

| P. H. CLARKE *White* | L. PACHMAN *Black* |
|---|---|
| 1 P—QB4 | N—KB3 |
| 2 N—KB3 | P—B4 |
| 3 P—KN3 | P—Q4 |
| 4 P x P | N x P |
| 5 B—N2 | N—QB3 |
| 6 N—QB3 | N—B2 |
| 7 O—O | P—K4 |
| 8 P—Q3 | B—K2 |
| 9 B—K3 | O—O |
| 10 R—B1 | P—QN3 |
| 11 P—QR3 | P—B3 |
| 12 N—KN5 | Q—K1 |
| 13 Q—N3 ch | K—R1 |
| 14 B x N | Q x B |
| 15 N—B7 ch | R x N |
| 16 Q x R | B—R6 |
| 17 P—B3 | B x R |
| 18 Q x B | B x P |
| 19 B—R6 | P x B |
| 20 N x B* | ...... |
| 20 ...... | K—N1 |
| 21 P—Q4 | N—Q4 |
| Resigns | |

L. PACHMAN

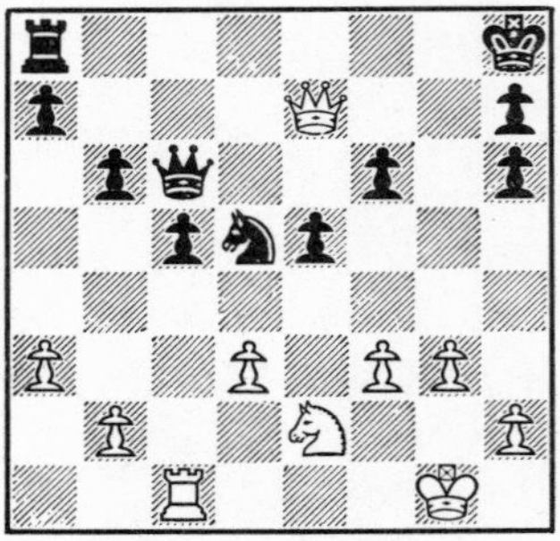

P. H. CLARKE

## Amsterdam, 1964

A speculative knight sacrifice pays quick dividends.

CARO-KANN DEFENSE

| L. Evans<br>*White* | B. Berger<br>*Black* | L. Evans<br>*White* | B. Berger<br>*Black* |
|---|---|---|---|
| 1 P—K4 | P—QB3 | 19 R x P | P—N3 |
| 2 P—Q4 | P—Q4 | 20 Q—B5 | K—N2 |
| 3 N—QB3 | P x P | 21 B—B4 | Q—B4 |
| 4 N x P | B—B4 | 22 R x N/6 | Resigns |
| 5 N—N3 | B—N3 | | |
| 6 N—B3 | N—Q2 | | |
| 7 P—KR4 | P—KR3 | | |
| 8 P—R5 | B—R2 | | |
| 9 B—Q3 | B x B | | |
| 10 Q x B | Q—B2 | | |
| 11 B—Q2 | KN—B3 | | |
| 12 O—O—O | P—K3 | | |
| 13 K—N1 | P—B4 | | |
| 14 P—B4 | P x P | | |
| 15 N x P | P—R3* | | |
| 16 N x P | P x N | | |
| 17 Q—N6 ch | K—Q1 | | |
| 18 KR—K1 | K—B1 | | |

B. BERGER

L. EVANS

## Soviet Union, 1964

Black "sacks" his queen to exploit White's weakened king side.

RUY LOPEZ

| | Y. GELLER *White* | B. SPASSKY *Black* |
|---|---|---|
| 1 | P—K4 | P—K4 |
| 2 | N—KB3 | N—QB3 |
| 3 | B—N5 | P—QR3 |
| 4 | B—R4 | P—Q3 |
| 5 | O—O | B—N5 |
| 6 | P—KR3 | B—R4 |
| 7 | P—B3 | N—B3 |
| 8 | P—Q4 | P—QN4 |
| 9 | B—N3 | B—K2 |
| 10 | B—K3 | O—O |
| 11 | QN—Q2 | P—Q4 |
| 12 | P—N4 | B—N3 |
| 13 | P x KP | KN x KP |
| 14 | N—N1 | Q—B1 |
| 15 | N—Q4 | N x KP |
| 16 | P—KB4 | P—QB4 |
| 17 | P x N | P x N |
| 18 | P x P | Q—Q2 |
| 19 | N—Q2 | P—B3 |
| 20 | R—B1 | K—R1 |
| 21 | B—KB4 | P x P |
| 22 | B x KP | B—N4 |
| 23 | R—QB7* | . . . . . . |

| | Y. GELLER *White* | B. SPASSKY *Black* |
|---|---|---|
| 23 | . . . . . . | Q x R |
| 24 | B x Q | B—K6 ch |
| 25 | K—N2 | N x N |
| 26 | R x R ch | R x R |
| 27 | B x P | R—B7 ch |
| 28 | K—N3 | N—B8 ch |
| 29 | K—R4 | P—R3 |
| 30 | B—Q8 | R—B1 |
| | Resigns | |

B. SPASSKY

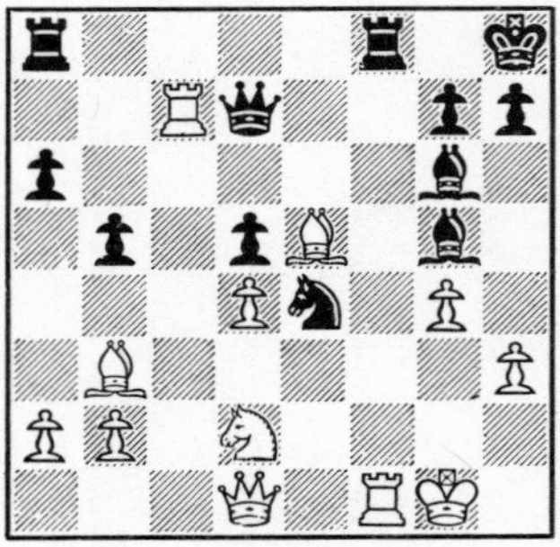

Y. GELLER

## U.S.S.R. Championship, 1964

The so-called "poison pawn" variation is like the little girl in the nursery rhyme: sometimes very, very good, and sometimes. . . .

### SICILIAN DEFENSE

| Gipslis *White* | V. Korchnoi *Black* |
|---|---|
| 1 P—K4 | P—QB4 |
| 2 N—KB3 | P—Q3 |
| 3 P—Q4 | P x P |
| 4 N x P | N—KB3 |
| 5 N—QB3 | P—QR3 |
| 6 B—KN5 | P—K3 |
| 7 P—B4 | Q—N3 |
| 8 Q—Q2 | Q x P |
| 9 R—QN1 | Q—R6 |
| 10 P—B5 | N—B3 |
| 11 P x P | P x P |
| 12 N x N | P x N |
| 13 P—K5 | P x P |
| 14 B x N | P x B |
| 15 N—K4 | B—K2 |
| 16 B—K2 | O—O |
| 17 R—N3 | Q—R5* |
| 18 P—B4 | K—R1 |
| 19 O—O | R—R2 |
| 20 Q—R6 | P—KB4 |
| 21 R—N3 | B—N5 |
| 22 N—B6 | Resigns |

V. KORCHNOI

GIPSLIS

## Amsterdam, 1964

There are few more pleasing sights in Chess than that of a queen trapped on an open board—unless the queen is one's own.

SICILIAN DEFENSE

| S. GLIGORICH *White* | Z. VRANESIC *Black* | S. GLIGORICH *White* | Z. VRANESIC *Black* |
|---|---|---|---|
| 1 P—K4 | P—QB4 | 19 N—B6 | Q—R7 |
| 2 N—KB3 | P—K3 | 20 R—K3 | P—QR4 |
| 3 P—Q4 | P x P | 21 R—R3 | Q—B5 |
| 4 N x P | P—QR3 | 22 B—B1 | Resigns |
| 5 N—QB3 | Q—B2 | | |
| 6 P—KN3 | P—QN4 | | |
| 7 B—N2 | B—N2 | | |
| 8 O—O | N—KB3 | | |
| 9 R—K1 | P—Q3 | | |
| 10 P—QR4 | P x P* | | |
| 11 N—Q5 | N x N | | |
| 12 P x N | P—K4 | | |
| 13 R x RP | P—N3 | | |
| 14 B—Q2 | B—N2 | | |
| 15 B—R5 | Q—Q2 | | |
| 16 R—B4 | O—O | | |
| 17 R—B7 | Q—R5 | | |
| 18 R x B | Q x B | | |

Z. VRANESIC

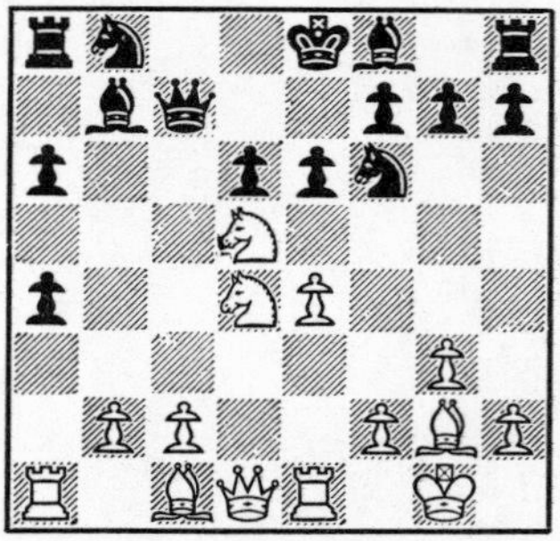

S. GLIGORICH

## Amsterdam, 1964

Probably the worst disaster ever to overtake Grandmaster Gligorich in his whole career!

FRENCH DEFENSE

| S. Gligorich *White* | J. Porath *Black* | S. Gligorich *White* | J. Porath *Black* |
|---|---|---|---|
| 1 P—K4 | P—K3 | 19 Q—B5* | ...... |
| 2 P—Q4 | P—Q4 | 19 ...... | Q—N7 |
| 3 N—QB3 | N—KB3 | Resigns | |
| 4 B—N5 | P x P | | |
| 5 N x P | QN—Q2 | | |
| 6 N—KB3 | B—K2 | | |
| 7 N x N ch | B x N | | |
| 8 P—KR4 | P—KR3 | | |
| 9 B x B | Q x B | | |
| 10 Q—Q2 | O—O | | |
| 11 O—O—O | P—K4 | | |
| 12 Q—K3 | P x P | | |
| 13 R x P | N—B4 | | |
| 14 B—B4 | B—K3 | | |
| 15 P—KN4 | B x B | | |
| 16 R x B | KR—K1 | | |
| 17 Q x N | Q x N | | |
| 18 R—N1 | QR—Q1 | | |

J. PORATH

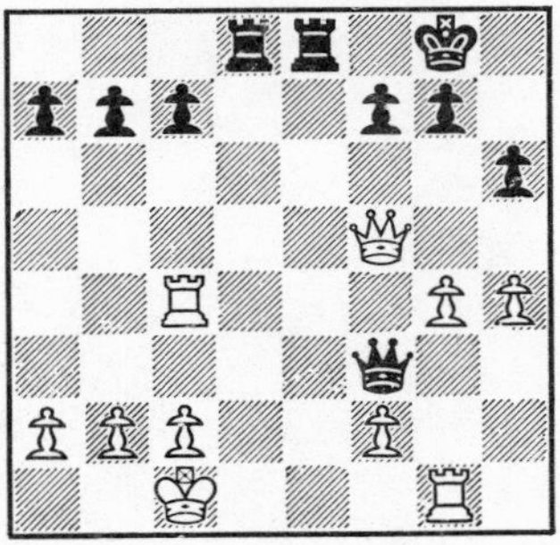

S. GLIGORICH

## Hungary, 1964

With his preposterous-looking bishop in QR1, White is playing in effect a piece down. Then he makes a spectacular breakthrough, and that same bishop, without even moving, is the key piece in a mating attack.

SICILIAN DEFENSE

| | V. HORT | F. GHEORGHIU |
|---|---|---|
| | *White* | *Black* |
| 1 | P—K4 | P—QB4 |
| 2 | N—QB3 | N—QB3 |
| 3 | P—B4 | P—K3 |
| 4 | N—B3 | P—Q4 |
| 5 | B—N5 | N—B3 |
| 6 | Q—K2 | B—K2 |
| 7 | O—O | O—O |
| 8 | B x N | P x B |
| 9 | P—QN3 | P—QR4 |
| 10 | P—Q3 | B—R3 |
| 11 | K—R1 | N—Q2 |
| 12 | B—N2 | P—B5 |
| 13 | NP x P | P x BP |
| 14 | P—Q4 | P—R5 |
| 15 | QR—Q1 | R—K1 |
| 16 | N—K5 | N x N |
| 17 | BP x N | Q—N3 |
| 18 | B—R1 | P—R6 |
| 19 | Q—R5 | P—N3 |
| 20 | Q—R3 | R—KB1* |
| 21 | P—Q5 | B—B1 |
| 22 | Q—R6 | R—R2 |
| 23 | P—Q6 | B—Q1 |
| 24 | R—B6 | R—N2 |
| 25 | R—B3 | R—Q2 |
| 26 | R/1—KB1 | Q—R4 |
| 27 | N—K2 | Q—R5 |
| 28 | N—B4 | Resigns |

F. GHEORGHIU

V. HORT

## Holland, 1964

For Black to sacrifice the Exchange in this variation is now all the rage, but in this game Larsen finds a whole new way to go about it.

SICILIAN DEFENSE

| B. Ivkov | B. Larsen | B. Ivkov | B. Larsen |
|---|---|---|---|
| *White* | *Black* | *White* | *Black* |
| 1 P—K4 | P—QB4 | 26 P x P | KP x P |
| 2 N—KB3 | N—QB3 | 27 R—Q1 | P—N3 |
| 3 P—Q4 | P x P | 28 Q—K7 | Q x RP |
| 4 N x P | P—KN3 | 29 R—Q7 | B—B3 |
| 5 N—QB3 | B—N2 | 30 Q—K6 ch | K—R1 |
| 6 B—K3 | N—B3 | 31 Q—Q6 | Q—B7 ch |
| 7 B—QB4 | P—Q3 | 32 K—Q1 | Q—B8 ch |
| 8 P—B3 | N—Q2 | 33 K—B2 | Q—K7 ch |
| 9 B—N3 | N—N3 | 34 K—B1 | Q—N7 ch |
| 10 Q—Q2 | N—R4 | 35 K—Q1 | Q—N8 ch |
| 11 Q—Q3 | O—O | 36 K—K2 | R—K1 ch |
| 12 O—O—O | N x B ch | 37 K—B2 | Q—K8 mate |
| 13 RP x N | P—QR4 | | |
| 14 N—R4 | N x N | | |
| 15 P x N | B—Q2 | | |
| 16 N—N5 | R—B1 | | |
| 17 P—R4 | B x N | | |
| 18 Q x B | R—B3 | | |
| 19 P—QB4 | Q—B2 | | |
| 20 P—QN3* | ...... | | |
| 20 ...... | R—B4 | | |
| 21 B x R | P x B | | |
| 22 R—Q5 | P—K3 | | |
| 23 Q x BP | Q—N6 | | |
| 24 R—N5 | Q—B5 ch | | |
| 25 K—B2 | P—B4 | | |

B. LARSEN

B. IVKOV

## Yugoslav Championship, 1964

Chirich, needing only a draw, cheerfully allows perpetual check. Ivkov, however, needs to win. . . .

CATALAN OPENING

| | B. Ivkov *White* | Chirich *Black* |
|---|---|---|
| 1 | P—QB4 | P—K3 |
| 2 | N—KB3 | P—Q4 |
| 3 | P—KN3 | N—KB3 |
| 4 | B—N2 | B—K2 |
| 5 | O—O | O—O |
| 6 | P—Q4 | QN—Q2 |
| 7 | Q—B2 | P—B3 |
| 8 | P—N3 | P—QN3 |
| 9 | B—N2 | B—N2 |
| 10 | N—B3 | R—B1 |
| 11 | QR—Q1 | Q—B2 |
| 12 | P—K4 | KR—Q1 |
| 13 | KR—K1 | N—B1 |
| 14 | Q—N1 | B—N5 |
| 15 | P—K5 | N—K5 |
| 16 | N x N | B x R |
| 17 | N—Q6 | B—N5 |
| 18 | P—B5 | P x P |
| 19 | P—QR3 | B—R4 |
| 20 | P x P | Q—N1 |
| 21 | P—KR4 | B—B2 |
| 22 | P—R5 | P—KR3 |
| 23 | R—Q4 | B x N |
| 24 | KP x B | R—Q2 |
| 25 | N—K5 | P—B3 |
| 26 | N x R | N x N |
| 27 | R—KN4 | R—B1* |
| 28 | R x P ch | K x R |
| 29 | Q—N6 ch | K—R1 |
| 30 | Q x RP ch | K—N1 |
| 31 | Q—N6 ch | K—R1 |
| 32 | P—R6 | R—N1 |
| 33 | B x P ch | N x B |
| 34 | Q x N ch | K—R2 |
| 35 | B—B1 | B—R3 |
| 36 | B x B | Q x NP |
| 37 | P—Q7 | R x P ch |
| 38 | P x R | Q x P ch |
| 39 | K—B1 | Q—R6 ch |
| 40 | K—K1 | Q—N6 ch |
| 41 | K—Q2 | Resigns |

CHIRICH

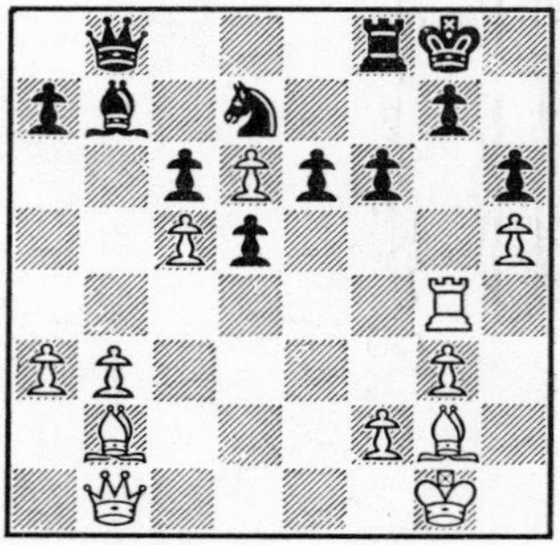

B. IVKOV

## Amsterdam, 1964

Larsen's own anti-Sicilian system and a pretty knight sacrifice enable him to take an early lead in the Amsterdam '64 Interzonal.

SICILIAN DEFENSE

| B. LARSEN *White* | F. PEREZ *Black* |
|---|---|
| 1 P—K4 | P—QB4 |
| 2 P—KB4 | P—K3 |
| 3 N—KB3 | N—QB3 |
| 4 B—N5 | P—KN3 |
| 5 B x N | QP x B |
| 6 P—Q3 | B—N2 |
| 7 O—O | N—K2 |
| 8 N—B3 | O—O |
| 9 Q—K1 | P—N3 |
| 10 P—QR4 | B—QR3 |
| 11 Q—R4 | Q—Q2 |
| 12 B—K3 | P—B5 |
| 13 P x P | P—QB4 |
| 14 N—K5 | Q—N2 |
| 15 R—B3 | P—B3* |
| 16 R—R3 | P x N |
| 17 Q x P ch | K—B2 |
| 18 P—B5 | KP x P |
| 19 B—R6 | R—KN1 |
| 20 P x P | N x P |
| 21 R—KB1 | B x P |
| 22 R—N3 | B x R |
| 23 Q x P ch | K—K2 |
| 24 B—N5 ch | K—B1 |
| 25 Q x N ch | Q—B2 |
| 26 Q—K4 | R—B1 |
| 27 R—B3 | B—B5 |
| 28 Q x B | Q x R |
| 29 P x Q | Resigns |

F. PEREZ

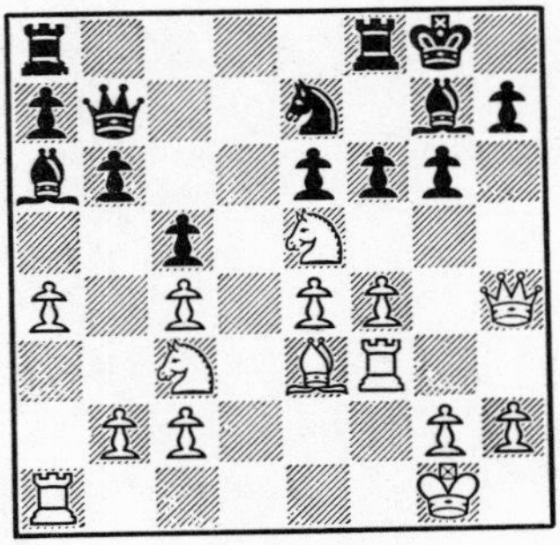

B. LARSEN

## Holland, 1964

Larsen frequently plays this drawish variation of the French Defense, but never for a draw. Come to think of it, he seldom draws.

FRENCH DEFENSE

| B. Larsen | L. Portisch | B. Larsen | L. Portisch |
|---|---|---|---|
| *White* | *Black* | *White* | *Black* |
| 1 P—K4 | P—K3 | 18 Q—N3 | R—R2 |
| 2 P—Q4 | P—Q4 | 19 P—R6 | P—N3 |
| 3 N—QB3 | B—N5 | 20 B—Q6 | R—K1 |
| 4 P x P | P x P | 21 Q—B4 | K—B2 |
| 5 Q—B3 | N—QB3 | 22 B—K5 | P—KB4 |
| 6 B—QN5 | KN—K2 | 23 B—N8 | R—N2 |
| 7 B—KB4 | O—O | 24 Q—K5 | R—N1 |
| 8 O—O—O | N—R4 | 25 P—N5 | P—N5 |
| 9 KN—K2 | P—QB3 | 26 Q—B6 ch | K—K1 |
| 10 B—Q3 | P—QN4 | 27 Q x BP ch | K—B2 |
| 11 P—KR4 | N—B5 | 28 Q—B6 ch | K—K1 |
| 12 P—R5 | P—B3 | 29 P—Q5 | R—B1 |
| 13 P—N4 | Q—R4 | 30 Q—B6 ch | Q—Q2 |
| 14 B x N | QP x B | 31 B—Q6 | R—KB2 |
| 15 P—R3 | B x N | 32 B x N | P x N |
| 16 N x B | Q—Q1 | 33 B—N4 ch | Resigns |
| 17 KR—K1 | P—R4 | | |

Mikhail Tal of the Soviet Union, World Champion from 1960 to 1961.

Bobby Fischer (left) plays Russian, Tigran Petrosian, World Champion from 1963 to 1969.

Boris Spassky of the Soviet Union, World Champion since 1969. *Chess Life*

Robert J. Fischer, America's hope for the world chess crown.
*Chess Life*

## U.S. Open, 1964

When an opening pattern adopted to avoid "book variations" is played often enough, it becomes itself a "book variation." This game is a model of how not to play the Black side.

SICILIAN DEFENSE

| R. Mallett *White* | B. Zuckerman *Black* | R. Mallett *White* | B. Zuckerman *Black* |
|---|---|---|---|
| 1 P—K4 | P—QB4 | 20 Q—B3 | Q—B2 |
| 2 N—QB3 | N—QB3 | 21 B x P | B—N5 |
| 3 P—B4 | P—KN3 | 22 Q—B6 | R x R |
| 4 N—B3 | B—N2 | 23 B x N | R—K4 |
| 5 B—N5 | N—Q5 | 24 B x BP ch | Resigns |
| 6 B—B4 | P—K3 | | |
| 7 P—K5 | P—Q4 | | |
| 8 N x N | P x N | | |
| 9 B—N5 ch | K—B1 | | |
| 10 N—K2 | Q—N3 | | |
| 11 B—Q3 | N—K2 | | |
| 12 P—QN3 | N—B3 | | |
| 13 B—N2 | P—N4 | | |
| 14 O—O | P x P | | |
| 15 N x BP | N x P | | |
| 16 Q—R5 | K—N1 | | |
| 17 QR--K1 | N—N3* | | |
| 18 N x QP | P x N | | |
| 19 R—K8 ch | B—B1 | | |

B. ZUCKERMAN

R. MALLETT

## Argentina, 1964

On his twelfth move White retreats, *pour mieux sortir*, as it were. But by the time he re-emerges, the game is practically over.

KING'S INDIAN
DEFENSE

| | M. NAJDORF *White* | R. BYRNE *Black* |
|---|---|---|
| 1 | P—Q4 | N—KB3 |
| 2 | P—QB4 | P—KN3 |
| 3 | N—QB3 | B—N2 |
| 4 | P—K4 | P—Q3 |
| 5 | N—B3 | O—O |
| 6 | B—K2 | P—K4 |
| 7 | P—Q5 | QN—Q2 |
| 8 | B—N5 | P—KR3 |
| 9 | B—R4 | P—KN4 |
| 10 | B—N3 | N—R4 |
| 11 | N—Q2 | N—B5 |
| 12 | B—B1 | N—B4 |
| 13 | Q—B2 | P—B4 |
| 14 | P—B3 | P—B3 |
| 15 | B—B2 | P x KP |
| 16 | P x KP | P x P |
| 17 | B x N | P—Q5 |
| 18 | B—R3 | P x N |
| 19 | Q x P | B—N5 |
| 20 | P—R3 | B—R4 |
| 21 | P—KN4 | B—N3 |
| 22 | Q—N4 | R—B2 |
| 23 | O—O—O | R—Q2 |
| 24 | K—N1 | R—B1 |
| 25 | K—R1 | K—R2 |
| 26 | Q—N3 | P—R3 |
| 27 | Q—K3 | P—N4 |
| 28 | P x P* | . . . . . . |
| 28 | . . . . . . | P—Q4 |
| 29 | P x RP | P x P |
| 30 | B—N5 | R—Q4 |
| 31 | B—K2 | N x B |
| 32 | Q x N | R—B7 |
| 33 | P—R7 | R—Q6 |
| 34 | Q—K1 | R x B |
| 35 | N—N3 | Q—K2 |
| 36 | N—R5 | Q—K3 |
| | Resigns | |

R. BYRNE

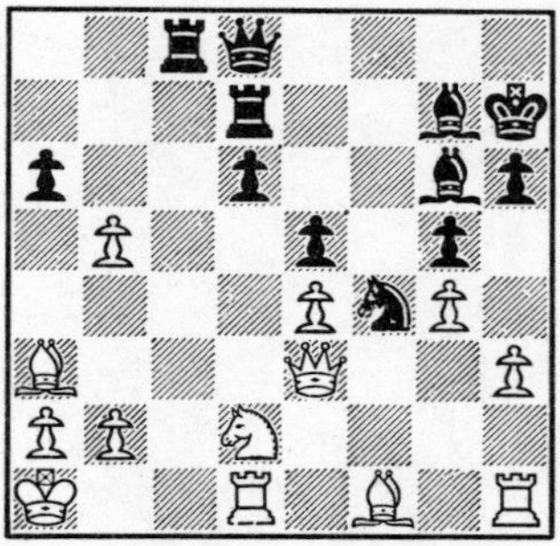

M. NAJDORF

## Holland, 1964

Iivo Nei is one of the less well known of the Soviet grandmasters, at least to the chess public of the west. Here, in one of his rare international appearances, he ties for first place with Keres.

ENGLISH OPENING

| I. NEI *White* | J. H. DONNER *Black* | I. NEI *White* | J. H. DONNER *Black* |
|---|---|---|---|
| 1 P—QB4 | N—KB3 | 17 P—KN4 | P—KR3 |
| 2 N—QB3 | P—K3 | 18 P—N5 | P x P |
| 3 P—K4 | P—B4 | 19 N x NP | N—QN5 |
| 4 P—K5 | N—N1 | 20 R—K3 | N x B ch |
| 5 P—Q4 | P x P | 21 R/2 x N | R x R |
| 6 Q x P | N—QB3 | 22 R x R | R—Q1 |
| 7 Q—K4 | P—Q3 | 23 R—R3 | K—B1 |
| 8 N—B3 | Q—R4 | 24 Q—R8 ch | K—K2 |
| 9 B—Q2 | P x P | 25 Q x P | P—K5 |
| 10 N—QN5 | B—N5 | 26 R—R8 | Q—KB4 |
| 11 O—O—O | B x B ch | 27 Q—B8 ch | K—Q2 |
| 12 R x B | N—B3 | 28 N x BP | Q—B5 ch |
| 13 Q—R4 | O—O | 29 K—N1 | R—B1 |
| 14 N—B3 | R—Q1 | 30 Q—N7 | K—B3 |
| 15 B—Q3 | B—Q2 | 31 R—R6 | N—Q2 |
| 16 R—K1 | B—K1 | 32 R x P ch | Resigns |

## Yugoslav Championship, 1964

Black, with everything hanging, "sacks" as if out of dire necessity. What is necessary, however, is sometimes also good and sufficient.

SICILIAN DEFENSE

| | NIKOLICH *White* | M. MATULOVICH *Black* |
|---|---|---|
| 1 | P—K4 | P—QB4 |
| 2 | N—KB3 | P—K3 |
| 3 | P—B4 | N—QB3 |
| 4 | P—Q4 | P x P |
| 5 | N x P | N—B3 |
| 6 | N—QB3 | B—N5 |
| 7 | Q—Q3 | O—O |
| 8 | B—K2 | P—Q4 |
| 9 | KP x P | P x P |
| 10 | N x N | P x N |
| 11 | P—QR3 | B x N ch |
| 12 | Q x B | R—K1 |
| 13 | B—K3 | P—B4 |
| 14 | P x P | N x P |
| 15 | Q x BP | N x B |
| 16 | P x N | Q—R5 ch |
| 17 | P—KN3 | Q—R6 |
| 18 | B—B1 | Q—R3 |
| 19 | B—N2 | R x P ch |
| 20 | K—B2 | R—N1 |
| 21 | KR—K1* | ...... |
| 21 | ...... | R x P ch |
| 22 | K—N1 | R x B ch |
| 23 | K x R | B—N2 ch |
| 24 | K—B2 | R—B6 ch |
| 25 | K—N2 | R—B6 ch |
| 26 | K—B1 | Q—R6 ch |
| 27 | K—K2 | R x Q |
| | Resigns | |

M. MATULOVICH

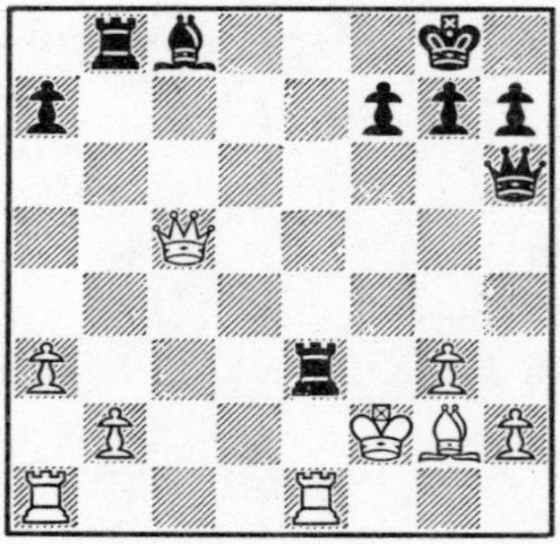

NIKOLICH

## U.S.S.R. Championship, 1964

The ghost of Frank J. Marshall is beating on the door.

RUY LOPEZ

| NOVOPASCHIN *White* | B. SPASSKY *Black* |
|---|---|
| 1 P—K4 | P—K4 |
| 2 N—KB3 | N—QB3 |
| 3 B—N5 | P—QR3 |
| 4 B—R4 | N—B3 |
| 5 O—O | B—K2 |
| 6 R—K1 | P—QN4 |
| 7 B—N3 | O—O |
| 8 P—B3 | P—Q4 |
| 9 P x P | N x P |
| 10 N x P | N x N |
| 11 R x N | P—QB3 |
| 12 P—Q4 | B—Q3 |
| 13 R—K1 | Q—R5 |
| 14 P—N3 | Q—R6 |
| 15 B—K3 | B—KN5 |
| 16 Q—Q3 | QR—K1 |
| 17 N—Q2 | R—K3 |
| 18 P—R4 | P x P |
| 19 R x P | P—KB4 |

| NOVOPASCHIN *White* | B. SPASSKY *Black* |
|---|---|
| 20 P—KB4* | ...... |
| 20 ...... | B x P |
| 21 B—B2 | R x R ch |
| 22 B x R | R—K1 |
| Resigns | |

B. SPASSKY

NOVOPASCHIN

## Hungary, 1964

Opening theoretician Pachman makes a few (dozen?) mistakes in the opening, and never recovers.

KING'S INDIAN
DEFENSE

| | L. Pachman *White* | I. Bilek *Black* |
|---|---|---|
| 1 | P—Q4 | N—KB3 |
| 2 | P—QB4 | P—Q3 |
| 3 | N—QB3 | P—KN3 |
| 4 | P—K4 | B—N2 |
| 5 | P—B3 | O—O |
| 6 | B—K3 | P—N3 |
| 7 | B—Q3 | B—N2 |
| 8 | KN—K2 | P—B4 |
| 9 | P—Q5 | P—K3 |
| 10 | P—KN4 | P x P |
| 11 | BP x P | R—K1 |
| 12 | Q—Q2 | QN—Q2 |
| 13 | K—B2 | N—K4 |
| 14 | N—N3* | ...... |
| 14 | ...... | B x P |
| 15 | N x B | N x N |
| 16 | P x N | Q—B3 |
| 17 | B—K4 | N x P ch |
| 18 | K—N2 | N x B ch |
| 19 | Q x N | Q x NP ch |
| 20 | Q—K2 | Q x Q ch |
| 21 | N x Q | B x R |
| 22 | R x B | P—QN4 |
| 23 | K—B2 | R—K4 |
| 24 | R—Q1 | R/1—K1 |
| 25 | N—B3 | P—QR3 |
| 26 | B—Q3 | K—N2 |
| 27 | B—B1 | R—R4 |
| 28 | P—KR3 | R—R5 |
| 29 | N—K4 | R/5 x N |
| 30 | P x R | R x P |
| 31 | R—Q3 | P—N5 |
| 32 | K—B3 | R—K8 |
| 33 | B—K2 | P—QR4 |
| 34 | R—K3 | R—QR8 |
| 35 | R—K7 | K—B3 |
| 36 | R—Q7 | K—K4 |
| 37 | R x BP | R x P |
| 38 | R x P | P—R5 |
| 39 | B—Q3 | R—R6 |
| 40 | K—K2 | P—N4 |
| 41 | R—KN7 | K—Q5 |
| 42 | B—B5 | R—K6 ch |
| | Resigns | |

I. BILEK

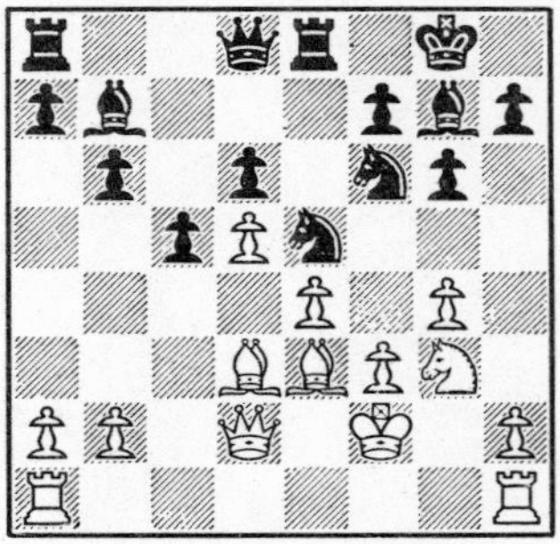

L. PACHMAN

## Amsterdam, 1964

White's attack is obviously premature, but it takes some pretty play to prove it.

BENONI DEFENSE

| J. PORATH *White* | L. STEIN *Black* | J. PORATH *White* | L. STEIN *Black* |
|---|---|---|---|
| 1 P—Q4 | P—QB4 | 13 P—R5 | P—B5 |
| 2 P—Q5 | N—KB3 | 14 P x P | BP x P |
| 3 N—QB3 | P—Q3 | 15 B—B1 | N—K4 |
| 4 P—K4 | P—KN3 | 16 B—R3 | N x P ch |
| 5 N—B3 | B—N2 | 17 K—Q1 | Q—N3 |
| 6 B—KB4 | O—O | 18 K—K2 | P—N5 |
| 7 Q—Q2 | Q—R4 | 19 B—K6 ch | K—R1 |
| 8 B—Q3 | B—N5 | 20 P—K5 | N—R4 |
| 9 B—KR6 | B x B | 21 N—K4 | Q—Q5 |
| 10 Q x B | B x N | 22 Q—K3 | N—B5 ch |
| 11 P x B | QN—Q2 | Resigns | |
| 12 P—KR4 | P—QN4 | | |

## Amsterdam, 1964

This amazing game, "only a draw," bids fair to be called the game of the decade. Come to think of it, almost any decade.

KING'S INDIAN
DEFENSE

| L. PORTISCH *White* | M. TAL *Black* | L. PORTISCH *White* | M. TAL *Black* |
|---|---|---|---|
| 1 N—KB3 | N—KB3 | 21 N x P/4 | Q—Q4 |
| 2 P—KN3 | P—Q3 | 22 B—K3 | R—B6 |
| 3 P—Q4 | P—KN3 | 23 N/4—B2 | Q—KB4 |
| 4 B—N2 | B—N2 | 24 P—N4 | Q—K3 |
| 5 O—O | O—O | 25 B—Q4 | P—KR4 |
| 6 P—B4 | B—N5 | 26 B x B | P x P |
| 7 N—B3 | Q—B1 | 27 N—Q4 | Q—Q4 |
| 8 R—K1 | R—K1 | 28 P x N | Q x KP |
| 9 Q—N3 | N—B3 | 29 N—B3 | Q—K6 ch |
| 10 P—Q5 | N—QR4 | 30 K—R1 | B—B3 |
| 11 Q—R4 | P—N3 | 31 KR—B1 | R x N |
| 12 N—Q2 | B—Q2 | 32 Q—B1 | P x N |
| 13 Q—B2 | P—B3 | 33 Q x B | Q x P |
| 14 P—QN4 | N x BP | 34 R—KN1 | K x B |
| 15 N x N | P x P | 35 QR—K1 | Q—Q7 |
| 16 N—R3 | P—Q5 | 36 R—Q1 | Q—K7 |
| 17 B x R | Q x B | 37 QR—K1 | Q—Q7 |
| 18 N/B—N5 | R—QB1 | 38 R—Q1 | Q—K7 |
| 19 Q—Q1 | N—K5 | 39 QR—K1 | Drawn |
| 20 P—B3 | P—QR3 | | |

## Budapest, 1964

Embarrassed by riches, White resigns a rook up!

NIMZO-INDIAN
DEFENSE

| L. Portisch *White* | Forintos *Black* |
|---|---|
| 1 P—Q4 | N—KB3 |
| 2 P—QB4 | P—K3 |
| 3 N—QB3 | B—N5 |
| 4 P—B3 | P—B4 |
| 5 P—Q5 | N—R4 |
| 6 P—KN3 | P—B4 |
| 7 B—Q2 | O—O |
| 8 P—K3 | P—Q3 |
| 9 P x P | B x P |
| 10 N—Q5 | B x N |
| 11 B x B | B—B3 |
| 12 B—Q2 | N—Q2 |
| 13 N—R3 | Q—B3 |
| 14 R—QN1 | QR—K1 |
| 15 K—B2 | N—K4 |
| 16 B—K2 | . . . . . . |
| 16 . . . . . . | N—N5 ch |
| 17 P x N | P x P ch |
| 18 N—B4 | P—KN4 |
| 19 R—N1 | P x N |
| 20 NP x P | Q—R5 ch |
| 21 K—B1 | R x P ch |
| 22 P x R | Q—R6 ch |
| 23 K—B2 | Q x P ch |
| Resigns | |

FORINTOS

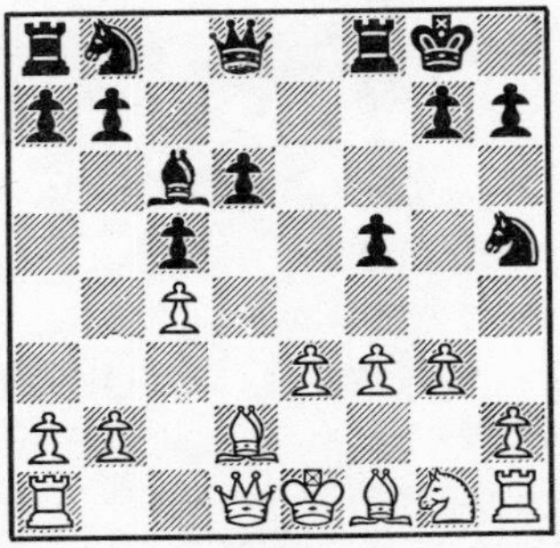

L. PORTISCH

## Amsterdam, 1964

White's premature attempts to wrest control of the center only compromises his game. By the time his king pawn has satisfied its lust to "expand," he is mated.

PIRC DEFENSE

| O. Quinones *White* | V. Smyslov *Black* |
|---|---|
| 1 P—K4 | P—Q3 |
| 2 P—Q4 | N—KB3 |
| 3 N—QB3 | P—KN3 |
| 4 P—B4 | B—N2 |
| 5 N—B3 | O—O |
| 6 B—Q3 | QN—Q2 |
| 7 P—K5 | N—K1 |
| 8 Q—K2 | P—QB4 |
| 9 B—K3 | BP x P |
| 10 B x P | P x P |
| 11 P x P | N—B2 |
| 12 B—B4 | N—N3 |
| 13 B x N | P x B |
| 14 R—Q1 | Q—K1 |
| 15 N—Q4 | R—R4 |
| 16 N/3—N5 | N x N |
| 17 B x N | B—Q2 |
| 18 P—QR4 | B x B |
| 19 P x B | Q—N1 |
| 20 P—K6 | B x N |
| 21 R x B | R—R8 ch |
| 22 R—Q1 | R x R ch |
| 23 K x R | R—Q1 ch |
| 24 K—B1* | ...... |
| 24 ...... | Q—R2 |
| 25 P x P ch | K—B1 |
| Resigns | |

V. SMYSLOV

O. QUINONES

## Amsterdam, 1964

Reshevsky needed a full point from this twenty-second round game in order to qualify for the Candidates' Matches.

NIMZO-INDIAN
DEFENSE

| | S. RESHEVSKY *White* | J. PORATH *Black* |
|---|---|---|
| 1 | P—Q4 | N—KB3 |
| 2 | P—QB4 | P—K3 |
| 3 | N—QB3 | B—N5 |
| 4 | P—K3 | P—B4 |
| 5 | N—B3 | P—Q4 |
| 6 | B—Q3 | O—O |
| 7 | O—O | N—B3 |
| 8 | P—QR3 | B x N |
| 9 | P x B | QP x P |
| 10 | B x BP | Q—B2 |
| 11 | B—N5 | P—QR3 |
| 12 | B—K2 | P—K4 |
| 13 | P—R3 | B—B4 |
| 14 | P—Q5 | QR—Q1 |
| 15 | P—B4 | P—QN4 |
| 16 | N—R4 | B—B1 |
| 17 | Q—B2 | N—QR4 |
| 18 | P—K4 | P x P |
| 19 | B x P | N—K1* |
| 20 | B—KN5 | N x B |
| 21 | Q x N | N—Q3 |
| 22 | B x R | Q x B |
| 23 | Q x BP | N—N2 |
| 24 | Q—B3 | Q x N |
| 25 | Q x P | N—B4 |
| 26 | QR—Q1 | Q x KP |
| 27 | Q—B3 | N—Q2 |
| 28 | KR—K1 | Q—N3 |
| 29 | R—K3 | Q—Q3 |
| 30 | Q—QB6 | Q—B3 |
| 31 | R/1—K1 | Q—Q1 |
| 32 | R—N1 | R—K1 |
| 33 | R x R ch | Q x R |
| 34 | R—QB1 | Resigns |

J. PORATH

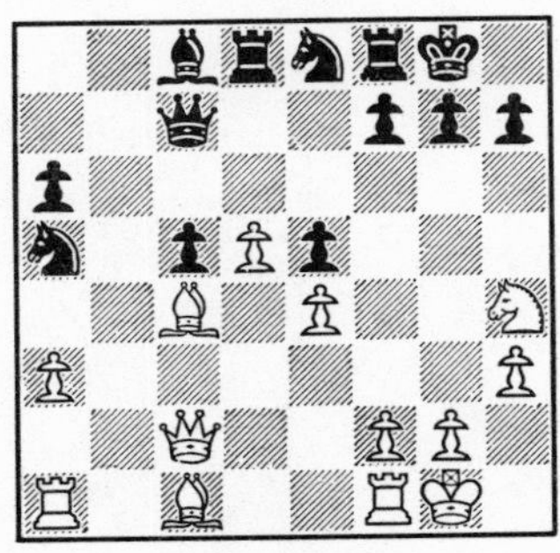

S. RESHEVSKY

## Maribor, Yugoslavia, 1964

White when he resigned may not have troubled to work out exactly how he was going to lose this game, but the final position is depressing enough.

RUY LOPEZ

| K. Robatsch *White* | B. Ivkov *Black* | K. Robatsch *White* | B. Ivkov *Black* |
|---|---|---|---|
| 1 P—K4 | P—K4 | 13 Q x RP | P—R3 |
| 2 N—KB3 | N—QB3 | 14 B x N | B x B |
| 3 B—N5 | P—QR3 | 15 N/2—B4 | R—K3 |
| 4 B—R4 | N—B3 | 16 N—Q3 | KR—K1 |
| 5 O—O | B—K2 | 17 Q—N4 | P—Q3 |
| 6 P—Q4 | P x P | 18 R x R | B x R |
| 7 R—K1 | P—QN4 | 19 Q—R4 | B—Q4 |
| 8 P—K5 | N x P | 20 N—K3 | B—N2 |
| 9 N x N | P x B | 21 Q—N3 | Q—R1 |
| 10 Q x P | O—O | 22 R—K1 | B—N4 |
| 11 B—N5 | R—N1 | 23 N—KB1 | R—N1 |
| 12 N—Q2 | R—N3 | Resigns | |

## Alabama, 1964

Bisguier, referring to the great complexity of this struggle as early as the eighth move, called it the longest twenty-six move game he has ever played.

QUEEN'S GAMBIT
DECLINED

| J. SULLIVAN *White* | A. BISGUIER *Black* | J. SULLIVAN *White* | A. BISGUIER *Black* |
|---|---|---|---|
| 1 P—Q4 | N—KB3 | 15 N—Q4 | Q—R4 ch |
| 2 P—QB4 | P—K3 | 16 K—K2 | R—K1 |
| 3 N—QB3 | P—Q4 | 17 N—N5 | N—K3 |
| 4 B—N5 | P—B4 | 18 KR—Q1 | B—K4 |
| 5 P x QP | BP x P | 19 R—N3 | B—Q2 |
| 6 Q x P | B—K2 | 20 N—B6 ch | B x N |
| 7 P—K3 | P x P | 21 R x B | QR—B1 |
| 8 Q—R4 ch | QN—Q2 | 22 K—B1 | Q—R5 |
| 9 B x N | B x B | 23 R—B7 | N x R |
| 10 N x P | B x P | 24 B x P ch | K x B |
| 11 R—N1 | B—K4 | 25 N—Q6 ch | K—N1 |
| 12 N—KB3 | O—O | 26 N x R/K | Q x N |
| 13 B—B4 | N—B4 | Resigns | |
| 14 Q—B2 | B—Q3 | | |

## Iceland, 1964

Tal wins (as usual) in the wittiest way.

RUY LOPEZ

| | M. TAL *White* | I. JOHANSSON *Black* |
|---|---|---|
| 1 | P—K4 | P—K4 |
| 2 | N—KB3 | N—QB3 |
| 3 | B—N5 | P—QR3 |
| 4 | B—R4 | N—B3 |
| 5 | O—O | B—K2 |
| 6 | R—K1 | P—QN4 |
| 7 | B—N3 | P—Q3 |
| 8 | P—KR3 | O—O |
| 9 | P—B3 | N—QR4 |
| 10 | B—B2 | P—B4 |
| 11 | P—Q4 | N—Q2 |
| 12 | QN—Q2 | BP x P |
| 13 | P x P | B—B3 |
| 14 | N—B1 | N—B3 |
| 15 | B—K3 | P x P |
| 16 | N x P | N/2—K4 |
| 17 | B—N3 | N x N |
| 18 | B x N | B—N2 |
| 19 | R—B1 | N—Q2 |
| 20 | N—N3 | R—K1 |
| 21 | N—B5 | R x P* |
| 22 | N x QP | R x B |
| 23 | N x BP | R x Q |
| 24 | N x Q ch | B—Q4 |
| 25 | QR x R | B x B |
| 26 | R x N | Resigns |

I. JOHANSSON

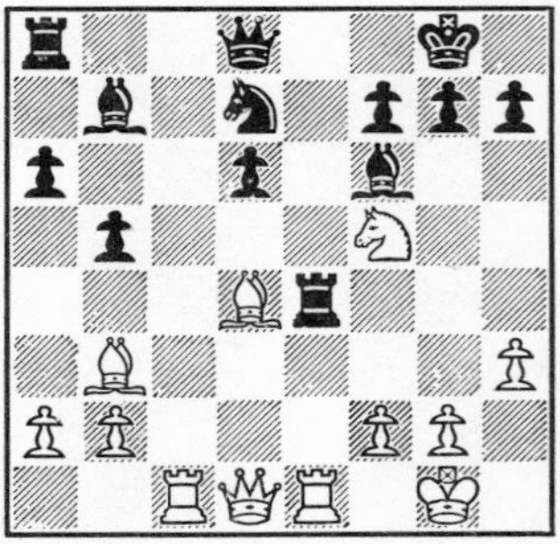

M. TAL

## Reykjavik, 1964

Gligorich loses not only a game, but a whole variation.

RUY LOPEZ

| M. Tal<br>*White* | S. Gligorich<br>*Black* | M. Tal<br>*White* | S. Gligorich<br>*Black* |
|---|---|---|---|
| 1 P—K4 | P—K4 | 21 B—N1 | B—B3 |
| 2 N—KB3 | N—QB3 | 22 N—N3 | P—Q4 |
| 3 B—N5 | P—QR3 | 23 Q—K3 | N—Q2 |
| 4 B—R4 | N—B3 | 24 N—B5 | P—B3 |
| 5 O—O | B—K2 | 25 Q—N3 | Q—B2 |
| 6 R—K1 | P—QN4 | 26 Q—N4 | N—K4 |
| 7 B—N3 | P—Q3 | 27 B x N | R x B |
| 8 P—B3 | O—O | 28 N—R6 ch | K—R1 |
| 9 P—KR3 | N—QR4 | 29 N—B7 ch | Q x N |
| 10 B—B2 | P—B4 | 30 Q x R | B—N2 |
| 11 P—Q4 | Q—B2 | 31 Q—B3 | P—N5 |
| 12 QN—Q2 | B—Q2 | 32 Q—B1 | P x P |
| 13 N—B1 | KR—K1 | 33 R—Q8 | P—N4 |
| 14 P—QN3 | BP x P | 34 Q—Q2 | B—B3 |
| 15 P x P | N—B3 | 35 Q—Q6 | B—K1 |
| 16 B—N2 | N x P | 36 Q—N8 | K—N2 |
| 17 N x N | P x N | 37 R x P | R—N4 |
| 18 R—B1 | Q—Q1 | 38 Q—R8 | B—Q2 |
| 19 Q x P | B—KB1 | 39 B—Q3 | R—Q4 |
| 20 QR—Q1 | R—QB1 | 40 R x KB | Resigns |

## Amsterdam, 1964

Tal is usually murder on Sicilians. Here his opponent plays indifferently, but that hardly detracts from the fine sacrificial combination that puts him out of his misery.

SICILIAN DEFENSE

| M. Tal | I. Bilek | M. Tal | I. Bilek |
|---|---|---|---|
| *White* | *Black* | *White* | *Black* |
| 1 P—K4 | P—QB4 | 13 P x N | B—K2 |
| 2 N—KB3 | P—Q3 | 14 P x P | P x P |
| 3 P—Q4 | P x P | 15 N—K6 | Q—Q3 |
| 4 N x P | N—KB3 | 16 N x P ch | K—B1 |
| 5 N—QB3 | P—QR3 | 17 N—K6 ch | K—K1 |
| 6 B—KN5 | QN—Q2 | 18 KR—B1 | B—N4 ch |
| 7 B—QB4 | P—R3 | 19 K—N1 | P—N4 |
| 8 B x N | N x B | 20 Q—R5 | B—B5 |
| 9 Q—K2 | P—K3 | 21 B—N3 | P—R4 |
| 10 O—O—O | Q—B2 | 22 N—B7 ch | Q x N |
| 11 P—B4 | P—K4 | 23 P—Q6 | Resigns |
| 12 N—Q5 | N x N | | |

## Sarajevo, 1964

Uhlmann finished this tournament in a rush to tie Soviet Grandmaster Polugayevsky for first place. Here is a crucial late-round victory.

BENONI DEFENSE

| | W. Uhlmann<br>*White* | Dely<br>*Black* |
|---|---|---|
| 1 | P—Q4 | N—KB3 |
| 2 | P—QB4 | P—QB4 |
| 3 | P—Q5 | P—Q3 |
| 4 | N—QB3 | P—KN3 |
| 5 | P—K4 | B—N2 |
| 6 | B—K2 | O—O |
| 7 | N—B3 | P—K3 |
| 8 | B—N5 | P x P |
| 9 | BP x P | B—N5 |
| 10 | N—Q2 | B x B |
| 11 | Q x B | P—QR3 |
| 12 | O—O | QN—Q2 |
| 13 | P—B4 | R—K1 |
| 14 | QR—K1 | P—QN4 |
| 15 | Q—B3 | P—B5 |
| 16 | K—R1 | Q—B2 |
| 17 | B x N | B x B |
| 18 | P—K5 | P x P |
| 19 | P x P | B x P |
| 20 | Q x P ch | K—R1 |
| 21 | N—B3 | R—KB1* |
| 22 | N x B | R x Q |
| 23 | N x R ch | Resigns |

DELY

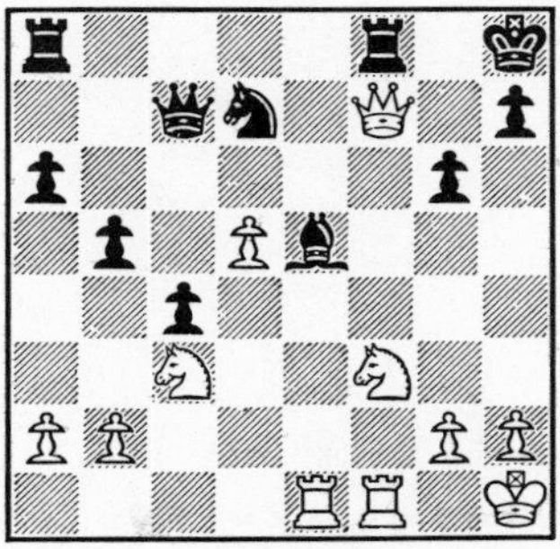

W. UHLMANN

## Boston, 1964

White sets out to prove that the Vienna wins by force, but Black's fine defense and counterattack prove that the one who plays better usually wins.

KING'S GAMBIT
DECLINED

| | M. VALVO *White* | J. SHERWIN *Black* |
|---|---|---|
| 1 | P—K4 | P—K4 |
| 2 | N—QB3 | N—KB3 |
| 3 | B—B4 | N—B3 |
| 4 | P—Q3 | B—B4 |
| 5 | P—B4 | P—Q3 |
| 6 | N—B3 | P—QR3 |
| 7 | P—B5 | N—QR4 |
| 8 | N—Q5 | N x B |
| 9 | N x N ch | P x N |
| 10 | P x N | R—KN1 |
| 11 | Q—K2 | B—Q2 |
| 12 | B—K3 | B x B |
| 13 | Q x B | B—B3 |
| 14 | O—O—O | Q—N1 |
| 15 | Q—R6 | K—K2 |
| 16 | P—B5 | B x P |
| 17 | KR—K1 | B x KBP |
| 18 | R—B1 | Q—KB1 |
| 19 | Q—Q2 | R—Q1 |
| 20 | P x P ch | R x QP |
| 21 | Q—N4 | R x P |
| 22 | N—K1 | Q—R3 ch |
| 23 | K—N1 | Q—R5 |
| 24 | Q—B5 | ...... |
| 24 | ...... | Q—QB5 |
| 25 | Q x R ch | P x Q |
| 26 | R x B | Q—K7 |
| 27 | R—QB1 | R—N8 |
| 28 | N—Q3 | R x R ch |
| 29 | N x R | Q x RP |
| 30 | P—N3 | P—KR4 |
| 31 | K—N2 | P—R5 |
| 32 | N—Q3 | P—R6 |
| 33 | N—B2 | Q—N7 |
| | Resigns | |

J. SHERWIN

M. VALVO

## West Germany, 1965

The variation played in this game was at the time well known in the chess world as Dr. Barendregt's "patient." Alas, the patient is now quite dead, and the success of the operation—well, that depends on the point of view.

RUY LOPEZ

DR. J. BARENDREGT
R. TESCHNER

| | *White* | *Black* |
|---|---|---|
| 1 | P—K4 | P—K4 |
| 2 | N—KB3 | N—QB3 |
| 3 | B—N5 | P—QR3 |
| 4 | B x N | QP x B |
| 5 | O—O | B—KN5 |
| 6 | P—KR3 | P—KR4 |
| 7 | P—Q3 | Q—B3 |
| 8 | QN—Q2 | N—K2 |
| 9 | R—K1 | N—N3 |
| 10 | P—Q4 | B—Q3 |
| 11 | P x B | RP x P |
| 12 | N—R2* | ...... |
| 12 | ...... | R x N |
| 13 | K x R | Q x P |
| 14 | R—K2 | P x P ch |
| 15 | P—K5 | B x P ch |
| 16 | R x B ch | N x R |
| 17 | K—R1 | O—O—O |
| | Resigns | |

R. TESCHNER

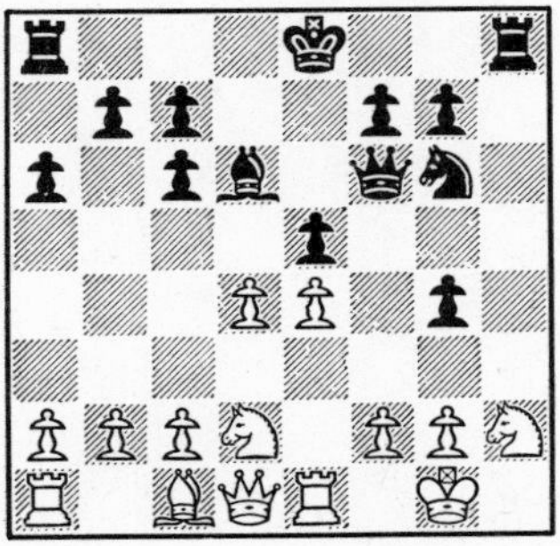

DR. J. BARENDREGT

## Zagreb, 1965

Larsen has beaten so many people—including Petrosian—with just this kind of king-side attack, that it is only justice that he see for once how it looks from the wrong side.

PIRC DEFENSE

| | A. Bisguier *White* | B. Larsen *Black* |
|---|---|---|
| 1 | P—Q4 | P—KN3 |
| 2 | P—K4 | B—N2 |
| 3 | P—KB4 | P—Q3 |
| 4 | N—KB3 | N—KB3 |
| 5 | B—Q3 | O—O |
| 6 | O—O | QN—Q2 |
| 7 | P—K5 | N—K1 |
| 8 | Q—K1 | P—QB4 |
| 9 | P—B5 | P x KP |
| 10 | P x NP | RP x P |
| 11 | Q—R4 | KP x P |
| 12 | B—KR6 | N/1—B3 |
| 13 | N—N5 | N—K4 |
| 14 | R x N | B—R1 |
| 15 | R—B1 | R—K1* |
| 16 | B—B8 | B—B3 |
| 17 | R x B | P x R |
| 18 | Q—R6 | R x B |
| 19 | Q—R7 mate | |

B. LARSEN

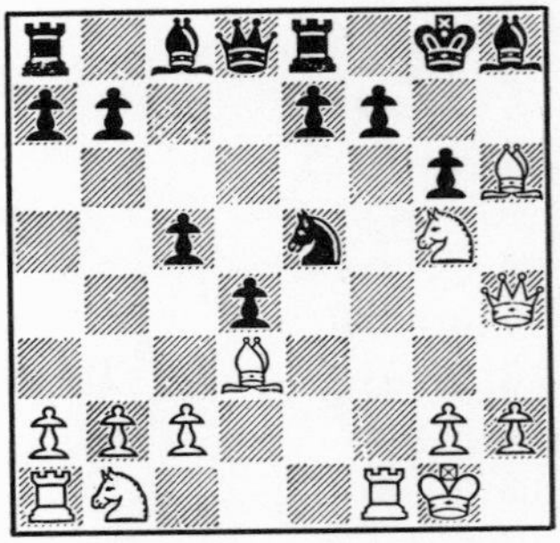

A. BISGUIER

## United States Championship, New York, 1965

To take advantage of the rate, Byrne "sacks" by the dozen and the wholesale cost is pleasing.

SICILIAN DEFENSE

| | R. BYRNE *White* | L. EVANS *Black* |
|---|---|---|
| 1 | P—K4 | P—QB4 |
| 2 | N—KB3 | P—QR3 |
| 3 | N—B3 | P—Q3 |
| 4 | P—Q4 | P x P |
| 5 | N x P | N—B3 |
| 6 | B—N5 | P—K3 |
| 7 | P—B4 | Q—N3 |
| 8 | Q—Q2 | Q x P |
| 9 | R—QN1 | Q—R6 |
| 10 | P—K5 | P x P |
| 11 | P x P | N—Q2 |
| 12 | B—QB4 | B—N5 |
| 13 | R—N3 | Q—R4 |
| 14 | O—O | O—O* |
| 15 | B—B6 | P x B |
| 16 | Q—R6 | Q x KP |
| 17 | N—B5 | P x N |
| 18 | N—K4 | B—Q7 |
| 19 | N x B | Q—Q5 ch |
| 20 | K—R1 | N—K4 |
| 21 | R—N3 ch | N—N5 |
| 22 | P—KR3 | Q—K4 |
| 23 | R—B4 | Q—K8 ch |
| 24 | N—B1 | Q x R |
| 25 | R x N ch | Q x R |
| 26 | P x Q | N—Q2 |
| 27 | N—N3 | K—R1 |
| 28 | B—Q3 | R—KN1 |
| 29 | B x P | R—N3 |
| 30 | B x R | P x B |
| 31 | N—K4 | P—QN4 |
| 32 | P—N5 | B—N2 |
| 33 | N x P | N—B1 |
| 34 | Q—R2 | B—B1 |
| 35 | Q—K5 | N—K3 |
| 36 | N—Q7 ch | Resigns |

L. EVANS

R. BYRNE

## Bochum, Germany, 1965

Black strives to win White's queen-side pawns, White, Black's king; both succeed, but only one is happy.

SICILIAN DEFENSE

| DR. R. CHERUBIM *White* | E. ORTH *Black* |
|---|---|
| 1 P—K4 | P—QB4 |
| 2 N—KB3 | N—QB3 |
| 3 P—Q4 | P x P |
| 4 N x P | N—B3 |
| 5 N—QB3 | P—K3 |
| 6 B—K3 | B—N5 |
| 7 B—Q3 | Q—R4 |
| 8 O—O | N x N |
| 9 B x N | P—K4 |
| 10 P—QR3 | P x B |
| 11 P x B | Q x P |
| 12 R—R4 | Q x P |
| 13 N—N5 | O—O |
| 14 N—B7 | R—N1 |
| 15 P—K5 | N—K1* |
| 16 B x P ch | K x B |
| 17 Q—R5 ch | K—N1 |
| 18 N—Q5 | Resigns |

E. ORTH

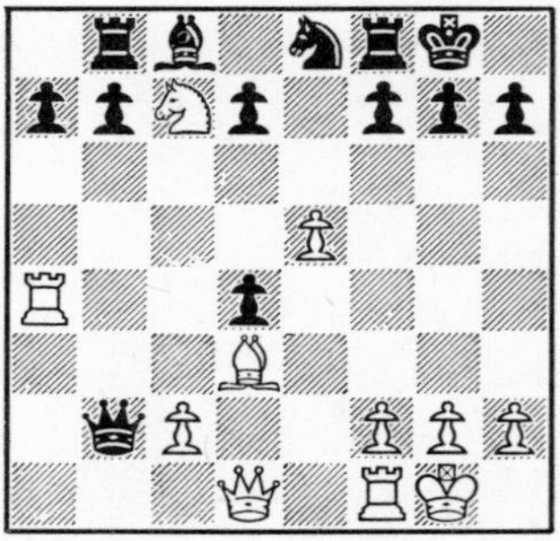

DR. R. CHERUBIM

## Sochi, 1965

A sudden, astonishing move by Black almost turns the game upside-down. Almost—but not quite.

RUY LOPEZ

| | CHIRICH *White* | NEZMEDTINOV *Black* |
|---|---|---|
| 1 | P—K4 | P—K4 |
| 2 | N—KB3 | N—QB3 |
| 3 | B—N5 | P—QR3 |
| 4 | B—R4 | P—Q3 |
| 5 | O—O | B—N5 |
| 6 | P—KR3 | B—R4 |
| 7 | P—B3 | N—B3 |
| 8 | P—Q4 | P—QN4 |
| 9 | B—N3 | Q—Q2 |
| 10 | P—QR4 | QR—N1 |
| 11 | P x NP | RP x P |
| 12 | P—Q5 | N—K2 |
| 13 | Q—Q3 | P—R3 |
| 14 | N—R2 | P—KN4 |
| 15 | N—R3 | B—N3 |
| 16 | P—B3 | B—N2 |
| 17 | N x P | O—O |
| 18 | R—R5 | N—R4 |
| 19 | B—R4 | N—N6 |
| 20 | R—K1 | Q—Q1 |
| 21 | R—R7 | R—B1 |
| 22 | K—B2 | N—R4 |
| 23 | P—KN4 | N—B5 |
| 24 | B x N | NP x B |
| 25 | K—N2 | P—KB4 |
| 26 | KP x P | N x BP |
| 27 | P x N | B x P |
| 28 | Q—K2 | Q—R5 |
| 29 | K—R1 | P—K5 |
| 30 | N—Q4 | B x N |
| 31 | P x B | P x P |
| 32 | Q—K7* | ...... |
| 32 | ...... | Q—N6 |
| 33 | R—N1 | B x P |
| 34 | N x P | B—N5 |
| 35 | R x Q | P x R |
| 36 | B—Q1 | R—B2 |
| 37 | Q—R4 | R—KN2 |
| 38 | Q x NP | R—KB1 |
| 39 | R—R3 | B—B4 |
| 40 | Q—R2 | B—K5 |
| | | Resigns |

NEZMEDTINOV

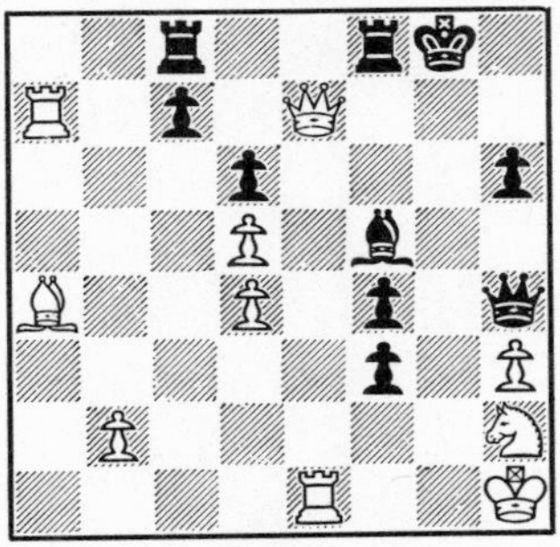

CHIRICH

## West German Championship, 1965

A tasty sampling of the ancient Giuoco Piano.

GIUOCO PIANO

M. Eisinger — N. Degenhardt

| | White | Black |
|---|---|---|
| 1 | P—K4 | P—K4 |
| 2 | N—KB3 | N—QB3 |
| 3 | B—B4 | B—B4 |
| 4 | P—B3 | N—B3 |
| 5 | P—Q4 | P x P |
| 6 | P x P | B—N5 ch |
| 7 | N—B3 | N x KP |
| 8 | O—O | B x N |
| 9 | P—Q5 | B—B3 |
| 10 | R—K1 | O—O |
| 11 | R x N | N—R4 |
| 12 | B—Q3 | P—Q3 |
| 13 | B—Q2 | P—B4 |
| 14 | R—KB4 | B—K2 |
| 15 | Q—R4 | P—QN3 |
| 16 | R—K1 | P—B4 |
| 17 | P—KN4 | B—Q2 |
| 18 | Q—B2 | P x P |
| 19 | B x P ch | K—R1 |
| 20 | Q—N6 | B—K1 |
| 21 | R x R ch | B x R* |
| 22 | Q—K6 | K x B |
| 23 | N—N5 ch | Q x N |
| 24 | B x Q | B—N3 |
| 25 | Q x NP | R—K1 |
| 26 | R x R | B x R |
| 27 | Q—B8 | Resigns |

N. DEGENHARDT

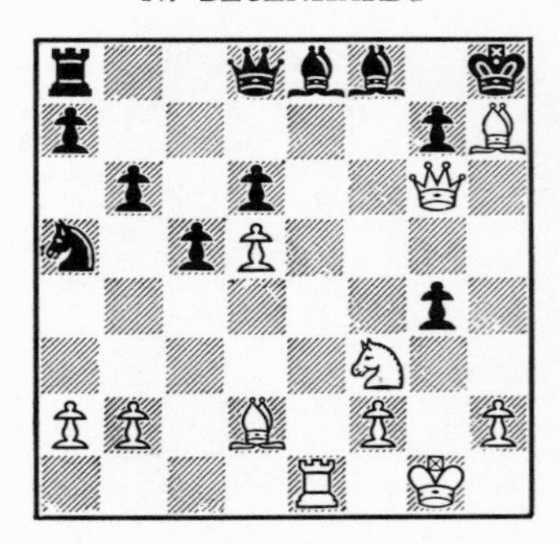

M. EISINGER

## Cuba, 1965

In 1943, the year Fischer was born, Vassily Smyslov had already established his reputation as the best endgame player in the world. Perhaps no one could appreciate Bobby's technique in this game better than Smyslov himself.

RUY LOPEZ

| | R. Fischer<br>*White* | V. Smyslov<br>*Black* |
|---|---|---|
| 1 | P—K4 | P—K4 |
| 2 | N—KB3 | N—QB3 |
| 3 | B—N5 | P—QR3 |
| 4 | B—R4 | N—B3 |
| 5 | P—Q3 | P—Q3 |
| 6 | P—B3 | B—K2 |
| 7 | QN—Q2 | O—O |
| 8 | N—B1 | P—QN4 |
| 9 | B—N3 | P—Q4 |
| 10 | Q—K2 | P x P |
| 11 | P x P | B—K3 |
| 12 | B x B | P x B |
| 13 | N—N3 | Q—Q2 |
| 14 | O—O | QR—Q1 |
| 15 | P—QR4 | Q—Q6 |
| 16 | Q x Q | R x Q |
| 17 | P x P | P x P |
| 18 | R—R6 | R—Q3 |
| 19 | K—R1 | N—Q2 |
| 20 | B—K3 | R—Q1 |
| 21 | P—R3 | P—R3 |
| 22 | R/1—R1 | KN—N1 |
| 23 | R—R8 | R—Q8 ch |
| 24 | K—R2 | R x R |
| 25 | R x R | N—Q2 |
| 26 | P—N4 | K—B2 |
| 27 | N—B1 | B—Q3 |
| 28 | P—N3 | N—B3 |
| 29 | N/1—Q2 | K—K2 |
| 30 | R—R6 | N—QN1 |
| 31 | R—R5 | P—B3 |
| 32 | K—N2 | N/1—Q2 |
| 33 | K—B1 | R—QB1 |
| 34 | N—K1 | N—K1 |
| 35 | N—Q3 | N—B2* |
| 36 | P—QB4 | P x P |
| 37 | N x BP | N—N4 |
| 38 | R—R6 | K—B3 |
| 39 | B—B1 | B—N1 |
| 40 | B—N2 | P—B4 |
| 41 | N—N6 | N x N |
| 42 | R x N | P—B5 |
| 43 | N—B5 | P—B6 |
| 44 | B—B1 | Resigns |

V. SMYSLOV

R. FISCHER

## Argentina, 1965

A message from Garcia. A placid opening develops a stunning surprise.

SICILIAN DEFENSE

| | Garcia<br>*White* | Sanguinetti<br>*Black* |
|---|---|---|
| 1 | P—K4 | P—QB4 |
| 2 | N—KB3 | P—Q3 |
| 3 | P—Q3 | N—QB3 |
| 4 | P—KN3 | P—KN3 |
| 5 | B—N2 | B—N2 |
| 6 | O—O | P—K4 |
| 7 | N—B3 | KN—K2 |
| 8 | N—KR4 | O—O |
| 9 | P—B4 | P—B4 |
| 10 | BP x P | QP x P |
| 11 | B—K3 | P—N3 |
| 12 | P x P | P x P |
| 13 | Q—R5 | Q—Q3* |
| 14 | N—K4 | Q—K3 |
| 15 | B—R3 | B—Q2 |
| 16 | R—B2 | B—K1 |
| 17 | Q x P | Resigns |

SANGUINETTI

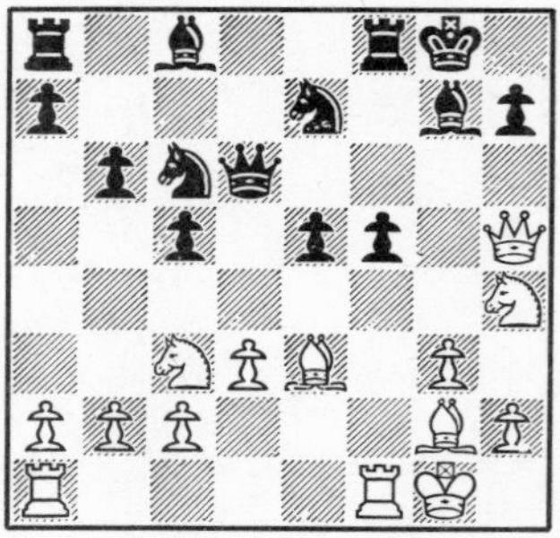

GARCIA

## Match, Moscow, 1965

Undoubtedly the most impressive game yet to come out of the World Championship Challengers' matches. Geller's successive queen offers are out of this world!

GRUENFELD DEFENSE

| Y. GELLER *White* | V. SMYSLOV *Black* |
|---|---|
| 1 P—Q4 | N—KB3 |
| 2 P—QB4 | P—KN3 |
| 3 N—QB3 | P—Q4 |
| 4 P x P | N x P |
| 5 P—K4 | N x N |
| 6 P x N | B—N2 |
| 7 B—QB4 | P—QB4 |
| 8 N—K2 | O—O |
| 9 O—O | N—B3 |
| 10 B—K3 | Q—B2 |
| 11 R—B1 | R—Q1 |
| 12 P—B4 | P—K3 |
| 13 K—R1 | P—N3 |
| 14 P—B5 | N—R4 |
| 15 B—Q3 | KP x P |
| 16 P x KBP | B—N2 |
| 17 Q—Q2 | R—K1 |
| 18 N—N3 | Q—B3 |
| 19 R—KB2 | QR—Q1 |
| 20 B—KR6 | B—KR1 |
| 21 Q—B4 | R—Q2 |
| 22 N—K4 | P—B5 |
| 23 B—B2 | R/2—K2 |
| 24 QR—B1 | R x N* |
| 25 P x P | P—B3 |
| 26 Q—N5 | Q—Q2 |
| 27 K—N1 | B—N2 |
| 28 R x P | R—N5 |
| 29 P x P ch | K—R1 |
| 30 B x B ch | Q x B |
| 31 Q x R | Resigns |

V. SMYSLOV

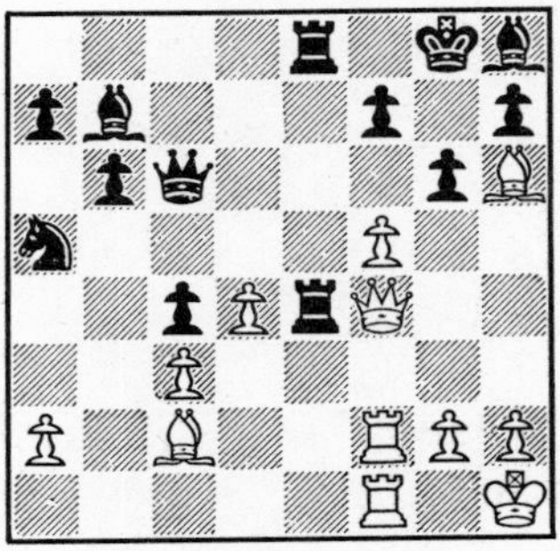

Y. GELLER

## Zagreb, 1965

Ivkov's first victory over Gligorich in umpteen games, stretching over about twenty years! And a game worthy of the occasion.

NIMZO-INDIAN DEFENSE

| S. GLIGORICH *White* | B. IVKOV *Black* | S. GLIGORICH *White* | B. IVKOV *Black* |
|---|---|---|---|
| 1 P—Q4 | N—KB3 | 20 P—B3 | Q—R4 |
| 2 P—QB4 | P—K3 | 21 K—R1 | N x P |
| 3 N—QB3 | B—N5 | 22 R—KN1 | B—N5 |
| 4 P—K3 | O—O | 23 R x B | Q x R |
| 5 B—Q3 | P—B4 | 24 B—B3 | KR—K1 |
| 6 N—B3 | P—Q4 | 25 P—K4 | N x P |
| 7 O—O | N—B3 | 26 Q—N2 | Q—B6 |
| 8 P—QR3 | B—R4 | 27 B—N4 | P—B6 |
| 9 BP x P | KP x P | 28 Q x Q | N x Q |
| 10 P x P | B x N | 29 B x P | N—Q5 |
| 11 P x B | B—N5 | 30 R—KN1 | N x B |
| 12 P—B4 | N—K4 | 31 R x P ch | K—B1 |
| 13 B—N2 | N x N ch | 32 R x RP | N—Q5 |
| 14 P x N | B—R6 | 33 P—K5 | K—K2 |
| 15 R—K1 | N—K5 | 34 K—N2 | N—B4 |
| 16 P—B4 | Q—R5 | 35 B—N4 | K—K3 |
| 17 Q—B3 | N—Q7 | 36 K—B3 | R—KR1 |
| 18 Q—K2 | P x P | Resigns | |
| 19 B—B2 | QR—Q1 | | |

## Hamburg, 1965

Gligorich's fine positional play reveals hidden points in a line long thought to offer White no advantage.

QUEEN'S GAMBIT

| | S. GLIGORICH *White* | L. SZABO *Black* | | S. GLIGORICH *White* | L. SZABO *Black* |
|---|---|---|---|---|---|
| 1 | P—Q4 | P—Q4 | 15 | B x N | N x B |
| 2 | P—QB4 | P x P | 16 | N x N | B x B |
| 3 | N—KB3 | N—KB3 | 17 | N—QB3 | B—QB3 |
| 4 | P—K3 | P—K3 | 18 | N x B | P x N |
| 5 | B x P | P—B4 | 19 | P—R5 | B—K2 |
| 6 | O—O | P—QR3 | 20 | Q—B4 | Q—Q3 |
| 7 | P—QR4 | N—B3 | 21 | N—R4 | KR—Q1 |
| 8 | Q—K2 | P x P | 22 | QR—B1 | Q—N5 |
| 9 | R—Q1 | B—K2 | 23 | N—N6 | R—R2 |
| 10 | P x P | O—O | 24 | Q x BP | Q x RP |
| 11 | N—B3 | B—Q2 | 25 | P—Q5 | P x P |
| 12 | B—B4 | N—QN5 | 26 | N x P | K—B1 |
| 13 | N—K5 | B—K1 | 27 | P—QN4 | Resigns |
| 14 | B—KN5 | KN—Q4 | | | |

## Hamburg, 1965

One of the former World Champion's least successful experiments in the opening.

PIRC DEFENSE

| S. Gligorich *White* | M. Botvinnik *Black* | S. Gligorich *White* | M. Botvinnik *Black* |
|---|---|---|---|
| 1 P—Q4 | P—KN3 | 22 Q—B2 | N—K2 |
| 2 P—K4 | P—QB3 | 23 B x RP | N—N3 |
| 3 P—KB4 | P—Q4 | 24 B x N | R x B |
| 4 P—K5 | P—QB4 | 25 R—B3 | K—N1 |
| 5 P x P | N—QB3 | 26 Q—B2 | Q—K2 |
| 6 N—KB3 | B—N5 | 27 R—KB1 | K—R2 |
| 7 B—K2 | P—K3 | 28 Q—B2 | Q—K3 |
| 8 B—K3 | N—R3 | 29 P—QN4 | R/1—KN1 |
| 9 P—B3 | N—B4 | 30 R/1—B2 | P—R3 |
| 10 B—B2 | P—KR4 | 31 P—QR4 | Q—Q2 |
| 11 QN—Q2 | B—R3 | 32 K—R1 | R/1—N2 |
| 12 Q—R4 | P—KN4 | 33 Q—N3 | R—N1 |
| 13 P—KR3 | B x N | 34 P—N5 | P x P |
| 14 N x B | P x P | 35 P x P | R—QR1 |
| 15 N—Q4 | Q—B2 | 36 Q—N1 | R—R4 |
| 16 N x N/5 | P x N | 37 R—N2 | K—N1 |
| 17 O—O | K—B1 | 38 R—B1 | R—R1 |
| 18 B—Q4 | R—K1 | 39 R/2—KB2 | R—N6 |
| 19 B—B3 | R—KN1 | 40 R—N2 | R—N3 |
| 20 QR—K1 | Q—Q2 | 41 P—B6 | Resigns |
| 21 Q—N3 | R—Q1 | | |

## Zagreb International, 1965

An opening edge, strategically correct play, a paralyzing stroke, etc., add up to the win of a pawn.

QUEEN'S GAMBIT

| B. IVKOV | M. DAMIANOVICH | B. IVKOV | M. DAMIANOVICH |
|---|---|---|---|
| *White* | *Black* | *White* | *Black* |
| 1 P—Q4 | P—Q4 | 16 Q—N3 | R—N1 |
| 2 P—QB4 | P x P | 17 QR—Q1 | Q—K2 |
| 3 N—KB3 | N—KB3 | 18 P—KN3 | KR—QB1 |
| 4 P—K3 | B—N5 | 19 B—N2 | R—B2 |
| 5 B x P | P—K3 | 20 Q—QN4 | Q—B1 |
| 6 P—KR3 | B—R4 | 21 P—N3 | R/1—QB1 |
| 7 N—B3 | QN—Q2 | 22 R—Q2 | R—B8 |
| 8 O—O | B—Q3 | 23 R/2—Q1 | R x R |
| 9 P—K4 | P—K4 | 24 R x R | P—QN4 |
| 10 B—K2 | B x N | 25 P—Q5 | Q—K2 |
| 11 B x B | O—O | 26 Q—R5 | R—R1 |
| 12 N—N5 | P—QR3 | 27 Q—B7 | Q—B1 |
| 13 N x B | P x N | 28 R—QB1 | Q—N1 |
| 14 B—K3 | R—K1 | 29 Q x Q ch | R x Q |
| 15 R—K1 | P—R3 | 30 R—B6 | Resigns |

## Match, Bled, 1965

The decisive game of this '65 Candidates' Match. After "winning" Larsen's queen for only two rooks and a bishop, Ivkov might well resign straightaway.

ALEKHINE DEFENSE

| B. Ivkov *White* | B. Larsen *Black* |
|---|---|
| 1 P—K4 | N—KB3 |
| 2 P—K5 | N—Q4 |
| 3 P—Q4 | P—Q3 |
| 4 N—KB3 | P x P |
| 5 N x P | P—K3 |
| 6 Q—R5 | P—KN3 |
| 7 Q—B3 | Q—K2 |
| 8 N—B3 | N—Q2 |
| 9 B—QB4 | N/4 x N |
| 10 N x N | Q x N |
| 11 P x N | B—N2 |
| 12 B—R3 | Q—R5 |
| 13 B—N4 | P—QR4 |
| 14 B—N3 | Q—N4 |
| 15 P—QR4 | ...... |
| 15 ...... | P x B |
| 16 P x Q | R x R ch |
| 17 K—K2 | R x R |
| 18 P x P | O—O |
| 19 Q—B4 | P—K4 |
| 20 P x P | B—Q2 |
| 21 B—B4 | B—B4 |
| 22 P—K6 | P x P |
| 23 Q x P | R—QB8 |
| 24 B—N3 | B—B3 |
| 25 K—Q2 | R—KN8 |
| 26 K—K2 | B—N5 ch |
| 27 P—B3 | R x P ch |
| Resigns | |

B. LARSEN

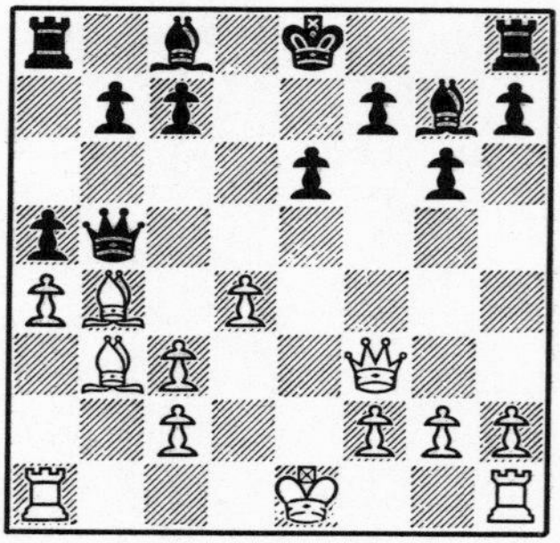

B. IVKOV

## Havana, 1965

A "pig on the seventh" upsets the pen, and Black, too.

RUY LOPEZ

| B. Ivkov *White* | J. H. Donner *Black* | B. Ivkov *White* | J. H. Donner *Black* |
|---|---|---|---|
| 1 P—K4 | P—K4 | 12 N—B3 | O—O |
| 2 N—KB3 | N—QB3 | 13 B—K3 | N—R4 |
| 3 B—N5 | P—QR3 | 14 QR—B1 | N—N2 |
| 4 B—R4 | N—B3 | 15 N—K4 | B—KN5 |
| 5 O—O | N x P | 16 P—KR3 | B x N |
| 6 P—Q4 | P—QN4 | 17 Q x B | P—QB3 |
| 7 B—N3 | P—Q4 | 18 N—N3 | R—B1 |
| 8 P x P | B—K3 | 19 N—B5 | ...... |
| 9 Q—K2 | N—B4 | 19 ...... | P—N3 |
| 10 R—Q1 | N x B | 20 R x QP | Q—K1 |
| 11 BP x N | B—K2 | 21 B—R6 | Resigns |

## Roumania, 1965

White's dubious attack, with a little cooperation from his opponent, develops into a hurricane of brilliancy.

SICILIAN DEFENSE

| | KAGAN *White* | NORDSTROEM *Black* |
|---|---|---|
| 1 | P—K4 | P—QB4 |
| 2 | N—KB3 | P—Q3 |
| 3 | P—Q4 | P x P |
| 4 | N x P | N—KB3 |
| 5 | N—QB3 | P—QR3 |
| 6 | B—QB4 | P—K3 |
| 7 | B—N3 | N—B3 |
| 8 | O—O | Q—B2 |
| 9 | K—R1 | N—QR4 |
| 10 | P—B4 | P—QN4 |
| 11 | P—B5 | N x B |
| 12 | RP x N | P—N5 |
| 13 | N/3—N5 | Q—N1 |
| 14 | P—K5 | QP x P |
| 15 | N—B6 | Q—N3 |
| 16 | N—Q6 ch | B x N |
| 17 | Q x B | N—Q4 |
| 18 | R—R5 | B—Q2 |
| 19 | P x P | P x P |
| 20 | R—QB5 | R—QB1* |
| 21 | R—B7 | K x R |
| 22 | N x P ch | K—N1 |
| 23 | Q x B | R—B1 |
| 24 | R—B8 | Resigns |

NORDSTROEM

KAGAN

## Match, Riga, 1965

Keres' best effort from his losing '65 Candidates' Match with Spassky.

NIMZO-INDIAN DEFENSE

| P. Keres | B. Spassky | P. Keres | B. Spassky |
|---|---|---|---|
| *White* | *Black* | *White* | *Black* |
| 1 P—Q4 | N—KB3 | 14 B—R3 | N—K5 |
| 2 P—QB4 | P—K3 | 15 R—KB1 | R—N1 |
| 3 N—QB3 | B—N5 | 16 B—K2 | Q—R6 |
| 4 P—K3 | P—QN3 | 17 P—B3 | N—KB3 |
| 5 B—Q3 | B—N2 | 18 P—Q5 | K—B2 |
| 6 N—B3 | N—K5 | 19 P—K4 | P—B4 |
| 7 O—O | B x N | 20 B—N2 | P—B5 |
| 8 P x B | N x QBP | 21 P—K5 | N—R4 |
| 9 Q—B2 | B x N | 22 K—N1 | P—N3 |
| 10 P x B | Q—N4 ch | 23 R—N4 | R—Q1 |
| 11 K—R1 | Q—R4 | 24 B—Q3 | R—N1 |
| 12 R—KN1 | Q x BP ch | 25 R—B2 | Resigns |
| 13 R—N2 | P—KB4 | | |

## U.S.S.R. Championship, 1965

This sparkling effort by Kholmov won the prize as the Best Played Game of the 32nd Russian Championship.

SICILIAN DEFENSE

| | R. Kholmov | D. Bronstein |
|---|---|---|
| | *White* | *Black* |
| 1 | P—K4 | P—QB4 |
| 2 | N—KB3 | N—KB3 |
| 3 | N—B3 | P—Q3 |
| 4 | P—Q4 | P x P |
| 5 | N x P | P—QR3 |
| 6 | B—KN5 | P—K3 |
| 7 | P—B4 | B—K2 |
| 8 | Q—B3 | Q—B2 |
| 9 | O—O—O | QN—Q2 |
| 10 | P—KN4 | P—N4 |
| 11 | B x N | P x B |
| 12 | P—B5 | N—K4 |
| 13 | Q—R3 | O—O |
| 14 | P—N5 | P—N5 |
| 15 | NP x P | B x P |
| 16 | R—N1 ch | K—R1 |
| 17 | Q—R6 | Q—K2* |
| 18 | N—B6 | N x N |
| 19 | P—K5 | B—N4 ch |
| 20 | R x B | P—B3 |
| 21 | P x QP | Q—KB2 |
| 22 | R—N3 | P x N |
| 23 | B—B4 | P x P ch |
| 24 | K—N1 | N—Q1 |
| 25 | R/1—N1 | R—R2 |
| 26 | P—Q7 | R x P |
| 27 | P x P | N x P |
| 28 | B x N | R—Q8 ch |
| 29 | R x R | B x B |
| 30 | K x P | R—N1 ch |
| 31 | K—R1 | B x P |
| 32 | R/3—Q3 | Q—K2 |
| 33 | K x B | Q—K3 ch |
| 34 | R—N3 | Resigns |

D. BRONSTEIN

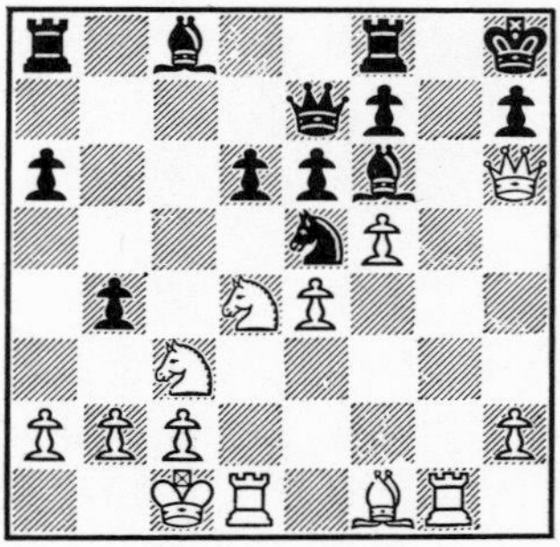

R. KHOLMOV

## 33rd U.S.S.R. Championship, 1965

A prize game between the main contenders in the first round resulting in an elegant victory.

QUEEN PAWN GAME

| V. Korchnoi *White* | P. Keres *Black* | V. Korchnoi *White* | P. Keres *Black* |
|---|---|---|---|
| 1 P—Q4 | N—KB3 | 28 N—N5 ch | P x N |
| 2 N—KB3 | P—K3 | 29 P—B3 | B x N |
| 3 B—N5 | P—KR3 | 30 P x B | R x P |
| 4 B x N | Q x B | 31 R—R3 | R—N4 |
| 5 P—K4 | P—QN3 | 32 R/R—K3 | N—B4 |
| 6 P—QR3 | B—N2 | 33 R—B3 | B—K1 |
| 7 N—B3 | P—Q3 | 34 Q—QR2 | Q x Q ch |
| 8 Q—Q2 | N—Q2 | 35 K x R | R x RP |
| 9 O—O—O | P—KN4 | 36 K—R3 | N—K5 |
| 10 N—N5 | K—Q1 | 37 R—B8 | B—Q2 |
| 11 P—KR4 | P—N5 | 38 K—N4 | R x P |
| 12 P—K5 | Q—N2 | 39 R—R1 | R—B4 |
| 13 N—K1 | P—R3 | 40 R—KR8 | R—B7 |
| 14 N—QB3 | P—Q4 | Resigns | |
| 15 P—B4 | P—KB4 | | |
| 16 P x P e.p. | Q x P | | |
| 17 P—R5 | P—B4 | | |
| 18 P x P | P x P | | |
| 19 P—KN3 | B—B3 | | |
| 20 R—R4 | R—KN1 | | |
| 21 N—Q3 | R—N1 | | |
| 22 N—B2 | P—B5 | | |
| 23 N x NP | ...... | | |
| 23 ...... | Q—K2 | | |
| 24 R—K1 | R x P | | |
| 25 K x R | Q x P ch | | |
| 26 K—N1 | B—KN2 | | |
| 27 N—K5 | K—B2 | | |

P. KERES

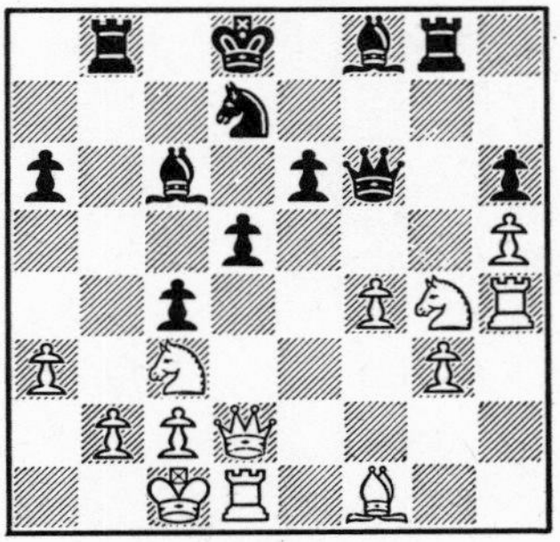

V. KORCHNOI

## Zagreb, 1965

Just when it appears that Black has overcome the difficulties of the opening, a surprising combination leads to a forced win for White.

CATALAN SYSTEM

| | B. Larsen<br>*White* | A. Matanovich<br>*Black* |
|---|---|---|
| 1 | P—QB4 | N—KB3 |
| 2 | P—KN3 | P—K3 |
| 3 | B—N2 | P—Q4 |
| 4 | N—KB3 | B—K2 |
| 5 | O—O | O—O |
| 6 | P—Q4 | QN—Q2 |
| 7 | QN—Q2 | P—B3 |
| 8 | P—N3 | P—QN3 |
| 9 | B—N2 | B—N2 |
| 10 | R—B1 | R—B1 |
| 11 | P—K3 | P x P |
| 12 | N x P | P—B4 |
| 13 | Q—K2 | P x P |
| 14 | N x QP | B x B |
| 15 | K x B | N—B4 |
| 16 | KR—Q1 | Q—Q4 ch |
| 17 | P—B3 | KR—Q1 |
| 18 | P—K4 | Q—N2 |
| 19 | N—K5 | B—B1 |
| 20 | R—B2 | R—K1 |
| 21 | R/1—QB1 | N/3—Q2 |
| 22 | N—N4 | N—R3 |
| 23 | P—QR3 | N/3—N1 |
| 24 | R—B4 | P—QR3 |
| 25 | Q—B2 | R x R |
| 26 | Q x R | P—QN4 |
| 27 | Q—B3 | P—N5 |
| 28 | P x P | B x P |
| 29 | Q—K3 | B—K2 |
| 30 | R—B4 | R—QB1* |
| 31 | N x P | R x R |
| 32 | N—R6 ch | Resigns |

A. MATANOVICH

B. LARSEN

## Bewerwijk, 1965

Black sacrifices first the exchange, then his queen, for an impressive victory.

ENGLISH OPENING

| L. Lengyel *White* | Y. Geller *Black* | L. Lengyel *White* | Y. Geller *Black* |
|---|---|---|---|
| 1 N—KB3 | P—QB4 | 21 Q—N5 | N x P |
| 2 P—QB4 | P—KN3 | 22 R—B5 | N—B2 |
| 3 N—B3 | N—KB3 | 23 Q—N7 | N—K3 |
| 4 P—KN3 | B—N2 | 24 R—N5 | B—Q6 |
| 5 B—N2 | N—B3 | 25 R—Q5 | B x R |
| 6 O—O | O—O | 26 R x Q | R x R |
| 7 P—Q4 | P x P | Resigns | |
| 8 N x P | N x N | | |
| 9 Q x N | P—Q3 | | |
| 10 Q—Q3 | P—QR3 | | |
| 11 B—Q2 | R—N1 | | |
| 12 QR—B1 | B—B4 | | |
| 13 P—K4 | B—Q2 | | |
| 14 B—K3 | P—QN4 | | |
| 15 P x P | P x P | | |
| 16 B—R7* | . . . . . . | | |
| 16 . . . . . . | P—N5 | | |
| 17 B x R | P x N | | |
| 18 B—R7 | P x P | | |
| 19 R—B3 | P—Q4 | | |
| 20 P x P | B—B4 | | |

Y. GELLER

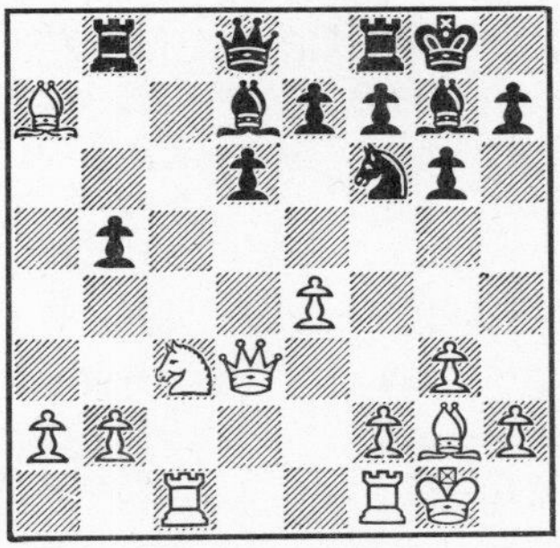

L. LENGYEL

## Nevada, 1965

In a rare appearance in an Open tournament, Reshevsky beats a fellow grandmaster in typical boa-constrictor style.

GRUENFELD DEFENSE

| | S. RESHEVSKY *White* | L. EVANS *Black* |
|---|---|---|
| 1 | P—Q4 | N—KB3 |
| 2 | P—QB4 | P—KN3 |
| 3 | N—QB3 | P—Q4 |
| 4 | N—B3 | B—N2 |
| 5 | Q—N3 | P x P |
| 6 | Q x BP | O—O |
| 7 | P—K4 | KN—Q2 |
| 8 | B—K3 | N—QB3 |
| 9 | B—K2 | N—N3 |
| 10 | Q—B5 | B—N5 |
| 11 | O—O—O | Q—Q3 |
| 12 | P—KR3 | B x N |
| 13 | P x B | KR—Q1 |
| 14 | P—K5 | Q x Q |
| 15 | P x Q | N—Q2 |
| 16 | P—B4 | P—K3 |
| 17 | B—B3 | B—B1 |
| 18 | N—R4 | B—K2 |
| 19 | R—Q3 | K—B1 |
| 20 | KR—Q1 | K—K1 |
| 21 | R—N3 | QR—N1* |
| 22 | R x P | R x R |
| 23 | B x N | R/2—N1 |
| 24 | N—B3 | P—QR3 |
| 25 | N—K4 | B—R5 |
| 26 | N—B6 ch | B x N |
| 27 | P x B | R—N5 |
| 28 | P—R3 | R/5—N1 |
| 29 | P—N4 | QR—B1 |
| 30 | K—B2 | R—N1 |
| 31 | K—B3 | QR—B1 |
| 32 | K—N3 | P—KR4 |
| 33 | K—B3 | R—N1 |
| 34 | K—B2 | QR—B1 |
| 35 | P—B5 | P—K4 |
| 36 | B—R6 | R—N1 |
| 37 | R—Q5 | Resigns |

L. EVANS

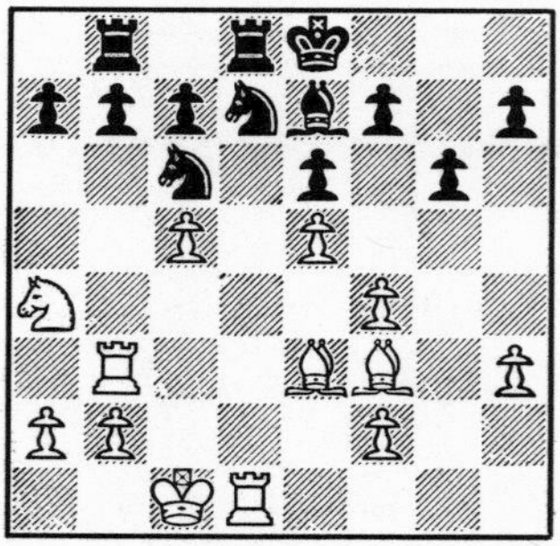

S. RESHEVSKY

## Israel, 1965

A brilliant and intricate performance by tournament winner Czerniak.

PIRC DEFENSE

| B. Soos | M. Czerniak | B. Soos | M. Czerniak |
|---|---|---|---|
| *White* | *Black* | *White* | *Black* |
| 1 P—K4 | P—KN3 | 22 Q x P | N—R6 |
| 2 P—Q4 | B—N2 | 23 K—N2 | B x N/7 |
| 3 N—KB3 | P—Q3 | 24 N x B | B x B |
| 4 B—QB4 | N—KB3 | 25 R x B | N/3—N4 |
| 5 QN—Q2 | O—O | 26 P—KB4 | KP x P |
| 6 Q—K2 | P—B3 | 27 R—B1 | R/1—Q1 |
| 7 B—N3 | Q—B2 | 28 P x KBP | R x N ch |
| 8 O—O | P—K4 | 29 B x R | R x B ch |
| 9 P x P | P x P | 30 K—R1 | N x KP |
| 10 N—B4 | QN—Q2 | 31 Q—N8 ch | K—N2 |
| 11 P—B3 | P—QN4 | 32 R—B3 | N/5—B7 ch |
| 12 N/4—Q2 | N—R4 | 33 K—N2 | Q—R5 |
| 13 P—N3 | N—B4 | 34 K—B1 | Q—N5 |
| 14 B—B2 | B—N5 | 35 Q—K5 ch | K—R3 |
| 15 Q—K3 | Q—K2 | 36 R—N3 | N—Q6 |
| 16 N—N3 | N—K3 | 37 Q—K3 | R—Q8 ch |
| 17 P—QR4 | Q—B3 | 38 R x R | Q x R ch |
| 18 B—Q1 | QR—Q1 | 39 K—N2 | N/Q x P ch |
| 19 N/N—Q2 | N/R—B5 | 40 Q x N | N x Q ch |
| 20 P x P | B—R3 | 41 K—B2 | Q—K7 ch |
| 21 K—R1 | R—Q6 | Resigns | |

## Erevan, 1965

A perilous line against the Pirc and the Pirc reposes.

PIRC DEFENSE

| | STEIN *White* | LIEBERSOHN *Black* |
|---|---|---|
| 1 | P—K4 | P—Q3 |
| 2 | P—Q4 | N—KB3 |
| 3 | N—QB3 | P—KN3 |
| 4 | P—B4 | B—N2 |
| 5 | N—B3 | O—O |
| 6 | P—K5 | KN—Q2 |
| 7 | P—KR4 | P—QB4 |
| 8 | P—R5 | P x QP |
| 9 | Q x P | P x KP* |
| 10 | Q—B2 | P—K3 |
| 11 | RP x P | BP x P |
| 12 | Q—N3 | P x P |
| 13 | B x P | Q—R4 |
| 14 | B—Q2 | N—KB3 |
| 15 | B—QB4 | N—B3 |
| 16 | O—O—O | Q—QB4 |
| 17 | Q—R4 | N—KR4 |
| 18 | N—K4 | Q—N3 |
| 19 | P—B3 | N—R4 |
| 20 | B—K2 | P—KR3 |
| 21 | P—KN4 | N—KB5 |
| 22 | B x N | R x B |
| 23 | R—Q8 ch | R—B1 |
| 24 | N—B6 ch | K—R1 |
| 25 | Q x P ch | Resigns |

LIEBERSOHN

STEIN

## Match, Yugoslavia, 1965

The decisive tenth game of this semi-final Candidates' Match. Tal "sacks" a piece unsoundly—but proves to have the better nerves!

SICILIAN DEFENSE

| M. Tal | B. Larsen | M. Tal | B. Larsen |
|---|---|---|---|
| *White* | *Black* | *White* | *Black* |
| 1 P—K4 | P—QB4 | 20 B x BP | R x B |
| 2 N—KB3 | N—QB3 | 21 R x B | N—K4 |
| 3 P—Q4 | P x P | 22 Q—K4 | Q—KB1 |
| 4 N x P | P—K3 | 23 P x N | R—B5 |
| 5 N—QB3 | P—Q3 | 24 Q—K3 | R—B6 |
| 6 B—K3 | N—B3 | 25 Q—K2 | Q x R |
| 7 P—B4 | B—K2 | 26 Q x R | P x P |
| 8 Q—B3 | O—O | 27 R—K1 | R—Q1 |
| 9 O—O—O | Q—B2 | 28 R x P | Q—Q3 |
| 10 N/4—N5 | Q—N1 | 29 Q—B4 | R—B1 |
| 11 P—KN4 | P—QR3 | 30 Q—K4 | P—N6 |
| 12 N—Q4 | N x N | 31 RP x P | R—B8 ch |
| 13 B x N | P—QN4 | 32 K—Q2 | Q—N5 ch |
| 14 P—N5 | N—Q2 | 33 P—B3 | Q—Q3 |
| 15 B—Q3 | P—N5 | 34 B—B5 | Q x B |
| 16 N—Q5 | P x N | 35 R—K8 ch | R—B1 |
| 17 P x P | P—B4 | 36 Q—K6 ch | K—R1 |
| 18 QR—K1 | R—B2 | 37 Q—B7 | Resigns |
| 19 P—KR4 | B—N2 | | |

## Match, Yugoslavia, 1965

Just when Portisch has succeeded in fending off Tal's attack, he blunders and loses. A cruel psychological blow at the beginning of an important match.

CARO-KANN DEFENSE

| | M. TAL<br>*White* | L. PORTISCH<br>*Black* |
|---|---|---|
| 1 | P—K4 | P—QB3 |
| 2 | N—QB3 | P—Q4 |
| 3 | N—B3 | P x P |
| 4 | N x P | B—N5 |
| 5 | P—KR3 | B x N |
| 6 | Q x B | N—Q2 |
| 7 | P—Q4 | KN—B3 |
| 8 | B—Q3 | N x N |
| 9 | Q x N | P—K3 |
| 10 | O—O | B—K2 |
| 11 | P—QB3 | N—B3 |
| 12 | Q—R4 | N—Q4 |
| 13 | Q—N4 | B—B3 |
| 14 | R—K1 | Q—N3 |
| 15 | P—QB4 | N—N5* |
| 16 | R x P ch | P x R |
| 17 | Q x P ch | K—B1 |
| 18 | B—B4 | R—Q1 |
| 19 | P—B5 | N x B |
| 20 | P x Q | N x B |
| 21 | Q—N4 | N—Q4 |
| 22 | P x P | K—K2 |
| 23 | P—N4 | R—R1 |
| 24 | R—K1 ch | K—Q3 |
| 25 | P—N5 | R x P |
| 26 | R—K6 ch | K—B2 |
| 27 | R x B | Resigns |

L. PORTISCH

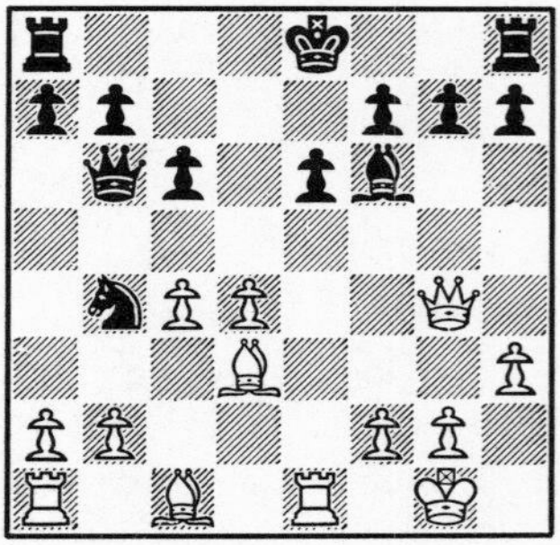

M. TAL

## Match, Yugoslavia, 1965

Tal sacrifices a piece—unsoundly—but benefits when his opponent returns it the wrong way.

ALEKHINE DEFENSE

| M. TAL | B. LARSEN | M. TAL | B. LARSEN |
|---|---|---|---|
| *White* | *Black* | *White* | *Black* |
| 1 P—K4 | N—KB3 | 25 Q—Q3 | Q—Q4 |
| 2 P—K5 | N—Q4 | 26 Q—QB3 | B—K4 |
| 3 P—Q4 | P—Q3 | 27 Q—K1 | Q—B4 |
| 4 N—KB3 | P x P | 28 B—Q2 | K—B3 |
| 5 N x P | P—K3 | 29 QR—B1 | Q—N3 |
| 6 Q—B3 | Q—B3 | 30 B—K3 | Q—R3 |
| 7 Q—N3 | P—KR3 | 31 Q—N4 | P—QN4 |
| 8 N—QB3 | N—N5 | 32 B x NP | Q—N2 |
| 9 B—N5 ch | P—B3 | 33 P—B4 | B—N1 |
| 10 B—R4 | N—Q2 | 34 B—B6 | Resigns |
| 11 O—O | N x N | | |
| 12 P x N | Q—N3 | | |
| 13 Q—B3 | Q—B4 | | |
| 14 Q—K2 | B—K2 | | |
| 15 P—QR3 | N—Q4* | | |
| 16 N—N5 | P x N | | |
| 17 Q x P ch | K—Q1 | | |
| 18 P—QB4 | Q x KP | | |
| 19 P x N | B—Q3 | | |
| 20 P—KN3 | Q x QP | | |
| 21 Q—K2 | K—K2 | | |
| 22 KR—Q1 | Q—QR4 | | |
| 23 Q—N4 | Q—KB4 | | |
| 24 Q—QB4 | Q—QB4 | | |

B. LARSEN

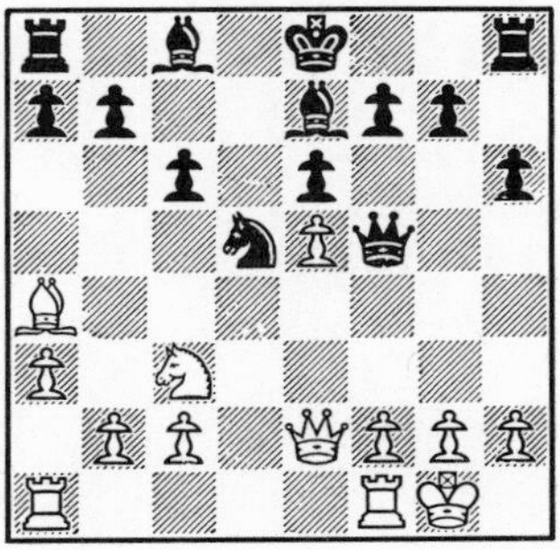

M. TAL

## North Central Open, Milwaukee, Wisconsin, 1965

The logical sequence buffs the brilliancy of this miniature masterpiece, and it is subdued.

GRUENFELD REVERSED

DR. I. THEODOROVITCH — F. ZARSE

| | *White* | *Black* |
|---|---|---|
| 1 | N—KB3 | P—QB4 |
| 2 | P—KN3 | N—KB3 |
| 3 | B—N2 | P—Q4 |
| 4 | O—O | P—K3 |
| 5 | P—Q4 | N—B3 |
| 6 | P—B4 | P—QN3 |
| 7 | P x QP | KP x P |
| 8 | N—B3 | B—K2 |
| 9 | N—K5 | B—N2 |
| 10 | Q—R4 | R—QB1 |
| 11 | P x P | P x P |
| 12 | N—N4 | N x N |
| 13 | Q x N | P—Q5 |
| 14 | N—Q5 | O—O |
| 15 | B—R6 | B—B3* |
| 16 | Q—B5 | B—K4 |
| 17 | P—B4 | P—N3 |
| 18 | Q—R3 | B—N2 |
| 19 | P—B5 | P x P |
| 20 | R x P | Q—Q2 |
| 21 | R—N5 | Resigns |

F. ZARSE

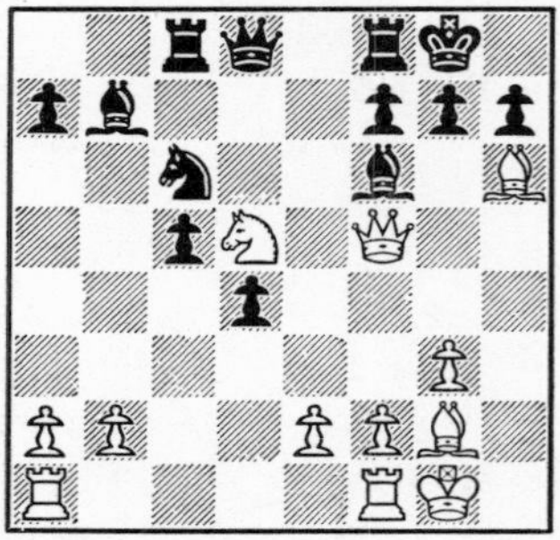

DR. I. THEODOROVITCH

## Tchigorin Memorial, Sochi, U.S.S.R., 1965

A commentary on the Breyer line of the Ruy.

RUY LOPEZ

| W. UNZICKER | V. ANTOSHIN | W. UNZICKER | V. ANTOSHIN |
|---|---|---|---|
| *White* | *Black* | *White* | *Black* |
| 1 P—K4 | P—K4 | 17 P x N | P—B4 |
| 2 N—KB3 | N—QB3 | 18 B—K4 | R—B1 |
| 3 B—N5 | P—QR3 | 19 B—B4 | N—R5 |
| 4 B—R4 | N—B3 | 20 R—QB1 | Q—N3 |
| 5 O—O | B—K2 | 21 P x P | P x P |
| 6 R—K1 | P—QN4 | 22 Q—B3 | KR—K1 |
| 7 B—N3 | P—Q3 | 23 P—B4 | P x P |
| 8 P—B3 | O—O | 24 B—Q5 | N—N7 |
| 9 P—KR3 | N—N1 | 25 B x P ch | K x B |
| 10 P—Q4 | QN—Q2 | 26 Q—Q5 ch | K—B1 |
| 11 N—R4 | P x P | 27 B—Q6 ch | R—K2 |
| 12 P x P | N—N3 | 28 R—K6 | R—Q1 |
| 13 B—B2 | KN—Q4 | 29 B x R ch | B x B |
| 14 N—B5 | B x N | 30 R x Q | R x Q |
| 15 P x B | B—B3 | 31 R x N | Resigns |
| 16 N—B3 | N x N | | |

## New York, 1966

The king was in the corner, a clear rook ahead, along came a bad check and put him in the red.

SICILIAN DEFENSE

| | E. Allen<br>*White* | C. Weldon<br>*Black* |
|---|---|---|
| 1 | P—K4 | P—QB4 |
| 2 | N—KB3 | P—Q3 |
| 3 | P—Q4 | P x P |
| 4 | N x P | N—KB3 |
| 5 | N—QB3 | P—QR3 |
| 6 | B—N5 | P—K3 |
| 7 | P—B4 | B—K2 |
| 8 | Q—B3 | P—R3 |
| 9 | B—R4 | Q—B2 |
| 10 | O—O—O | QN—Q2 |
| 11 | B—K2 | P—QN4 |
| 12 | P—K5 | B—N2 |
| 13 | Q—R3 | P x P |
| 14 | P x P | N x P |
| 15 | B—N3 | P—N5 |
| 16 | KR—K1 | P x N |
| 17 | B x N | Q—R4 |
| 18 | B—QB4 | R—QB1 |
| 19 | B—QN3 | N—K5 |
| 20 | N—B3 | B—R6 |
| 21 | B x KP | O—O |

| | E. Allen<br>*White* | C. Weldon<br>*Black* |
|---|---|---|
| 22 | K—N1 | P x P |
| 23 | B x R | R x B |
| 24 | R x N | R x P |
| 25 | R/4—K1* | . . . . . . |
| 25 | . . . . . . | Q x R |
| | Resigns | |

C. WELDON

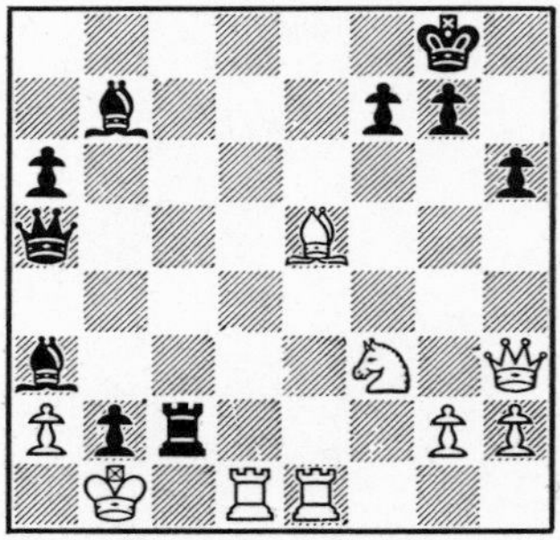

E. ALLEN

## Sweden, 1966

Someone ought to compile an anthology of games in which the winning move is K—R1!! This little game would certainly occupy a prominent place in such a book.

KING'S INDIAN DEFENSE

| | W. BALCEROWSKI *White* | K. KRANTZ *Black* |
|---|---|---|
| 1 | P—Q4 | N—KB3 |
| 2 | P—QB4 | P—KN3 |
| 3 | QN—B3 | B—N2 |
| 4 | P—K4 | P—Q3 |
| 5 | P—B3 | O—O |
| 6 | B—K3 | P—K4 |
| 7 | P—Q5 | P—B3 |
| 8 | Q—Q2 | P x P |
| 9 | BP x P | P—QR3 |
| 10 | O—O—O | R—K1 |
| 11 | K—N1 | QN—Q2 |
| 12 | KN—K2 | P—QN4 |
| 13 | N—B1 | N—N3 |
| 14 | B—Q3 | B—Q2 |
| 15 | P—KN4 | R—N1 |
| 16 | B—N5 | N—B5 |
| 17 | KB x N | P x B |
| 18 | P—KR4 | R—N2 |
| 19 | P—R5 | Q—B2 |
| 20 | P x P | RP x P |
| 21 | B—R6 | R/1—N1 |
| 22 | B x B | R x P ch* |
| 23 | K—R1 | N—R4 |
| 24 | Q—R6 | P—B3 |
| 25 | P x N | B—K1 |
| 26 | Q—R8 ch | K—B2 |
| 27 | Q—B8 mate | |

K. KRANTZ

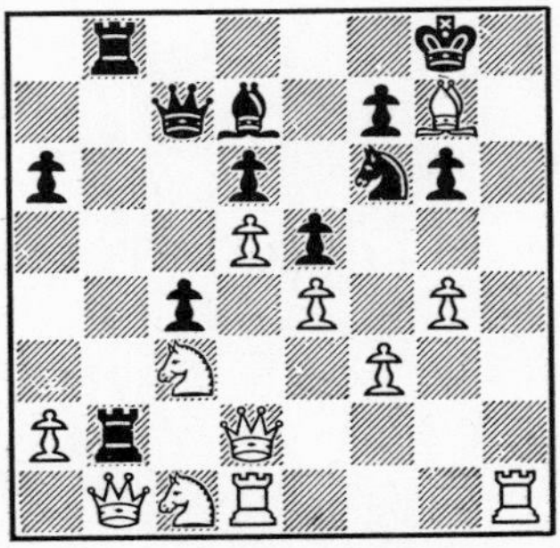

W. BALCEROWSKI

## New York, 1966

Black breaks through in the center to exploit White's weakened king-side.

SICILIAN DEFENSE

| | A. Bisguier<br>*White* | D. Daniels<br>*Black* |
|---|---|---|
| 1 | P—K4 | P—QB4 |
| 2 | N—KB3 | P—Q3 |
| 3 | P—Q4 | P x P |
| 4 | N x P | N—KB3 |
| 5 | N—QB3 | P—QR3 |
| 6 | B—K2 | P—K4 |
| 7 | N—N3 | B—K3 |
| 8 | O—O | QN—Q2 |
| 9 | P—B4 | Q—B2 |
| 10 | P—B5 | B—B5 |
| 11 | B—K3 | P—QN4 |
| 12 | B x B | Q x B |
| 13 | Q—Q3 | R—QB1 |
| 14 | P—QR3 | B—K2 |
| 15 | P—R3 | O—O |
| 16 | QR—Q1 | Q—B2 |
| 17 | P—N4 | P—R3 |
| 18 | Q—K2 | KR—K1 |
| 19 | R—B2* | ...... |
| 19 | ...... | P—Q4 |
| 20 | N x QP | N x N |
| 21 | P x N | P—K5 |
| 22 | R—N2 | N—K4 |
| 23 | K—R1 | N—B6 |
| 24 | N—Q4 | B—B4 |
| 25 | N—B6 | B x B |
| 26 | Q x B | Q—Q3 |
| 27 | Q—K2 | N—R5 |
| 28 | R/2—N1 | P—K6 |
| 29 | Q—R2 | R x N |
| 30 | P x R | Q x P ch |
| 31 | R—N2 | P—K7 |
| 32 | R—K1 | Q—B6 |
| 33 | Q—N3 | N x R |
| 34 | Q x Q | N x R |
| 35 | Q—B6 | R—K6 |
| 36 | P—B6 | R x P ch |
| 37 | K—N1 | N—B6 ch |
| 38 | K—N2 | R—N6 ch |
| 39 | K x R | P—K8/Q ch |
| 40 | K—B4 | P—N4 ch |
| | Resigns | |

D. DANIELS

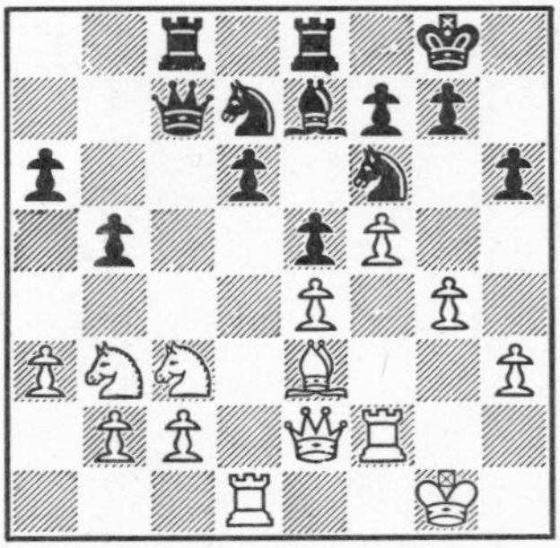

A. BISGUIER

## Canada, 1966

Black's fourth move seems at the worst a trifle premature. That it should cost the game is hardly credible, but it is so.

OLD INDIAN DEFENSE

| L. Evans *White* | G. Rubin *Black* | L. Evans *White* | G. Rubin *Black* |
|---|---|---|---|
| 1 P—QB4 | N—KB3 | 21 B—B5 | K—K2 |
| 2 N—QB3 | P—Q3 | 22 R—KN1 | R—R1 |
| 3 P—Q4 | P—K4 | 23 B x P | R x P |
| 4 N—B3 | P—K5 | 24 B—B8 | N—K5 ch |
| 5 N—Q2 | B—B4 | 25 K—Q3 | N—Q3 |
| 6 Q—B2 | P—B3 | 26 B x P | Resigns |
| 7 P—B3 | P—Q4 | | |
| 8 P x KP | N x P | | |
| 9 N/2 x N | Q—R5 ch | | |
| 10 P—KN3 | B x N | | |
| 11 Q x B ch | Q x Q | | |
| 12 N x Q | P x N | | |
| 13 B—N2 | B—N5 ch | | |
| 14 B—Q2 | B x B ch | | |
| 15 K x B | P—KB4 | | |
| 16 KR—KB1 | R—B1* | | |
| 17 P—KN4 | P x P | | |
| 18 R x R ch | K x R | | |
| 19 B x P | N—Q2 | | |
| 20 B x P | N—B3 | | |

G. RUBIN

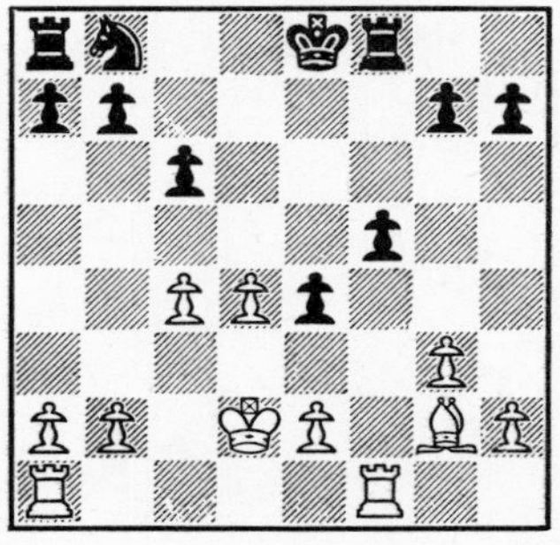

L. EVANS

## Santa Monica, 1966

Fischer reverts to an opening variation he used to play when he was twelve years old. One wonders why he ever stopped.

SICILIAN DEFENSE

| | R. Fischer *White* | B. Ivkov *Black* |
|---|---|---|
| 1 | P—K4 | P—QB4 |
| 2 | N—KB3 | P—K3 |
| 3 | P—Q3 | N—QB3 |
| 4 | P—KN3 | P—Q4 |
| 5 | QN—Q2 | B—Q3 |
| 6 | B—N2 | KN—K2 |
| 7 | O—O | O—O |
| 8 | N—R4 | P—QN3 |
| 9 | P—KB4 | P x P |
| 10 | P x P | B—R3 |
| 11 | R—K1 | P—B5 |
| 12 | P—B3 | B—B4 ch |
| 13 | K—R1 | N—R4 |
| 14 | P—K5 | N—Q4 |
| 15 | N—K4 | B—N2 |
| 16 | Q—R5 | N—K2 |
| 17 | P—KN4 | B x N |
| 18 | B x B | P—N3 |
| 19 | Q—R6 | N—Q4 |
| 20 | P—B5 | R—K1 |
| 21 | P x NP | BP x P* |
| 22 | N x P | Q—Q2 |
| 23 | N—B4 | QR—Q1 |
| 24 | N—R5 | K—R1 |
| 25 | N—B6 | N x N |
| 26 | P x N | R—KN1 |
| 27 | B—B4 | R x P |
| 28 | QR—Q1 | QR—KN1 |
| 29 | P—B7 | Resigns |

B. IVKOV

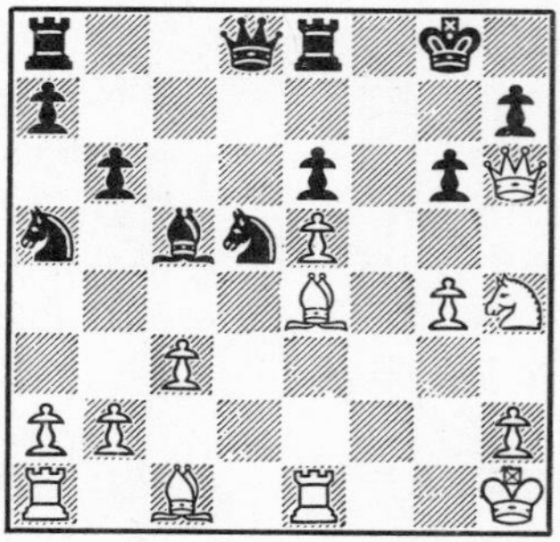

R. FISCHER

## Santa Monica, 1966

A complicated opening leaves Black fatally weakened on the dark squares.

RUY LOPEZ

| | R. Fischer *White* | S. Reshevsky *Black* |
|---|---|---|
| 1 | P—K4 | P—K4 |
| 2 | N—KB3 | N—QB3 |
| 3 | B—N5 | P—QR3 |
| 4 | B—R4 | N—B3 |
| 5 | O—O | B—K2 |
| 6 | R—K1 | P—QN4 |
| 7 | B—N3 | O—O |
| 8 | P—B3 | P—Q3 |
| 9 | P—KR3 | N—Q2 |
| 10 | P—Q4 | N—N3 |
| 11 | QN—Q2 | P x P |
| 12 | P x P | P—Q4 |
| 13 | B—B2 | B—K3 |
| 14 | P—K5 | Q—Q2 |
| 15 | N—N3 | B—KB4 |
| 16 | B—N5 | KR—K1 |
| 17 | QB x B | R x B |
| 18 | R—QB1 | N—N5 |
| 19 | N—B5 | B x B* |
| 20 | Q—Q2 | Q—K1 |
| 21 | Q x N | P—QR4 |
| 22 | Q—B3 | B—N3 |
| 23 | N—KR4 | N—R5 |
| 24 | Q—QN3 | N x N |
| 25 | R x N | P—QB3 |
| 26 | R/1—QB1 | R—K3 |
| 27 | P—B4 | P—B4 |
| 28 | P—R4 | P x P |
| 29 | Q x RP | R—N1 |
| 30 | Q—R3 | Q—Q1 |
| 31 | N x B | P x N |
| 32 | R x BP | R x R |
| 33 | R x R | Q—R5 |
| 34 | R x P | K—R2 |
| 35 | R—N5 | R—N5 |
| 36 | Q—KB3 | K—R3 |
| 37 | P—KN3 | Q x RP |
| 38 | Q x P | Resigns |

S. RESHEVSKY

R. FISCHER

## United Kingdom, 1966

The young Englishman's erudition in the openings helps him take the measure of a famous grandmaster.

SICILIAN DEFENSE

| | W. Hartston *White* | S. Gligorich *Black* |
|---|---|---|
| 1 | P—K4 | P—QB4 |
| 2 | N—KB3 | P—Q3 |
| 3 | P—Q4 | P x P |
| 4 | N x P | N—KB3 |
| 5 | N—QB3 | P—QR3 |
| 6 | B—N5 | P—K3 |
| 7 | P—B4 | Q—N3 |
| 8 | Q—Q2 | Q x P |
| 9 | R—QN1 | Q—R6 |
| 10 | P—B5 | N—B3 |
| 11 | P x P | P x P |
| 12 | N x N | P x N |
| 13 | P—K5 | P x P |
| 14 | B x N | P x B |
| 15 | N—K4 | B—K2 |
| 16 | B—K2 | O—O |
| 17 | O—O | Q—R5 |
| 18 | P—B4 | P—KB4 |
| 19 | R—N3 | P—B4 |
| 20 | Q—R6 | R—B2 |
| 21 | R—N3 ch | K—R1 |
| 22 | B—R5 | Q—K1* |
| 23 | R x P | P x R |
| 24 | N—Q6 | B x N |
| 25 | B x R | Resigns |

S. GLIGORICH

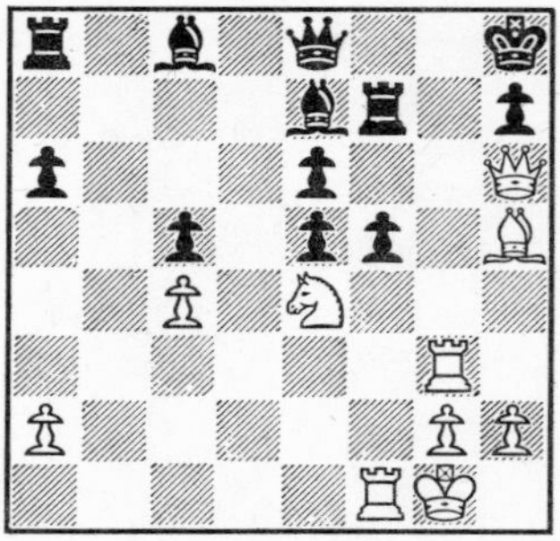

W. HARTSTON

## Switzerland, 1966

Some king-side attacks are so pretty, it is almost an impertinence to ask if they are sound.

### CARO-KANN DEFENSE

| HECHT *White* | KEENE *Black* | HECHT *White* | KEENE *Black* |
|---|---|---|---|
| 1 P—K4 | P—QB3 | 23 N—Q7 | Q x N |
| 2 P—Q4 | P—Q4 | 24 B x N | Q—B3 |
| 3 N—QB3 | P x P | 25 R—Q5 | P x R |
| 4 N x P | N—Q2 | 26 Q—R5 | B x P ch |
| 5 B—QB4 | KN—B3 | 27 K x B | N—K5 ch |
| 6 N—N5 | P—K3 | 28 N x N | P x Q |
| 7 Q—K2 | N—N3 | 29 R—N1 ch | K—R2 |
| 8 B—Q3 | P—KR3 | 30 N—B5 ch | Resigns |
| 9 N/5—B3 | P—B4 | | |
| 10 P x P | B x P | | |
| 11 N—K5 | O—O | | |
| 12 KN—B3 | N/N—Q4 | | |
| 13 P—QR3 | P—QR4 | | |
| 14 O—O | P—QN3 | | |
| 15 P—B4 | N—K2 | | |
| 16 R—Q1 | Q—K1 | | |
| 17 B—Q2 | P—R5 | | |
| 18 B—B3 | N—B4 | | |
| 19 P—KN4 | N—Q3 | | |
| 20 P—N5 | P x P | | |
| 21 N x NP | B—N2 | | |
| 22 B—B2 | P—N3* | | |

KEENE

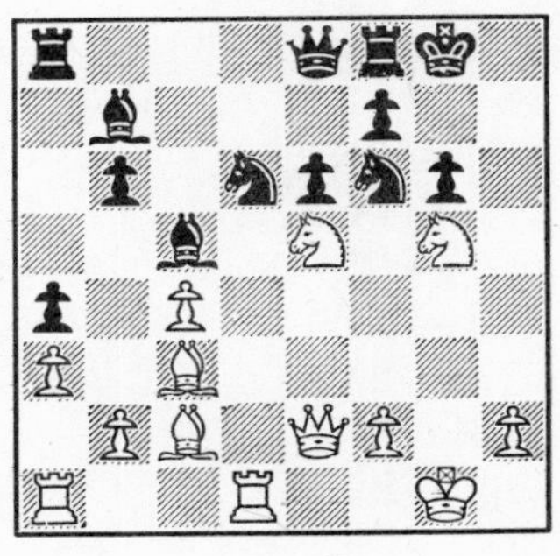

HECHT

## Yugoslavia, 1966

Black, threatened with a mating attack, decides to threaten mate himself. In meeting his threat, White in turn threatens mate again. This time there is no defense.

QUEEN'S GAMBIT

| | B. IVKOV<br>*White* | W. PIETSCH<br>*Black* |
|---|---|---|
| 1 | P—Q4 | P—Q4 |
| 2 | N—KB3 | N—KB3 |
| 3 | P—B4 | P—K3 |
| 4 | N—B3 | B—K2 |
| 5 | B—B4 | O—O |
| 6 | P—K3 | P—QN3 |
| 7 | B—Q3 | P x P |
| 8 | B x P/4 | B—N2 |
| 9 | O—O | QN—Q2 |
| 10 | Q—K2 | N—K5 |
| 11 | N x N | B x N |
| 12 | QR—B1 | P—QR4 |
| 13 | B—QN5 | R—R2 |
| 14 | KR—Q1 | Q—B1 |
| 15 | N—Q2 | B—R1 |
| 16 | P—K4 | N—B3 |
| 17 | R—B4 | P—B3 |
| 18 | B—R4 | Q—R3 |
| 19 | B—B2 | R—Q1 |
| 20 | B—Q3 | Q—N2 |
| 21 | B—N5 | P—B4 |
| 22 | P x P | B x P |
| 23 | N—B3 | B—K2 |
| 24 | P—K5 | N—Q4 |
| 25 | Q—K4 | P—N3 |
| 26 | Q—R4 | N—N5 |
| 27 | B x B | Q x B |
| 28 | N—N5 | P—R4 |
| 29 | B—K2 | R x R ch |
| 30 | B x R | R—B2 |
| 31 | R—Q4 | R—Q2 |
| 32 | R x R | Q x R |
| 33 | B x P | Q—Q7* |
| 34 | B—K2 | Resigns |

W. PIETSCH

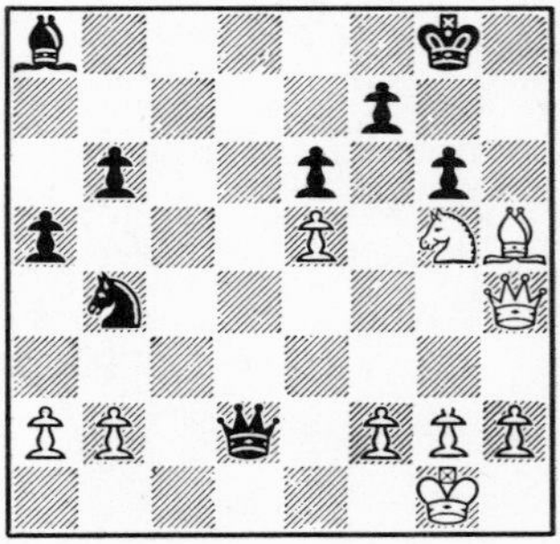

B. IVKOV

## Holland, 1966

In the diagrammed position it seems that Black threatens to win the exchange. Actually, White threatens to lose it!

FRENCH DEFENSE

L. J. KERKOFF
DR. A. DUECKSTEIN

| | White | Black |
|---|---|---|
| 1 | P—K4 | P—K3 |
| 2 | P—Q4 | P—Q4 |
| 3 | P—K5 | P—QB4 |
| 4 | P—QB3 | N—QB3 |
| 5 | N—KB3 | Q—N3 |
| 6 | P—QR3 | P—B5 |
| 7 | B—K2 | B—Q2 |
| 8 | QN—Q2 | N—R4 |
| 9 | O—O | KN—K2 |
| 10 | R—N1 | N—N3 |
| 11 | P—KN3 | P—B3 |
| 12 | P—QN4 | P x P e.p. |
| 13 | P—B4 | P x KP |
| 14 | P x QP | P/3 x P |
| 15 | N x KP | N x N |
| 16 | P x N | B—KB4* |
| 17 | R x P | N x R |
| 18 | N x N | P—QR3 |
| 19 | B—K3 | Q—Q1 |
| 20 | N—Q4 | B—R6 |
| 21 | B—N5 ch | P x B |
| 22 | Q—R5 ch | P—KN3 |
| 23 | Q x B | Q—Q2 |

L. J. KERKOFF
DR. A. DUECKSTEIN

| | White | Black |
|---|---|---|
| 24 | P—K6 | Q—K2 |
| 25 | R—B1 | B—N2 |
| 26 | N—B5 | Q—B3 |
| 27 | N—Q6 ch | K—K2 |
| 28 | R—B7 ch | K x N |
| 29 | B—B4 ch | Q x B |
| 30 | R—Q7 ch | K—B3 |
| 31 | P x Q | B—Q5 |
| 32 | Q—KB3 | Resigns |

DR. A. DUECKSTEIN

L. J. KERKOFF

## U.S.S.R. Championship, 1966

In a rare and intricate line, White plays a new move, but fails to improve his chances; and, when he later slips, loses rapidly.

NIMZO-INDIAN DEFENSE

| | G. Kuzmin *White* | P. Keres *Black* | | G. Kuzmin *White* | P. Keres *Black* |
|---|---|---|---|---|---|
| 1 | P—Q4 | N—KB3 | 12 | B—Q3 | Q—B3 |
| 2 | P—QB4 | P—K3 | 13 | B—N2 | N/2 x P |
| 3 | N—QB3 | B—N5 | 14 | B x P | N—K2 |
| 4 | P—QR3 | B x N ch | 15 | P—QB4 | P—K4 |
| 5 | P x B | P—B4 | 16 | P—B4 | Q—B3 |
| 6 | P—B3 | P—Q4 | 17 | B x P | B—N5 |
| 7 | P x QP | N x P | 18 | N—B3 | Q x N |
| 8 | P x P | P—B4 | 19 | B—N6 ch | N x B |
| 9 | P—K4 | P x P | 20 | Q x N ch | K—Q1 |
| 10 | Q—B2 | P—K6 | | Resigns | |
| 11 | P—N3 | N—Q2 | | | |

## Match, Copenhagen, 1966

A grandmaster tosses a piece into the air and it falls on the right square. Here, the grandmaster merely tosses the piece into the air.

SICILIAN DEFENSE

| B. LARSEN *White* | Y. GELLER *Black* | B. LARSEN *White* | Y. GELLER *Black* |
|---|---|---|---|
| 1 P—K4 | P—QB4 | 14 KR—K1 | R—K1 |
| 2 N—KB3 | P—Q3 | 15 N—K5 | N x N |
| 3 N—B3 | N—KB3 | 16 R x N | P—N3 |
| 4 P—K5 | P x P | 17 B x RP | Q x P |
| 5 N x P | QN—Q2 | 18 R—K2 | Q—B5 |
| 6 N—B4 | P—K3 | 19 B—N5 | B x B |
| 7 P—QN3 | B—K2 | 20 N x B | N—N5 |
| 8 B—N2 | O—O | 21 QR—K1 | KR—Q1 |
| 9 Q—B3 | R—N1 | 22 P—KB3 | B—B3 |
| 10 P—QR4 | P—QN3 | 23 Q x N | Q x Q |
| 11 B—Q3 | B—N2 | 24 P x Q | B x B |
| 12 Q—R3 | P—QR3 | 25 P—B3 | Resigns |
| 13 O—O | B—B3 | | |

## Santa Monica, 1966

Larsen works magic with a line so old even Weaver Adams never thought it any good.

VIENNA GAME

| B. LARSEN *White* | L. PORTISCH *Black* | B. LARSEN *White* | L. PORTISCH *Black* |
|---|---|---|---|
| 1 P—K4 | P—K4 | 15 P—B3 | B—Q2 |
| 2 N—QB3 | N—QB3 | 16 K—R1 | QR—N1 |
| 3 B—B4 | N—B3 | 17 N—B5 | B x N |
| 4 P—Q3 | N—QR4 | 18 P x B | KR—K1 |
| 5 KN—K2 | N x B | 19 R—Q2 | QR—Q1 |
| 6 P x N | B—K2 | 20 R/1—Q1 | N—R4 |
| 7 O—O | P—Q3 | 21 B—R3 | N—B5 |
| 8 P—QN3 | O—O | 22 Q—B2 | Q—R4 |
| 9 N—N3 | P—B3 | 23 N—K4 | P—Q4 |
| 10 B—N2 | Q—R4 | 24 B x B | R x B |
| 11 Q—K1 | Q—B2 | 25 Q—R4 | R/2—Q2 |
| 12 P—QR4 | B—K3 | 26 P—N3 | N—K7 |
| 13 R—Q1 | P—QR3 | 27 P—B6 | Q—N5 |
| 14 Q—K2 | B—N5 | 28 Q—N4 | Resigns |

## Santa Monica, 1966

The Great Dane brings off a flashy queen "sack" against the then World Champion.

SICILIAN DEFENSE

| B. LARSEN | T. PETROSIAN | B. LARSEN | T. PETROSIAN |
|---|---|---|---|
| *White* | *Black* | *White* | *Black* |
| 1 P—K4 | P—QB4 | 23 R—B3 | B—B3 |
| 2 N—KB3 | N—QB3 | 24 Q—R6 | B—N2* |
| 3 P—Q4 | P x P | 25 Q x P | N—B5 |
| 4 N x P | P—KN3 | 26 R x N | P x Q |
| 5 B—K3 | B—N2 | 27 B—K6 ch | R—B2 |
| 6 P—QB4 | N—B3 | 28 R x R | K—R1 |
| 7 N—QB3 | N—KN5 | 29 R—KN5 | P—N4 |
| 8 Q x N | N x N | 30 R—N3 | Resigns |
| 9 Q—Q1 | N—K3 | | |
| 10 Q—Q2 | P—Q3 | | |
| 11 B—K2 | B—Q2 | | |
| 12 O—O | O—O | | |
| 13 QR—Q1 | B—QB3 | | |
| 14 N—Q5 | R—K1 | | |
| 15 P—B4 | N—B2 | | |
| 16 P—KB5 | N—R3 | | |
| 17 B—N4 | N—B4 | | |
| 18 P x P | RP x P | | |
| 19 Q—KB2 | R—KB1 | | |
| 20 P—K5 | B x P | | |
| 21 Q—R4 | B x N | | |
| 22 R x B | N—K3 | | |

T. PETROSIAN

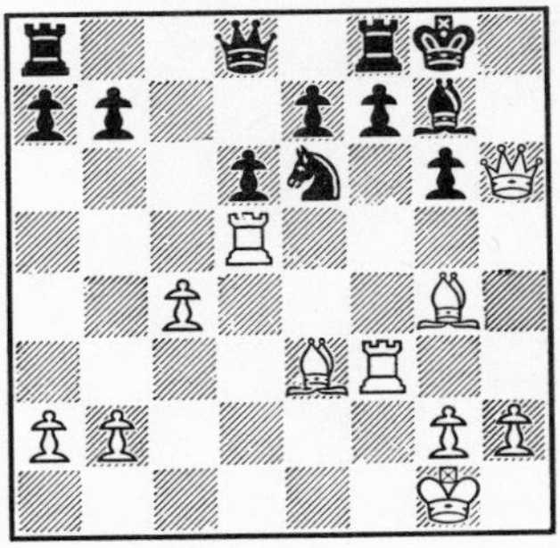

B. LARSEN

## Washington, 1966

Black plays a very old variation in the opening, but finds it unavailing against modern methods.

QUEEN'S GAMBIT

| Rev. Wm. Lombardy | R. Gross | Rev. Wm. Lombardy | R. Gross |
|---|---|---|---|
| *White* | *Black* | *White* | *Black* |
| 1 P—Q4 | P—Q4 | 12 P—B7 | R—B1 |
| 2 P—QB4 | P x P | 13 B—Q2 | N—B3 |
| 3 N—KB3 | N—KB3 | 14 P—QR4 | P—N5 |
| 4 N—B3 | N—B3 | 15 N—Q5 | B x N |
| 5 P—Q5 | N—QR4 | 16 P x B | N—Q5 |
| 6 P—K4 | P—B3 | 17 R—QB1 | R x P |
| 7 N—K5 | P—QN4 | 18 B x BP | P—K4 |
| 8 P x P | Q x Q ch | 19 P x P e.p. | N x P |
| 9 N x Q | N—N5 | 20 O—O | B—Q3 |
| 10 N x N | B x N | 21 B x N | R x R |
| 11 N—K3 | B—K3 | 22 R x R | Resigns |

## Georgia, 1966

Doubled pawns are often a serious structural weakness, but it takes good technique to exploit them. Here Black supplies the doubled pawns, White the technique.

CARO-KANN DEFENSE

REV. WM. LOMBARDY
A. E. SANTASIERE

| | White | Black |
|---|---|---|
| 1 | P—K4 | P—QB3 |
| 2 | N—QB3 | P—Q4 |
| 3 | N—B3 | P x P |
| 4 | N x P | N—B3 |
| 5 | N x N ch | NP x N |
| 6 | P—KN3 | B—B4 |
| 7 | B—N2 | P—K3 |
| 8 | O—O | N—Q2 |
| 9 | R—K1 | B—N2 |
| 10 | P—Q4 | O—O |
| 11 | P—B4 | R—K1 |
| 12 | B—Q2 | Q—B2 |
| 13 | P—QN4 | QR—Q1 |
| 14 | Q—N3 | B—N5 |
| 15 | B—K3 | P—K4 |
| 16 | QR—B1 | P—KB4 |
| 17 | N x P | B x N |

REV. WM. LOMBARDY
A. E. SANTASIERE

| | White | Black |
|---|---|---|
| 18 | P x B | N x P |
| 19 | B—N5 | R—QB1 |
| 20 | P—B4 | N—Q2 |
| 21 | Q—QB3 | P—B3 |
| 22 | B—R4 | Q—Q3 |
| 23 | P—B5 | Q—B1 |
| 24 | P—KR3 | B—R4 |
| 25 | Q—Q3 | R x R ch |
| 26 | R x R | R—K1 |
| 27 | R x R | Q x R |
| 28 | Q x P | B—N3 |
| 29 | Q—N4 | P—KR4 |
| 30 | Q—Q1 | K—N2 |
| 31 | K—B2 | Q—B2 |
| 32 | P—R3 | N—B1 |
| 33 | B—B3 | N—K3 |
| 34 | Q—Q6 | Resigns |

## Yugoslavia, 1966

The best example of the axiom that pieces have greater scope in the middle of the board is the knight, with but two moves when it stands in a corner, and eight on any of the central squares. As in the final position of this game.

On the rim, it is dim. In the middle, a riddle!

SICILIAN DEFENSE

M. MATULOVICH — V. KORCHNOI

| | *White* | *Black* |
|---|---|---|
| 1 | P—K4 | P—QB4 |
| 2 | N—KB3 | P—K3 |
| 3 | P—Q4 | P x P |
| 4 | N x P | P—QR3 |
| 5 | B—Q3 | B—B4 |
| 6 | N—N3 | B—R2 |
| 7 | Q—K2 | N—QB3 |
| 8 | O—O | KN—K2 |
| 9 | B—K3 | P—Q3 |
| 10 | P—QB4 | O—O |
| 11 | N—B3 | B—Q2 |
| 12 | KR—Q1 | Q—N1 |
| 13 | B x B | R x B |
| 14 | Q—K3 | P—QN3 |
| 15 | B—K2 | N—B1 |
| 16 | N—Q4 | R—B2 |
| 17 | N x N | B x N |
| 18 | P—QR4 | P—QR4 |
| 19 | R—Q2 | R—K2 |
| 20 | P—B4 | Q—N2 |
| 21 | B—B1 | P—B4 |
| 22 | P—K5 | P x P |
| 23 | Q x KP | Q—B2 |
| 24 | R—K1 | K—B2 |
| 25 | P—B5 | R/1—K1 |
| 26 | B—B4 | Q x Q |
| 27 | R x Q | K—B3 |
| 28 | P—KR4 | R—QB2 |
| 29 | B—R2 | R/1—K2 |
| 30 | R/2—K2 | B—Q2 |
| 31 | P x P | N x P |
| 32 | R x RP | N—B5 |
| 33 | R—R6 | K—B2 |
| 34 | N—N5 | B x N |
| 35 | P x B | R—B1* |
| 36 | P—QN3 | Resigns |

V. KORCHNOI

M. MATULOVICH

## New York, 1966

Sometimes antipositional-looking moves are not so bad as they look. White's seventeenth turn in this game is not one of those times.

SCOTCH GAME

| E. McCormick | A. Bisguier | E. McCormick | A. Bisguier |
|---|---|---|---|
| *White* | *Black* | *White* | *Black* |
| 1 P—K4 | P—K4 | 20 P x P | QR—Q1 |
| 2 N—KB3 | N—QB3 | 21 Q—KR5 | R—K4 |
| 3 P—Q4 | P x P | 22 Q—N4 | P—KR4 |
| 4 N x P | N—B3 | 23 Q—B4 | N—B6 |
| 5 N—QB3 | B—N5 | Resigns | |
| 6 N x N | NP x N | | |
| 7 B—Q3 | P—Q4 | | |
| 8 P x P | P x P | | |
| 9 O—O | O—O | | |
| 10 N—K2 | R—K1 | | |
| 11 P—QB3 | B—Q3 | | |
| 12 B—KB4 | P—B4 | | |
| 13 B x B | Q x B | | |
| 14 R—K1 | R—N1 | | |
| 15 Q—Q2 | B—R3 | | |
| 16 B x B | Q x B | | |
| 17 P—QN4* | ...... | | |
| 17 ...... | N—K5 | | |
| 18 Q x P | Q—KB3 | | |
| 19 R—KB1 | P x P | | |

A. BISGUIER

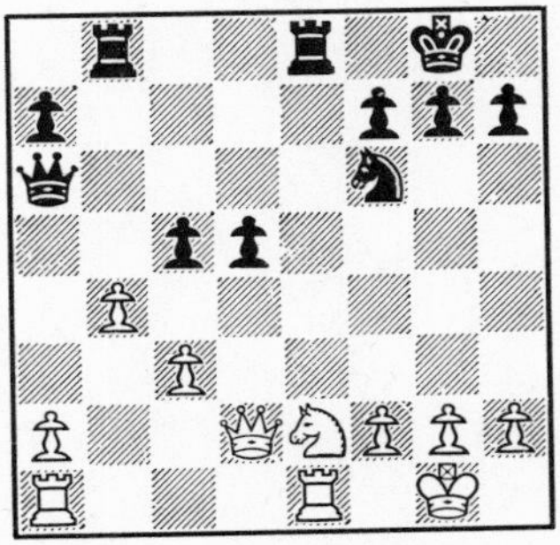

E. MC CORMICK

## New York, 1966

When Black, as is sometimes his wont, plays provocatively, White is duly provoked. A lead in development is sometimes as useful against a grandmaster as against the merest dub.

SICILIAN DEFENSE

| | Dr. N. McKelvie<br>*White* | P. Benko<br>*Black* |
|---|---|---|
| 1 | P—K4 | P—QB4 |
| 2 | N—KB3 | P—Q3 |
| 3 | P—Q4 | P x P |
| 4 | N x P | N—KB3 |
| 5 | N—QB3 | P—K3 |
| 6 | P—B4 | P—QR3 |
| 7 | B—K3 | P—QN4 |
| 8 | P—K5 | P x P |
| 9 | P x P | N—Q4 |
| 10 | N x N | Q x N |
| 11 | B—K2 | Q x KP |
| 12 | Q—Q2 | B—N2 |
| 13 | B—KB4 | Q—Q4 |
| 14 | O—O—O | Q—Q2 |
| 15 | Q—B3 | B—Q4* |
| 16 | N—B5 | N—B3 |
| 17 | R x B | P x R |
| 18 | B—N4 | K—Q1 |
| 19 | N—Q4 | N—N5 |
| 20 | K—N1 | Q—N2 |
| 21 | P—QR3 | P—KR4 |
| 22 | B—R3 | P—R4 |
| 23 | P x N | R—QR3 |
| 24 | N x P | P x P |
| 25 | B—B7 ch | K—K1 |
| 26 | R—K1 ch | R—K3 |
| 27 | B x R | P x B |
| 28 | Q—KR3 | R—R3 |
| 29 | R x P ch | K—B2 |
| 30 | R x R | P x R |
| 31 | Q—B5 ch | K—N1 |
| 32 | Q—K6 ch | K—R2 |
| 33 | Q—B7 ch | B—N2 |
| 34 | N—Q4 | Q—R2 |
| 35 | N—B5 | Q—N8 ch |
| 36 | K—R2 | P—N6 ch |
| 37 | K x P | Resigns |

P. BENKO

DR. N. MC KELVIE

## U.S.S.R., 1966

Black makes unexpected use of a seemingly meaningless half-open file.

PIRC DEFENSE

| | V. MIKENAS *White* | D. BRONSTEIN *Black* |
|---|---|---|
| 1 | P—Q4 | N—KB3 |
| 2 | P—QB4 | P—Q3 |
| 3 | N—QB3 | P—B3 |
| 4 | P—K4 | P—K4 |
| 5 | P—Q5 | B—K2 |
| 6 | B—K2 | O—O |
| 7 | N—B3 | N—R3 |
| 8 | O—O | B—Q2 |
| 9 | N—K1 | Q—B1 |
| 10 | N—Q3 | B—Q1 |
| 11 | P—B4 | BP x P |
| 12 | QBP x P | N—B4 |
| 13 | P x P | N/3 x KP |
| 14 | N x N/5 | N x N |
| 15 | B—K3 | B—N3 |
| 16 | B x B | P x B |
| 17 | R—B4 | N—B4 |
| 18 | P x P | N x N |
| 19 | Q x N | Q—B4 ch |
| 20 | K—R1 | Q x P/3 |
| 21 | R—KR4 | P—R3 |
| 22 | P—QR3 | KR—K1 |
| 23 | B—B3 | Q—K4 |
| 24 | R—QN4* | ...... |
| 24 | ...... | R x RP |
| | Resigns | |

D. BRONSTEIN

V. MIKENAS

## Santa Monica, 1966

White handles a supposedly complicated opening variation very simply, and very simply wins.

QUEEN'S GAMBIT

| M. Najdorf | B. Ivkov | M. Najdorf | B. Ivkov |
|---|---|---|---|
| *White* | *Black* | *White* | *Black* |
| 1 P—Q4 | P—Q4 | 21 Q x NP | KR—B1 |
| 2 P—QB4 | P x P | 22 QR—B1 | P—QB4 |
| 3 N—KB3 | N—KB3 | 23 R x P | P—B3 |
| 4 P—K3 | B—N5 | 24 R x R ch | R x R |
| 5 P—KR3 | B—R4 | 25 Q x P | R—B7 |
| 6 B x P | P—K3 | 26 Q—N7 | Resigns |
| 7 N—B3 | P—QR3 | | |
| 8 O—O | N—B3 | | |
| 9 B—K2 | B—Q3 | | |
| 10 P—QN3 | O—O | | |
| 11 B—N2 | Q—K1 | | |
| 12 N—Q2 | B x B | | |
| 13 Q x B | P—K4 | | |
| 14 P—Q5 | N—QN5 | | |
| 15 N—B4 | N/5 x QP | | |
| 16 N x N | N x N | | |
| 17 KR—Q1 | Q—K3 | | |
| 18 N x B | Q x N | | |
| 19 Q—B4 | N—N3* | | |
| 20 Q—K4 | Q—K3 | | |

B. IVKOV

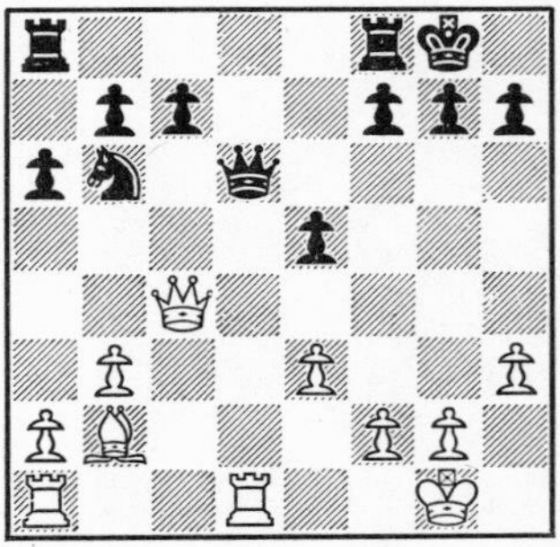

M. NAJDORF

## World Championship Match, Moscow, 1966

Defending Champion Petrosian wins a theoretical battle with one of his famous exchange sacrifices and brings off a delightful, delicate finish.

KING'S INDIAN DEFENSE

| | T. Petrosian *White* | B. Spassky *Black* |
|---|---|---|
| 1 | N—KB3 | N—KB3 |
| 2 | P—KN3 | P—KN3 |
| 3 | P—QB4 | B—N2 |
| 4 | B—N2 | O—O |
| 5 | O—O | N—B3 |
| 6 | N—B3 | P—Q3 |
| 7 | P—Q4 | P—QR3 |
| 8 | P—Q5 | N—QR4 |
| 9 | N—Q2 | P—B4 |
| 10 | Q—B2 | P—K4 |
| 11 | P—N3 | N—N5 |
| 12 | P—K4 | P—B4 |
| 13 | P x P | P x P |
| 14 | N—Q1 | P—N4 |
| 15 | P—B3 | P—K5 |
| 16 | B—N2 | P x P |
| 17 | B x P | B x B |
| 18 | Q x B | N—K4 |
| 19 | B—K2 | P—B5 |
| 20 | NP x P | B—R6 |
| 21 | N—K3 | B x R |
| 22 | R x B | N—N3 |
| 23 | B—N4 | N x KBP |
| 24 | R x N | R x R |
| 25 | B—K6 ch | R—B2 |
| 26 | N—K4 | Q—R5 |
| 27 | N x QP | Q—N4 ch |
| 28 | K—R1 | R/1—R2 |
| 29 | B x R ch | R x B* |
| 30 | Q—R8 ch | Resigns |

B. SPASSKY

T. PETROSIAN

## Soviet Union, 1966

The player of the Black pieces in this game is famed for his ability to defend cramped positions. Here, however, his cramped position is as indefensible as it looks.

ENGLISH OPENING

L. POLUGAYEVSKY V. KORCHNOI

| | *White* | *Black* |
|---|---|---|
| 1 | P—QB4 | P—K3 |
| 2 | N—QB3 | N—KB3 |
| 3 | N—B3 | B—N5 |
| 4 | Q—N3 | P—B4 |
| 5 | P—QR3 | B—R4 |
| 6 | P—N3 | N—B3 |
| 7 | B—N2 | P—Q4 |
| 8 | O—O | B x N |
| 9 | Q x B | P—Q5 |
| 10 | Q—B2 | P—QR4 |
| 11 | P—Q3 | O—O |
| 12 | B—B4 | Q—K2 |
| 13 | N—K5 | N x N |
| 14 | B x N | N—R4 |
| 15 | P—K3 | P—B3 |
| 16 | Q—K2 | P—KN3 |
| 17 | P—KN4 | N—N2 |
| 18 | B—N3 | P—R5 |
| 19 | P x P | P x P |
| 20 | P—B4 | Q—B4 |
| 21 | B—K1 | R—Q1 |
| 22 | B—N4 | Q—B2 |
| 23 | Q—KB2 | R—QN1 |
| 24 | Q—R4 | Q—B2 |
| 25 | QR—K1 | P—N3* |
| 26 | P—KB5 | P—KN4 |
| 27 | P x P | N x P |
| 28 | Q—R6 | N—B5 |
| 29 | R x N | P x R |
| 30 | Q x P/4 | B x P |
| 31 | B—Q5 | Resigns |

V. KORCHNOI

L. POLUGAYEVSKY

## Santa Monica, 1966

Ordinarily, two rooks for a queen is a good trade—but here, Portisch fails to take into account the weakness of his pawns.

NIMZO-INDIAN
DEFENSE

| | L. PORTISCH *White* | R. FISCHER *Black* |
|---|---|---|
| 1 | P—Q4 | N—KB3 |
| 2 | P—QB4 | P—K3 |
| 3 | N—QB3 | B—N5 |
| 4 | P—K3 | P—QN3 |
| 5 | KN—K2 | B—R3 |
| 6 | N—N3 | B x N ch |
| 7 | P x B | P—Q4 |
| 8 | Q—B3 | O—O |
| 9 | P—K4 | P x KP |
| 10 | N x P | N x N |
| 11 | Q x N | Q—Q2 |
| 12 | B—R3 | R—K1 |
| 13 | B—Q3 | P—KB4 |
| 14 | Q x R | N—B3 |
| 15 | Q x R ch | Q x Q |
| 16 | O—O | N—R4 |
| 17 | QR—K1 | B x P |
| 18 | B x B | N x B |
| 19 | B—B1 | P—B4 |
| 20 | P x P | P x P |
| 21 | B—B4 | P—KR3 |
| 22 | R—K2 | P—N4 |
| 23 | B—K5 | Q—Q1 |
| 24 | R/1—K1 | K—B2 |
| 25 | P—KR3 | P—B5 |
| 26 | K—R2 | P—R3 |
| 27 | R—K4 | Q—Q4 |
| 28 | P—KR4* | ...... |
| 28 | ...... | N—K6 |
| 29 | R/1 x N | P x R |
| 30 | R x P | Q x RP |
| 31 | R—B3 ch | K—K1 |
| 32 | B—N7 | Q—B5 |
| 33 | P x P | P x P |
| 34 | R—B8 ch | K—Q2 |
| 35 | R—QR8 | K—B3 |
| | Resigns | |

R. FISCHER

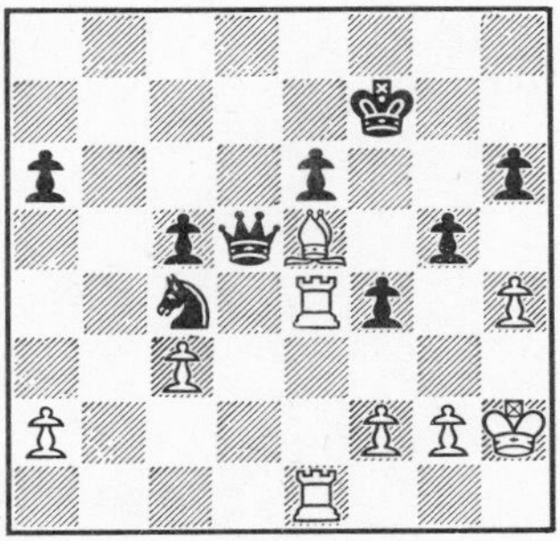

L. PORTISCH

## Santa Monica, 1966

White wins this game in such Petrosian-like style that even the editor can't but wonder if the names were not somehow transposed. Petrosian may have wondered that himself.

KING'S INDIAN
DEFENSE

| L. PORTISCH | T. PETROSIAN | L. PORTISCH | T. PETROSIAN |
|---|---|---|---|
| *White* | *Black* | *White* | *Black* |
| 1 P—QB4 | P—KN3 | 17 P—K3 | R—K1 |
| 2 P—Q4 | B—N2 | 18 N/3—K4 | B—B4 |
| 3 N—KB3 | P—Q3 | 19 B—QB3 | N—QN2 |
| 4 N—B3 | N—KB3 | 20 Q—R4 | P—R4 |
| 5 P—KN3 | O—O | 21 R—N1 | Q—K2 |
| 6 B—N2 | N—B3 | 22 KR—K1 | B—Q2 |
| 7 O—O | P—QR3 | 23 Q—B2 | B—B4 |
| 8 P—Q5 | N—QR4 | 24 Q—R4 | K—B1 |
| 9 N—Q2 | P—B4 | 25 R—N6 | QR—Q1 |
| 10 Q—B2 | R—N1 | 26 Q—N3 | B—B1 |
| 11 P—N3 | P—QN4 | 27 N—B1 | R—Q2 |
| 12 B—N2 | P x P | 28 N/1—N3 | N x N |
| 13 P x P | B—R3 | 29 P x N | B—N2 |
| 14 P—B4 | P—K4 | 30 Q—N2 | P—B4 |
| 15 QR—K1 | P x P | 31 B x B ch | Q x B |
| 16 P x P | N—R4 | 32 N—B6 | Resigns |

## Santa Monica, 1966

The theoretical drawback to the Nimzo-Indian Defense is that Black must often yield the two bishops—but White must know how to use them! Here Reshevsky provides a lesson.

NIMZO-INDIAN DEFENSE

| | S. RESHEVSKY *White* | J. H. DONNER *Black* |
|---|---|---|
| 1 | P—Q4 | N—KB3 |
| 2 | P—QB4 | P—K3 |
| 3 | N—QB3 | B—N5 |
| 4 | P—K3 | P—B4 |
| 5 | B—Q3 | P—Q4 |
| 6 | N—B3 | O—O |
| 7 | O—O | P x BP |
| 8 | B x P | QN—Q2 |
| 9 | B—Q3 | P—QN3 |
| 10 | P—QR3 | P x P |
| 11 | P x P | B x N |
| 12 | P x B | B—N2 |
| 13 | R—K1 | Q—B2 |
| 14 | B—Q2 | KR—K1 |
| 15 | Q—K2 | QR—B1 |
| 16 | QR—B1 | B—Q4 |
| 17 | P—B4 | B—N2 |
| 18 | P—QR4 | Q—B3 |
| 19 | B—B4 | Q x RP |
| 20 | R—R1 | Q—B3 |
| 21 | R x P | R—R1 |
| 22 | R x R | R x R |
| 23 | P—R3 | R—R6 |
| 24 | P—Q5 | P x P |
| 25 | P x P | Q x P |
| 26 | B—B4 | Q—QB4* |
| 27 | B x P ch | K x B |
| 28 | Q—K6 ch | K—N3 |
| 29 | B—Q6 | Q—QR4 |
| 30 | N—K5 ch | N x N |
| 31 | R x N | R—R8 ch |
| 32 | K—R2 | Q—R1 |
| 33 | Q—B5 ch | K—B2 |
| 34 | R—K7 ch | K—N1 |
| 35 | B—K5 | R—K8 |
| 36 | R x P ch | Resigns |

J. H. DONNER

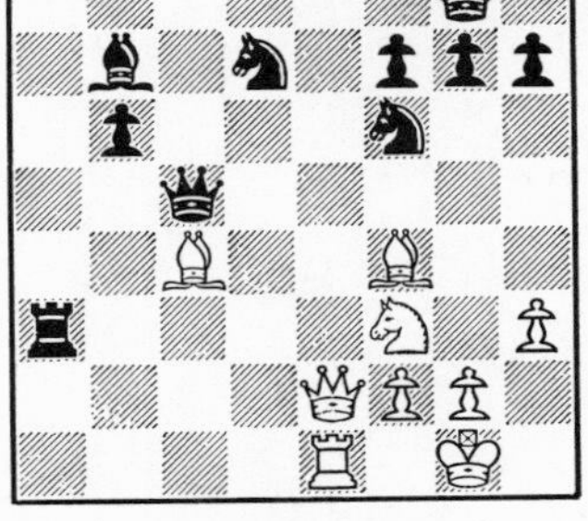

S. RESHEVSKY

## New York, 1966

In this game, the table of relative values goes out the window, as a queen and rook are "sacked" with impunity.

FRENCH DEFENSE

| | I. Richmond *White* | D. Shapiro *Black* |
|---|---|---|
| 1 | P—K4 | P—K3 |
| 2 | P—Q4 | P—Q4 |
| 3 | N—QB3 | B—N5 |
| 4 | P—K5 | P—QB4 |
| 5 | P—QR3 | B x N ch |
| 6 | P x B | Q—B2 |
| 7 | N—K2 | N—QB3 |
| 8 | P—QR4 | P x P |
| 9 | P x P | N/1—K2 |
| 10 | B—R3 | B—Q2 |
| 11 | P—QB3 | N—B4 |
| 12 | N—N3 | N x N |
| 13 | RP x N | N—R4 |
| 14 | Q—B2 | R—QB1 |
| 15 | B—N4 | P—KR3 |
| 16 | P—N4 | N—B3 |
| 17 | Q—Q2 | N—R4 |
| 18 | Q—N5 | N—B3 |
| 19 | B—Q6 | Q—R4 |
| 20 | R—B1 | R—R2* |
| 21 | R x P | R x R |
| 22 | Q x P | K—Q1 |
| 23 | Q—N5 ch | P—B3 |
| 24 | P x P | B—K1 |
| 25 | P—B7 ch | K—Q2 |
| 26 | P—B8/Q | R—N3 |
| 27 | Q/5—K7 | N x Q |
| 28 | Q x N ch | K—B3 |
| 29 | B—N5 ch | Q x B |
| 30 | P x Q ch | K x P |
| 31 | Q x P ch | K—B5 |
| 32 | Q x R ch | K—Q6 |
| 33 | Q—R6 ch | K—K5 |
| 34 | Q—K2 mate | |

D. SHAPIRO

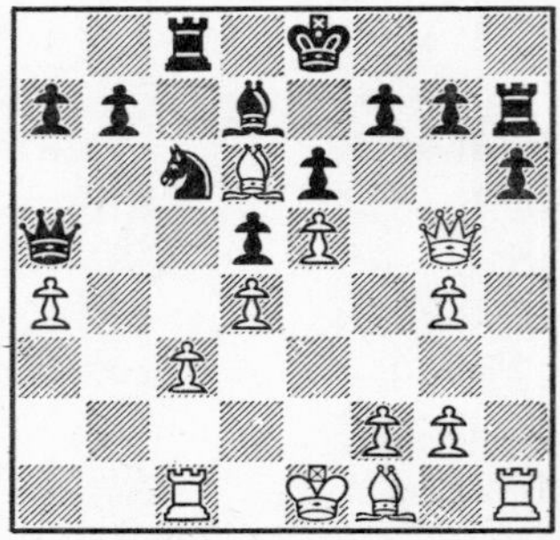

I. RICHMOND

## France, 1966

The little-known French master P. Rolland brings more than a heroic name to his battles with foreign grandmasters; here he beats a good tactician in a good tactical game.

RUY LOPEZ

P. Rolland — Dr. A. Dueckstein

| | White | Black |
|---|---|---|
| 1 | P—K4 | P—K4 |
| 2 | N—KB3 | N—QB3 |
| 3 | B—N5 | P—B4 |
| 4 | N—B3 | P x P |
| 5 | QN x P | P—Q4 |
| 6 | N x P | P x N |
| 7 | N x N | P x N |
| 8 | B x P ch | B—Q2 |
| 9 | Q—R5 ch | K—K2 |
| 10 | Q—K5 ch | B—K3 |
| 11 | P—KB4 | P x P e.p. |
| 12 | P—Q4 | N—B3 |
| 13 | P—Q5 | N x P |
| 14 | B—N5 ch | N—B3 |
| 15 | R—Q1 | Q—B1 |
| 16 | B x R | Q x B |
| 17 | O—O | K—B2 |
| 18 | R x P | B—K2 |
| 19 | B x N | P x B |
| 20 | Q—R5 ch | K—N2 |
| 21 | R—K1 | Q—B3 |
| 22 | R—QB3 | Q—N3 ch |
| 23 | K—R1 | R—Q1 |
| 24 | R/3—K3 | R—Q3 |
| 25 | R—N3 ch | K—B1 |
| 26 | Q x P | K—K1 |
| 27 | R—N7 | B—KB1 |
| 28 | Q—N6 ch | K—Q1 |
| 29 | Q x P ch | K—B1 |
| 30 | Q x B/8 ch | K—N2 |
| 31 | P—KR3 | B—Q4 |
| 32 | R—K8 | K—B3 |
| 33 | R/8—K7 | K—N4 |
| 34 | Q—B1 ch | B—B5 |
| 35 | P—QR4 ch | K—N5 |
| 36 | R—N4 | R—Q5 |
| 37 | R x R | Q x R |
| 38 | P—B3 ch | Resigns |

## U.S. Championship, 1966

White concentrates all his forces on a strong queen-side attack, but proves surprisingly helpless when Black counters on the other wing.

GRUENFELD DEFENSE

| DR. A. SAIDY *White* | L. EVANS *Black* | DR. A. SAIDY *White* | L. EVANS *Black* |
|---|---|---|---|
| 1 P—Q4 | N—KB3 | 18 P—Q6 | B—Q2 |
| 2 P—QB4 | P—KN3 | 19 N—Q5 | Q—B4 |
| 3 N—QB3 | P—Q4 | 20 N/Q—B7 | QR—B1 |
| 4 P x P | N x P | 21 R—Q5 | Q—N3 |
| 5 P—KN3 | B—N2 | 22 P—R5 | N x RP |
| 6 B—N2 | N—N3 | 23 Q—R2 | N—N5 |
| 7 P—K3 | O—O | 24 Q x N | Q x P ch |
| 8 KN—K2 | P—K4 | 25 K—R1 | P—K6 |
| 9 P—Q5 | P—QB3 | 26 P—R3 | P—B5 |
| 10 P—K4 | P x P | 27 P x P | R x P |
| 11 P x P | P—B4 | 28 B x KP | N x B |
| 12 O—O | N/1—Q2 | 29 R—Q2 | Q—N6 |
| 13 P—QR4 | P—K5 | 30 N—Q5 | N x N |
| 14 N—B4 | N—K4 | 31 R x N | R—KB7 |
| 15 Q—N3 | K—R1 | 32 R—KN1 | R x B |
| 16 R—Q1 | N/3—B5 | Forfeits | |
| 17 N—N5 | Q—N3 | | |

## New York, 1966

It is an old chess saying that "he who takes the queen-knight-pawn with the queen sleeps in the street." White learns that to refrain for a move or so doesn't guarantee a warm bed.

QUEEN'S GAMBIT

| E. Shapiro | W. Browne | E. Shapiro | W. Browne |
|---|---|---|---|
| *White* | *Black* | *White* | *Black* |
| 1 P—Q4 | P—Q4 | 22 B x N | Q x KB |
| 2 P—QB4 | P x P | 23 Q x Q | N x Q |
| 3 N—KB3 | N—KB3 | 24 K—K2 | N x P ch |
| 4 P—K3 | B—N5 | 25 K—K3 | R—Q6 ch |
| 5 B x P | P—K3 | 26 K x N | R—B5 ch |
| 6 Q—N3 | B x N | 27 B—Q4 | R/5 x B ch |
| 7 P x B | P—B4 | 28 K—K5 | R—Q4 ch |
| 8 N—B3 | P x P | Resigns | |
| 9 Q x P | QN—Q2 | | |
| 10 P x P | B—Q3 | | |
| 11 R—KN1 | O—O | | |
| 12 B—KR6 | N—R4 | | |
| 13 Q—K4 | QN—B3 | | |
| 14 Q—R4 | K—R1 | | |
| 15 B—K3 | B—N5 | | |
| 16 R—QB1 | R—B1 | | |
| 17 B—K2 | P—KR3 | | |
| 18 P—B4 | Q—R4 | | |
| 19 B—Q2 | KR—Q1 | | |
| 20 P—QR3 | B x N | | |
| 21 B x B* | ...... | | |
| 21 ...... | R x P | | |

W. BROWNE

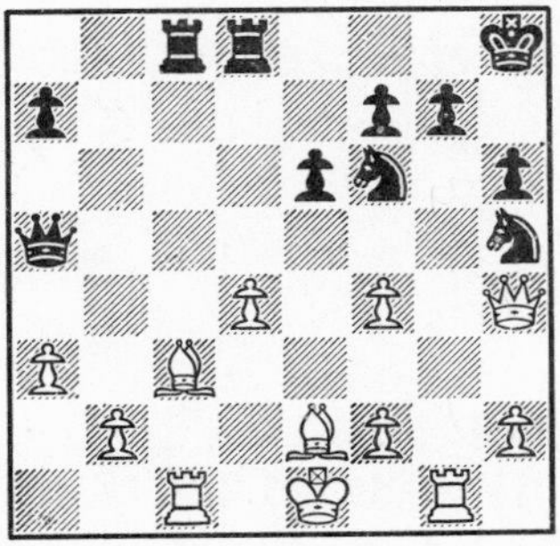

E. SHAPIRO

## Santa Monica, 1966

With this impressive last-round victory, Spassky clinches first prize.

RUY LOPEZ

| | B. SPASSKY *White* | J. H. DONNER *Black* |
|---|---|---|
| 1 | P—K4 | P—K4 |
| 2 | N—KB3 | N—QB3 |
| 3 | B—N5 | P—QR3 |
| 4 | B—R4 | N—B3 |
| 5 | Q—K2 | P—QN4 |
| 6 | B—N3 | B—K2 |
| 7 | O—O | O—O |
| 8 | P—B3 | P—Q4 |
| 9 | P—Q3 | P—Q5 |
| 10 | R—Q1 | B—K3 |
| 11 | QN—Q2 | R—K1 |
| 12 | B x B | P x B |
| 13 | N—N3 | P x P |
| 14 | P x P | B—Q3 |
| 15 | P—Q4 | N—Q2 |
| 16 | B—N5 | Q—B1 |
| 17 | P—B4 | N x P |
| 18 | QN x N | P x N |
| 19 | P—K5 | B—B1 |
| 20 | R x P | P—B3 |
| 21 | R—R4 | B—K2 |
| 22 | B x B | R x B |
| 23 | N—N5 | P—R3 |
| 24 | N—K4 | Q—B2 |
| 25 | N—Q6 | R—Q1 |
| 26 | R—Q1 | Q—N3 |
| 27 | R/4—Q4 | R—KB1 |
| 28 | K—R1 | Q—B4 |
| 29 | P—B4 | N—N3 |
| 30 | N—K4 | Q—R6* |
| 31 | Q—N4 | P x P |
| 32 | N—B6 ch | K—R1 |
| 33 | R—Q8 | R—QB2 |
| 34 | Q—N6 | P x N |
| 35 | Q x BP ch | Resigns |

J. H. DONNER

B. SPASSKY

## Amsterdam, 1966

A bomb burst in 22 NxP and it is over.

FIANCHETTO DEL RE
DEFENSE

| L. Szabo *White* | J. T. Barendregt *Black* | L. Szabo *White* | J. T. Barendregt *Black* |
|---|---|---|---|
| 1 N—KB3 | P—KN3 | 19 B—K6 | P—B4 |
| 2 P—Q4 | B—N2 | 20 B—Q2 | P—R3 |
| 3 P—B4 | P—Q3 | 21 N—K2 | P—N4* |
| 4 N—B3 | B—N5 | 22 N x P | Resigns |
| 5 P—K3 | N—QB3 | | |
| 6 P—KR3 | B x N | | |
| 7 Q x B | P—K4 | | |
| 8 P—Q5 | QN—K2 | | |
| 9 P—KN4 | P—KB4 | | |
| 10 P—K4 | P—B5 | | |
| 11 P—N5 | P—KR3 | | |
| 12 P—KR4 | N—B1 | | |
| 13 R—KN1 | P x P | | |
| 14 P x P | Q—Q2 | | |
| 15 R—R1 | R x R | | |
| 16 Q x R | K—B1 | | |
| 17 Q—R7 | KN—K2 | | |
| 18 B—R3 | Q—Q1 | | |

J. T. BARENDREGT

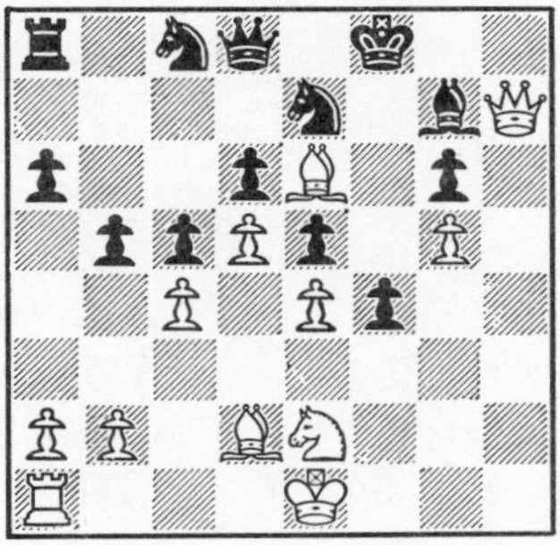

L. SZABO

## Holland, 1966

White obligingly opens a file, so that Black may come calling.

SICILIAN DEFENSE

| | L. SZABO<br>*White* | M. BOTVINNIK<br>*Black* |
|---|---|---|
| 1 | P—QB4 | P—QB4 |
| 2 | N—QB3 | P—KN3 |
| 3 | N—B3 | B—N2 |
| 4 | P—Q4 | P x P |
| 5 | N x P | N—QB3 |
| 6 | N—B2 | P—Q3 |
| 7 | P—K4 | N—R3 |
| 8 | P—KR4 | P—B4 |
| 9 | P—R5 | P x KP |
| 10 | P x P | P x P |
| 11 | N x P | B—B4 |
| 12 | N—B3 | Q—R4 |
| 13 | B—Q2 | Q—K4 ch |
| 14 | N—K3 | O—O—O |
| 15 | Q—R4 | N—KN5 |
| 16 | R x R | R x R |
| 17 | Q—N5 | Q—B5 |
| 18 | QN—Q1 | N—Q5 |
| 19 | Q—R5 | R—R8 |
| 20 | R—B1* | ...... |
| 20 | ...... | N—K4 |
| 21 | Q—B7 ch | K x Q |
| 22 | N—Q5 ch | K—Q2 |
| 23 | N x Q | P—KN4 |
| | Resigns | |

M. BOTVINNIK

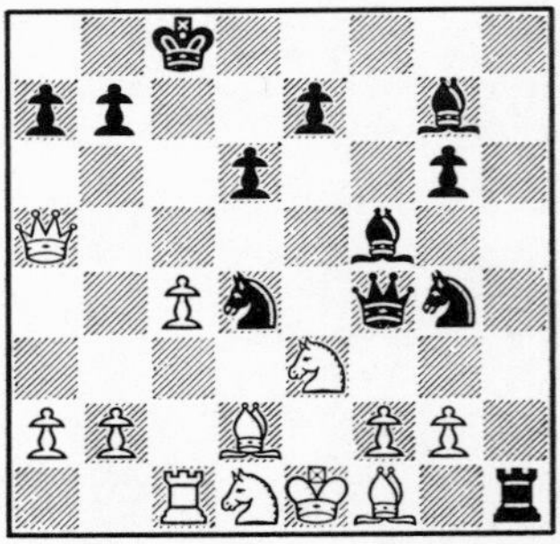

L. SZABO

## Yugoslavia, 1966

Tal for once chooses a quiet opening, but his will-to-combine cannot be restrained for very long.

RETI OPENING

| M. TAL *White* | L. PACHMAN *Black* |
|---|---|
| 1 N—KB3 | P—Q4 |
| 2 P—B4 | P—K3 |
| 3 P—KN3 | N—KB3 |
| 4 B—N2 | B—K2 |
| 5 O—O | O—O |
| 6 P—N3 | P—B4 |
| 7 B—N2 | N—B3 |
| 8 P x P | P x P |
| 9 P—Q4 | N—K5 |
| 10 QN—Q2 | B—B3 |
| 11 N x N | P x N |
| 12 N—Q2 | B x P |
| 13 B x B | P x B |
| 14 N x P | R—K1 |
| 15 Q—Q2 | B—B4 |
| 16 N—B5 | Q—K2 |
| 17 QR—B1 | QR—B1 |
| 18 Q—B4 | B—N3 |
| 19 KR—Q1 | P—N3 |
| 20 N—R6 | Q x P |
| 21 N—B7 | KR—K2* |
| 22 B—B3 | Q x R ch |
| 23 R x Q | R/2 x N |
| 24 R—QB1 | P—KR4 |
| 25 K—N2 | Resigns |

L. PACHMAN

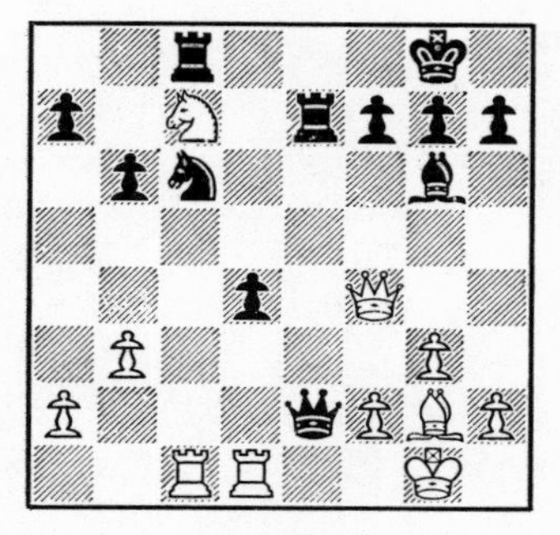

M. TAL

## Soviet Union, 1966

Veteran Vladias Mikenas, now well over sixty, wins with all the reckless daring of his youth, when he was called Mickey Mouse.

RETI OPENING

| | Uusi *White* | V. Mikenas *Black* |
|---|---|---|
| 1 | N—KB3 | P—Q4 |
| 2 | P—K3 | N—KB3 |
| 3 | P—QN3 | B—B4 |
| 4 | B—N2 | P—K3 |
| 5 | B—K2 | P—KR3 |
| 6 | O—O | QN—Q2 |
| 7 | P—B4 | B—Q3 |
| 8 | N—B3 | P—B3 |
| 9 | P—Q3 | Q—K2 |
| 10 | R—K1 | O—O |
| 11 | P—KR3 | QR—Q1 |
| 12 | B—KB1 | B—R2 |
| 13 | P—R3 | B—N1 |
| 14 | P—Q4 | P x P |
| 15 | P x P | P—K4 |
| 16 | Q—N3 | P—QN3 |
| 17 | QR—Q1 | P—K5 |
| 18 | N—Q2 | B—B4 |
| 19 | P—N3 | P—KR4 |
| 20 | B—N2 | KR—K1 |
| 21 | P—QR4 | N—B1 |
| 22 | P—R5 | P—R5 |
| 23 | N—B1 | Q—Q2 |
| 24 | K—R2 | N—N3 |
| 25 | RP x P | QRP x P |
| 26 | N—R4 | N—R4 |
| 27 | N x P | P x P ch |
| 28 | P x P | B x P ch |
| 29 | K—N1 | Q—B2 |
| 30 | R—K2 | N—R5 |
| 31 | P—Q5 | N—B6 ch |
| 32 | K—R1 | B—R5 |
| 33 | B x N | P x B |
| 34 | R/2—Q2 | N—N6 ch |
| 35 | N x N | Q x N |
| 36 | R—KN1 | P—B7 |
| 37 | R x Q | P—B8/Q ch |
| 38 | K—R2 | B x R ch |
| 39 | K x B | Q—K8 ch |
| 40 | K—B4 | Q x R |
| 41 | K x B | R x KP |
| | Resigns | |

## Yugoslav Championship, 1966

A knight sacrifice in the opening, likely justified by midnight oil, tears down Black's pawn front and exposes his king to mate.

SICILIAN DEFENSE

| VELIMIROVICH *White* | SOFREVSKI *Black* | VELIMIROVICH *White* | SOFREVSKI *Black* |
|---|---|---|---|
| 1 P—K4 | P—QB4 | 14 N—B5 | P x N |
| 2 N—KB3 | N—QB3 | 15 N—Q5 | Q—Q1 |
| 3 P—Q4 | P x P | 16 P x P | ...... |
| 4 N x P | P—K3 | 16 ...... | O—O |
| 5 N—QB3 | P—Q3 | 17 P—B6 | P x P |
| 6 B—K3 | N—B3 | 18 B—Q4 | N—K4 |
| 7 B—QB4 | B—K2 | 19 P x P | B x P |
| 8 Q—K2 | P—QR3 | 20 KR—N1 ch | B—N2 |
| 9 O—O—O | Q—B2 | 21 B x N | P x B |
| 10 B—N3 | N—QR4 | 22 Q x P | P—B3 |
| 11 P—N4 | P—QN4 | 23 N—K7 ch | K—B2 |
| 12 P—N5 | N x B ch | 24 Q—R5 ch | Resigns |
| 13 RP x N | N—Q2 | | |

## Titograd, 1966

White sacrifices a piece in exchange, it seems, for only a square (Q5). The result vindicates his judgment.

SICILIAN DEFENSE

| | VELIMIROVICH *White* | SOFREVSKI *Black* |
|---|---|---|
| 1 | P—K4 | P—QB4 |
| 2 | N—KB3 | N—QB3 |
| 3 | P—Q4 | P x P |
| 4 | N x P | P—K3 |
| 5 | N—QB3 | P—Q3 |
| 6 | B—K3 | N—B3 |
| 7 | B—QB4 | B—K2 |
| 8 | Q—K2 | P—QR3 |
| 9 | O—O—O | Q—B2 |
| 10 | B—N3 | N—QR4 |
| 11 | P—N4 | P—QN4 |
| 12 | P—N5 | N x B ch |
| 13 | RP x N | N—Q2* |
| 14 | N—B5 | P x N |
| 15 | N—Q5 | Q—Q1 |
| 16 | P x P | O—O |
| 17 | P—B6 | P x P |
| 18 | B—Q4 | N—K4 |
| 19 | P x P | B x P |
| 20 | KR—N1 ch | B—N2 |
| 21 | B x N | P x B |
| 22 | Q x KP | P—B3 |
| 23 | N—K7 ch | K—B2 |
| 24 | Q—R5 ch | Resigns |

SOFREVSKI

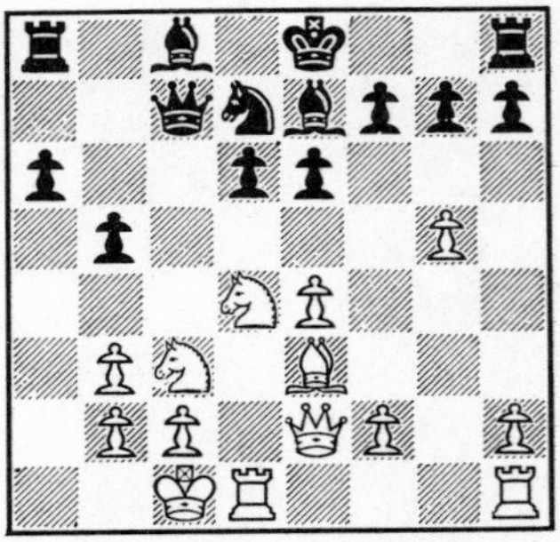

VELIMIROVICH

## Belgrade, 1966

An opening Bishop immolation spells *finis* in the early midgame.

PHILIDOR DEFENSE

| D. VELIMIROVICH | L. KAVALEK | D. VELIMIROVICH | L. KAVALEK |
|---|---|---|---|
| *White* | *Black* | *White* | *Black* |
| 1 P—K4 | P—Q3 | 19 Q x P | N—N3 |
| 2 P—Q4 | N—KB3 | 20 B x B | N—R4 |
| 3 N—QB3 | P—K4 | 21 B—K7 ch | K—B2 |
| 4 N—B3 | QN—Q2 | 22 B—Q6 ch | K—B3 |
| 5 B—QB4 | B—K2 | 23 Q—B7 | K—N4 |
| 6 O—O | P—B3 | 24 P—R6 | P x P |
| 7 P—QR4 | Q—B2 | 25 Q—Q5 ch | K—N3 |
| 8 Q—K2 | N—N3 | 26 P—QB4 | Q—B3 |
| 9 P x P | P x P | 27 Q—R5 ch | K—N2 |
| 10 B x P ch | K x B | 28 B—B5 | QR—QB1 |
| 11 P—R5 | QN—Q2 | 29 P—N4 | KR—Q1 |
| 12 Q—B4 ch | K—K1 | 30 N—B7 | R—KN1 |
| 13 N—N5 | N—B1 | 31 R—Q6 | N/N—B5 |
| 14 R—Q1 | B—Q2 | 32 R x Q | R x P ch |
| 15 B—K3 | Q—B1 | 33 K—B1 | R x R |
| 16 Q—B7 ch | K—Q1 | 34 N—Q8 ch | K—B1 |
| 17 N—R4 | P—B4 | 35 N x R | B x N |
| 18 N x BP | B x N | 36 B—Q6 | Resigns |

## Connecticut, 1966

Black's queen, committed to defend a critical square, is subjected to all manner of amusing indignities.

CENTER COUNTER
DEFENSE

B. ZUCKERMAN
E. MCCORMICK

| | *White* | *Black* |
|---|---|---|
| 1 | P—K4 | P—Q4 |
| 2 | P x P | N—KB3 |
| 3 | P—Q4 | N x P |
| 4 | N—KB3 | P—KN3 |
| 5 | P—B4 | N—N3 |
| 6 | N—B3 | B—N2 |
| 7 | P—KR3 | N—B3 |
| 8 | B—K3 | P—K4 |
| 9 | P—Q5 | N—K2 |
| 10 | Q—Q2 | N—B4 |
| 11 | B—B5 | P—QB3 |
| 12 | P—KN4 | N—R5 |
| 13 | N x N | Q x N |
| 14 | P x P | P x P |
| 15 | N—K4 | B—B1 |
| 16 | N—Q6 ch | B x N |
| 17 | Q x B | N—Q2 |
| 18 | B—N2 | B—N2 |
| 19 | O—O—O | R—Q1 |
| 20 | KR—K1 | Q—N4 ch* |
| 21 | P—B4 | Q x P ch |
| 22 | K—N1 | Q—N4 |
| 23 | P—KR4 | N x B |
| 24 | B x P ch | Resigns |

E. MC CORMICK

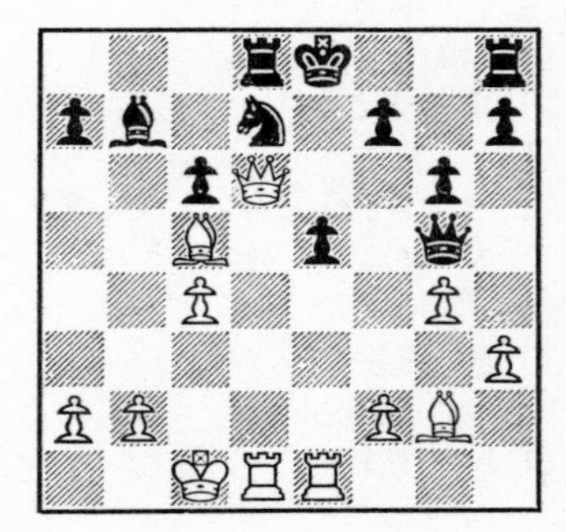

B. ZUCKERMAN

## Louisiana, 1967

White's brilliancy was achieved while playing a hundred fourteen games simultaneously at the State Fair and winning them all.

SLAV DEFENSE

| | J. Acers *White* | Peake *Black* |
|---|---|---|
| 1 | P—Q4 | P—Q4 |
| 2 | P—QB4 | P—QB3 |
| 3 | P x P | P x P |
| 4 | N—QB3 | P—K3 |
| 5 | N—B3 | B—K2 |
| 6 | B—B4 | N—KB3 |
| 7 | P—K3 | O—O |
| 8 | B—Q3 | N—B3 |
| 9 | O—O | B—Q2 |
| 10 | R—B1 | R—B1 |
| 11 | P—QR3 | P—QR3 |
| 12 | N—QR4 | P—QN4 |
| 13 | N—B5 | B x N |
| 14 | R x B | N—K2 |
| 15 | B—N5 | R x R |
| 16 | B x N | R—B2 |
| 17 | B x P ch | K x B |
| 18 | N—N5 ch | K—R3 |
| 19 | Q—N4 | P x B |
| 20 | Q—R4 ch | K—N3 |
| 21 | Q—R7 ch | K x N |
| 22 | P—B4 ch | K—N5 |
| 23 | Q—R3 mate | |

## Budva, 1967

Tal's tactical mishmash and acrobatic somersaults do not allay White's forceful invasion.

BENONI DEFENSE

| E. Bukich *White* | M. Tal *Black* | E. Bukich *White* | M. Tal *Black* |
|---|---|---|---|
| 1 P—Q4 | N—KB3 | 21 N/B—Q1 | N—K1 |
| 2 P—QB4 | P—B4 | 22 R—N3 | Q—Q5 |
| 3 P—Q5 | P—K3 | 23 N—B2 | K—R1 |
| 4 N—QB3 | P x P | 24 B—B3 | Q x BP |
| 5 P x P | P—Q3 | 25 N—R3 | Q—R5 |
| 6 P—K4 | P—KN3 | 26 R—KB1 | B—Q5 |
| 7 N—B3 | B—N2 | 27 R—B4 | Q—B3 |
| 8 B—K2 | O—O | 28 B x B | P x B |
| 9 O—O | R—K1 | 29 N x P | N x N |
| 10 N—Q2 | N—R3 | 30 B x N | R—QB1 |
| 11 P—B3 | N—B2 | 31 Q x R | B x Q |
| 12 P—QR4 | N—Q2 | 32 B x B | R—K8 ch |
| 13 N—B4 | N—K4 | 33 K—B2 | Q—K2 |
| 14 N—K3 | P—B4 | 34 B—K6 | R x B |
| 15 P—B4 | N—B2 | 35 P x R | N—B3 |
| 16 P x P | P x P | 36 R/3—KB3 | N—N1 |
| 17 B—Q3 | Q—B3 | 37 R—B7 | Q—R5 ch |
| 18 R—B3 | B—Q2 | 38 R—KN3 | P—Q6 |
| 19 Q—B2 | N—KR3 | 39 R—B8 | Q—Q5 ch |
| 20 B—Q2 | R—K2 | 40 K—B1 | Resigns |

## Skopje, 1967

Fischer had to win this last-round game to insure his winning the tournament. This victory completed five points in the five last games for him.

SICILIAN DEFENSE

| R. J. Fischer *White* | J. Sofrevsky *Black* | R. J. Fischer *White* | J. Sofrevsky *Black* |
|---|---|---|---|
| 1 P—K4 | P—QB4 | 11 B x N | B—Q2 |
| 2 N—KB3 | P—Q3 | 12 K—N1 | QR—Q1 |
| 3 P—Q4 | P x P | 13 Q—K3 | P—QN3 |
| 4 N x P | N—KB3 | 14 B x N | P x B |
| 5 N—QB3 | N—B3 | 15 N—Q5 | KR—K1 |
| 6 B—QB4 | P—K3 | 16 N x B ch | R x N |
| 7 B—N3 | B—K2 | 17 R x P | R—QB1 |
| 8 B—K3 | O—O | 18 Q—Q4 | B—K1 |
| 9 Q—K2 | Q—R4 | 19 Q x BP | Resigns |
| 10 O—O—O | N x N | | |

## Interzonal, Sousse, 1967

White exploits a bad position based on a displaced knight and winds up with a diabolical coup.

FRENCH DEFENSE

R. J. FISCHER L. MYAGMARSUREN

| | White | Black |
|---|---|---|
| 1 | P—K4 | P—K3 |
| 2 | P—Q3 | P—Q4 |
| 3 | N—Q2 | N—KB3 |
| 4 | P—KN3 | P—B4 |
| 5 | B—N2 | N—B3 |
| 6 | KN—B3 | B—K2 |
| 7 | O—O | O—O |
| 8 | P—K5 | N—Q2 |
| 9 | R—K1 | P—QN4 |
| 10 | N—B1 | P—N5 |
| 11 | P—KR4 | P—QR4 |
| 12 | B—B4 | P—R5 |
| 13 | P—R3 | P x P |
| 14 | P x P | N—R4 |
| 15 | N—K3 | B—R3 |
| 16 | B—R3 | P—Q5 |
| 17 | N—B1 | N—N3 |
| 18 | N—N5 | N—Q4 |
| 19 | B—Q2 | B x N |
| 20 | B x B | Q—Q2 |
| 21 | Q—R5 | KR—B1 |
| 22 | N—Q2 | N—B6 |
| 23 | B—B6 | Q—K1 |
| 24 | N—K4 | P—N3 |
| 25 | Q—N5 | N x N |
| 26 | R x N | P—B5 |
| 27 | P—R5 | P x QP |
| 28 | R—R4 | R—R2 |
| 29 | B—N2 | P x BP |
| 30 | Q—R6 | Q—B1 |
| 31 | Q x RP ch | Resigns |

## 34th U.S.S.R. Championship, 1967

Black's irregular defense breaches his king-side and pawn-front, and White infiltrates the open holes leading to Black's monarch.

SICILIAN DEFENSE

| GURGENIDZE *White* | LEIN *Black* |
|---|---|
| 1 P—K4 | P—QB4 |
| 2 N—KB3 | N—KB3 |
| 3 P—K5 | N—Q4 |
| 4 N—B3 | N x N |
| 5 QP x N | Q—B2 |
| 6 B—KB4 | N—B3 |
| 7 B—B4 | P—K3 |
| 8 O—O | P—QN3 |
| 9 R—K1 | P—B4 |
| 10 N—R4 | P—N3 |
| 11 N x BP* | ...... |
| 11 ...... | N—R4 |
| 12 B—Q5 | B—N2 |
| 13 N—Q6 ch | B x N |
| 14 P x B | Q—B1 |
| 15 B—R6 | R—KN1 |
| 16 Q—B3 | B x B |
| 17 Q x B | N—B3 |
| 18 QR—Q1 | N—Q1 |
| 19 Q—N5 | N—B3 |
| 20 Q—B6 | P—KN4 |
| 21 R—K5 | Resigns |

LEIN

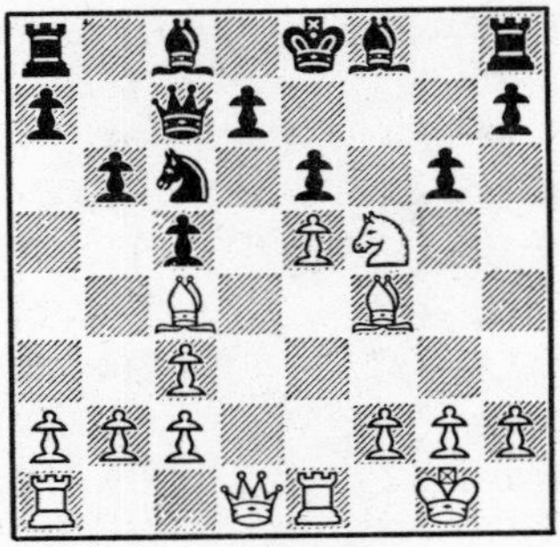

GURGENIDZE

## Skopje, 1967

Fischer, as Black, had to play for a win to be sure of an eventual first place. Kholmov, who could be content to draw, proceeded inconsistently in active counterplay—as a result, defeat for the Soviet star.

KING'S INDIAN DEFENSE

| R. KHOLMOV *White* | R. J. FISCHER *Black* | R. KHOLMOV *White* | R. J. FISCHER *Black* |
|---|---|---|---|
| 1 P—Q4 | N—KB3 | 18 Q—K2 | R x R |
| 2 N—KB3 | P—KN3 | 19 Q x R | B—B1 |
| 3 P—KN3 | B—N2 | 20 N—Q2 | Q—R6 |
| 4 B—N2 | O—O | 21 N—B4 | Q—B4 |
| 5 O—O | P—Q3 | 22 B—B1 | P—QN4 |
| 6 N—B3 | QN—Q2 | 23 N—Q2 | Q—R6 |
| 7 P—N3 | P—K4 | 24 N—N3 | N—B4 |
| 8 P x P | P x P | 25 B x P | P x B |
| 9 P—K4 | R—K1 | 26 N x P | Q—R5 |
| 10 B—QR3 | P—B3 | 27 N x N | Q x B |
| 11 B—Q6 | Q—R4 | 28 Q—Q5 | R—N1 |
| 12 Q—Q3 | R—K3 | 29 P—QR4 | B—R6 |
| 13 P—QN4 | Q—R6 | 30 Q x KP | R—B1 |
| 14 B—B7 | Q x NP | 31 N—Q3 | Q x P |
| 15 QR—N1 | Q—K2 | 32 N—K1 | P—QR3 |
| 16 KR—Q1 | N—K1 | Resigns | |
| 17 B—R5 | R—Q3 | | |

## Petrovsk on the Dnieper, 1967

The defense after a bit of sparring is punch-drunk.

| KOSIKOV<br>*White* | HURSUDOV<br>*Black* |
|---|---|
| 1 P—K4 | P—KN3 |
| 2 P—Q4 | B—N2 |
| 3 N—QB3 | P—Q3 |
| 4 B—K3 | N—KB3 |
| 5 P—B3 | O—O |
| 6 Q—Q2 | P—B3 |
| 7 O—O—O | P—QN4 |
| 8 K—N1 | R—K1 |
| 9 P—KN4 | Q—R4 |
| 10 P—KR4 | P—K4 |
| 11 P—R5 | KN—Q2 |
| 12 RP x P | BP x P |
| 13 P x P | P x P* |
| 14 N x P | Q x Q |
| 15 B—QB4 ch | Q—Q4 |
| 16 R x Q | P x N |
| 17 R x KP ch | K—B1 |
| 18 R x R ch | K x R |
| 19 B—Q5 | Resigns |

HURSUDOV

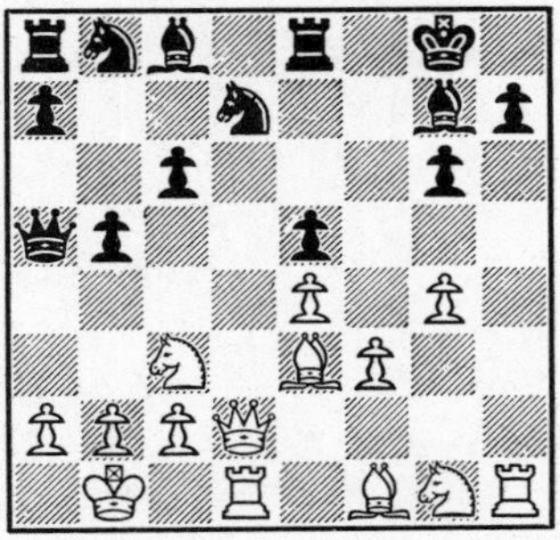

KOSIKOV

## Sousse, 1967

A bishop "sack" clears the path for two median passed pawns that sweep their way to glory.

KING'S INDIAN
DEFENSE

| | RESHEVSKY *White* | R. BYRNE *Black* |
|---|---|---|
| 1 | P—Q4 | N—KB3 |
| 2 | P—QB4 | P—KN3 |
| 3 | N—QB3 | B—N2 |
| 4 | P—K4 | P—Q3 |
| 5 | B—K2 | O—O |
| 6 | N—B3 | P—K4 |
| 7 | B—K3 | QN—Q2 |
| 8 | O—O | N—N5 |
| 9 | B—N5 | P—B3 |
| 10 | B—Q2 | P—B3 |
| 11 | P—KR3 | N—R3 |
| 12 | P—QN4 | P—KB4 |
| 13 | B—N5 | Q—K1 |
| 14 | P—Q5 | N—B2 |
| 15 | B—B1 | N—B3 |
| 16 | N—KN5 | N x N |
| 17 | B x N | P—KR3 |
| 18 | B x N | R x B |
| 19 | QP x P | Q x P |
| 20 | R—B1 | B—K3 |
| 21 | P—B5 | P x P |
| 22 | N—Q5 | B x N |
| 23 | P x B | Q—K1 |
| 24 | P x P | P—K5 |
| 25 | Q—N3 | R—N1 |
| 26 | P—Q6 ch | K—R2 |
| 27 | KR—Q1 | R—KB1 |
| 28 | B—N5 | Q—K4 |
| 29 | P—Q7 | P—KR4 |
| 30 | R—Q6 | P—K6 |
| 31 | R/1—Q1 | QR—Q1 |
| 32 | Q—K6 | Q x Q |
| 33 | R x Q | B—B3* |
| 34 | B—R6 | P x B |
| 35 | P—B6 | K—N2 |
| 36 | P—B7 | K—B2 |
| 37 | R—B6 | R—B1 |
| 38 | R x B ch | Resigns |

R. BYRNE

RESHEVSKY

## Puerto Rico Open, 1967

An echo of the past. The final picture resembles the famous Lewitzky—Marshall masterpiece, though the clincher is crystal clear and the moves leading to the denouement well deserve the approbation of negative immortality.

GIUOCO PIANO

| ROSSOLIMO *White* | REISSMAN *Black* | ROSSOLIMO *White* | REISSMAN *Black* |
|---|---|---|---|
| 1 P—K4 | P—K4 | 20 R—R3 | N—K3 |
| 2 N—KB3 | N—QB3 | 21 B x N | P x B |
| 3 B—B4 | B—B4 | 22 N—B6 ch | K—R1* |
| 4 P—B3 | N—B3 | 23 Q—N6 | Q—B7 |
| 5 P—Q4 | P x P | 24 R—R3 | Resigns |
| 6 P x P | B—N5 ch | | |
| 7 B—Q2 | B x B ch | | |
| 8 QN x B | P—Q4 | | |
| 9 P x P | KN x P | | |
| 10 Q—N3 | N/3—K2 | | |
| 11 O—O | P—QB3 | | |
| 12 KR—K1 | O—O | | |
| 13 P—QR4 | P—QN3 | | |
| 14 N—K5 | B—N2 | | |
| 15 P—R5 | R—B1 | | |
| 16 N—K4 | Q—B2 | | |
| 17 P—R6 | B—R1 | | |
| 18 Q—KR3 | N—B5 | | |
| 19 Q—N4 | N/2—Q4 | | |

REISSMAN

ROSSOLIMO

## Winnipeg, 1967

The Canadian wins the brilliancy prize when White, his vision clouded by an assurance of the new queen, blunders.

KING'S INDIAN
DEFENSE

| L. Szabo *White* | D. A. Yanofsky *Black* | L. Szabo *White* | D. A. Yanofsky *Black* |
|---|---|---|---|
| 1 P—Q4 | N—KB3 | 21 N—B2 | N—R6 ch |
| 2 P—QB4 | P—KN3 | 22 N x N | B x B ch |
| 3 N—QB3 | B—N2 | 23 K—R1 | B x N |
| 4 P—K4 | P—Q3 | 24 P x B | Q—Q2 |
| 5 KN—K2 | O—O | 25 K—N2 | K—N2 |
| 6 N—N3 | P—K4 | 26 R—N4 | QR—N1 |
| 7 P—Q5 | P—B3 | 27 Q—N3 | R x R |
| 8 B—K2 | P x P | 28 Q x R | R—B1 |
| 9 BP x P | QN—Q2 | 29 Q—N3 | Q—R2 |
| 10 B—KN5 | P—KR3 | 30 R—QN1 | B—Q5 |
| 11 B—K3 | P—R3 | 31 Q—Q1 | Q—B4 |
| 12 O—O | P—QN4 | 32 K—R1 | Q—R6 |
| 13 P—N4 | N—N3 | 33 Q—Q2 | R—B6 |
| 14 P—QR4 | N x RP | 34 K—N2 | B—K6 |
| 15 N x N | P x N | 35 Q—N2 | Q—B4 |
| 16 R x P | P—KR4 | 36 P—R7 | R—B7 |
| 17 P—B3 | P—R5 | 37 P—R8/Q | R x Q |
| 18 N—R1 | N—R4 | 38 R—K1 | B—N8 |
| 19 P—N5 | N—B5 | 39 K—R1 | Q—KB7 |
| 20 P x P | B—R3 | Resigns | |

## Akropolis, 1968

Of his own free will, Black scans the lion's maw.

SICILIAN DEFENSE

| | M. Czerniak<br>*White* | C. Kokkoris<br>*Black* |
|---|---|---|
| 1 | P—K4 | P—QB4 |
| 2 | P—QN3 | QN—B3 |
| 3 | B—N2 | P—K3 |
| 4 | N—KB3 | P—Q4 |
| 5 | P x P | P x P |
| 6 | P—Q4 | N—B3 |
| 7 | B—K2 | P x P |
| 8 | N x P | B—N5 ch |
| 9 | P—B3 | B—QB4 |
| 10 | N x N | P x N |
| 11 | O—O | O—O |
| 12 | N—R3 | R—K1 |
| 13 | N—B2 | N—K5 |
| 14 | N—Q4 | Q—R5 |
| 15 | P—B3 | B—Q3* |
| 16 | P—KR3 | B x RP |
| 17 | P x N | Q—N6 |
| 18 | B—B3 | Q—R7 ch |
| 19 | K—B2 | P x P |
| 20 | R—KN1 | P—QB4 |
| 21 | B—R5 | P x N |
| 22 | B x P ch | K x B |
| 23 | Q—R5 ch | K—N1 |
| 24 | Q x B | R—B1 ch |
| 25 | K—K2 | P—Q6 ch |
| 26 | K—K3 | B—B5 ch |
| 27 | K—Q4 | B—K4 ch |
| | Resigns | |

C. KOKKORIS

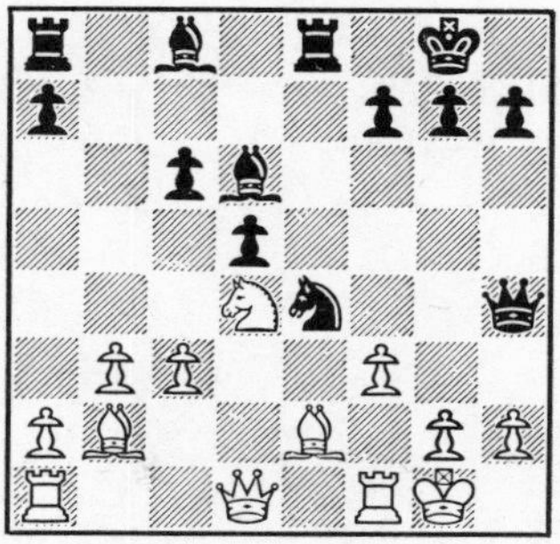

M. CZERNIAK

## Riga, 1968

Under threat of mate, the invincible Keres unleashes his secret weapon—a counter-attack on all fronts. And the mighty Mickey Mouse (Mikenas) nibbles and buckles.

ALEKHINE'S DEFENSE

| | KERES *White* | MIKENAS *Black* | | KERES *White* | MIKENAS *Black* |
|---|---|---|---|---|---|
| 1 | P—K4 | N—KB3 | 22 | R x P ch | K x R |
| 2 | N—QB3 | P—Q4 | 23 | R—N1 ch | N—N3 |
| 3 | P x P | N x P | 24 | Q—B7 ch | B—B2 |
| 4 | KN—K2 | B—N5 | 25 | K—N1 | R—Q1 |
| 5 | P—KR3 | N x N | 26 | P—B5 | R x B |
| 6 | NP x N | B—B4 | 27 | P x R | Q—R7 ch |
| 7 | QR—N1 | Q—Q4 | 28 | K—B2 | Q—N6 ch |
| 8 | N—N3 | B—B1 | 29 | K—K2 | Resigns |
| 9 | P—QB4 | Q—QR4 | | | |
| 10 | B—N2 | P—QB3 | | | |
| 11 | B—B3 | Q—B2 | | | |
| 12 | B—Q3 | P—K4 | | | |
| 13 | O—O | P—B3 | | | |
| 14 | P—B4 | B—K3 | | | |
| 15 | P x P | N—Q2 | | | |
| 16 | P x P* | ...... | | | |
| 16 | ...... | Q x N | | | |
| 17 | P x P | B—B4 ch | | | |
| 18 | K—R1 | KR—N1 | | | |
| 19 | Q—K1 | B—Q3 | | | |
| 20 | Q x B ch | K—Q1 | | | |
| 21 | Q x R ch | K—B2 | | | |

MIKENAS

KERES

## Akropolis, 1968

White's king was in the counting house, a juicy pawn ahead, along came a bad check and put him in the red.

KING'S INDIAN DEFENSE

| C. Kokkoris *White* | L. Kavalek *Black* | C. Kokkoris *White* | L. Kavalek *Black* |
|---|---|---|---|
| 1 P—Q4 | N—KB3 | 23 Q x NP | N—N4 |
| 2 N—KB3 | P—KN3 | 24 R—Q7 | N—B6 ch |
| 3 P—KN3 | B—N2 | 25 K—B1 | N x P ch |
| 4 B—N2 | O—O | 26 K—K1 | QR—Q1 |
| 5 O—O | P—Q3 | 27 R x R | R x R |
| 6 P—B4 | QN—Q2 | 28 Q—K7 | ...... |
| 7 N—B3 | P—K4 | 28 ...... | B—B6 ch |
| 8 P x P | P x P | Resigns | |
| 9 Q—B2 | R—K1 | | |
| 10 R—Q1 | P—KR3 | | |
| 11 P—N3 | P—R3 | | |
| 12 P—K3 | Q—K2 | | |
| 13 B—N2 | P—B3 | | |
| 14 QR—B1 | N—B1 | | |
| 15 N x P | Q x N | | |
| 16 N—Q5 | Q x B | | |
| 17 Q x Q | N x N | | |
| 18 Q—Q2 | N—B3 | | |
| 19 Q—R5 | B—B4 | | |
| 20 R—Q2 | N—K5 | | |
| 21 B x N | B x B | | |
| 22 Q—B7 | N—K3 | | |

L. KAVALEK

C. KOKKORIS

## Akropolis, 1968

A tail-end queen "sack" ends it gloriously because of a fianchettoed bishop.

ENGLISH OPENING

| L. PACHMAN *White* | D. CHIRICH *Black* | L. PACHMAN *White* | D. CHIRICH *Black* |
|---|---|---|---|
| 1 N—KB3 | P—QB4 | 17 N—K4 | N x N |
| 2 P—QN3 | P—Q3 | 18 B x N | Q—B2 |
| 3 P—B4 | P—K4 | 19 P—Q3 | R—QN1 |
| 4 N—B3 | N—K2 | 20 Q—K2 | B—R6 |
| 5 P—N3 | P—KN3 | 21 KR—K1 | P—N3 |
| 6 B—KN2 | B—N2 | 22 KP x P | P x P |
| 7 O—O | O—O | 23 B—Q5 | QR—Q1 |
| 8 N—K1 | P—B4 | 24 Q—K7 | R—Q2 |
| 9 R—N1 | QN—B3 | 25 Q x R ch | B x Q |
| 10 N—B2 | P—B5 | 26 B—N2 ch | R—N2 |
| 11 P—QN4 | P x NP | 27 R—K8 | Q—B1 |
| 12 N x P | N—Q5 | 28 R/N—K1 | Q—KB4 |
| 13 N/4/Q5 | N x N | 29 B—K6 | Q x B |
| 14 B x N ch | K—R1 | 30 R x B ch | Q—N1 |
| 15 P—K3 | N—K3 | 31 R/1—K8 | Resigns |
| 16 B—R3 | N—N4 | | |

## Athens, 1968

A key center pawn sacrifice opens the door to a decisive incursion against the enemy king.

KING'S INDIAN
DEFENSE

| L. Pachman | S. Tatai | L. Pachman | S. Tatai |
|---|---|---|---|
| *White* | *Black* | *White* | *Black* |
| 1 N—KB3 | N—KB3 | 15 RP x N | B—R3 |
| 2 P—B4 | P—KN3 | 16 B x B | N x B |
| 3 N—B3 | B—N2 | 17 N—B4 | R—K1 |
| 4 P—Q4 | O—O | 18 N—K3 | P—N4 |
| 5 B—N5 | P—Q3 | 19 N—B5 | N—B2 |
| 6 P—K3 | P—B4 | 20 Q—Q3 | R—N1 |
| 7 B—K2 | P—N3 | 21 QR—K1 | P—B5 |
| 8 O—O | B—N2 | 22 Q—Q2 | Q—B3 |
| 9 P—Q5 | P—K3 | 23 P—B4 | N—R3 |
| 10 P—K4 | P x P | 24 P x P | P x P |
| 11 BP x P | P—KR3 | 25 P—K5 | P x P |
| 12 B—R4 | P—KN4 | 26 N—K4 | Q—N3 ch |
| 13 B—N3 | N—R4 | 27 R—B2 | Resigns |
| 14 N—Q2 | N x B | | |

## Soviet Union, 1968

Petrosian's popular positional exchange "sack."

PHILIDOR DEFENSE

| T. PETROSIAN *White* | GUSEV *Black* | T. PETROSIAN *White* | GUSEV *Black* |
|---|---|---|---|
| 1 P—K4 | P—K4 | 11 P x N | P—QR4 |
| 2 N—KB3 | P—Q3 | 12 P—N4 | B—N2 |
| 3 P—Q4 | P x P | 13 N—B5 | B—KB3 |
| 4 N x P | N—KB3 | 14 P—KR4 | Q—Q2 |
| 5 N—QB3 | B—K2 | 15 B—KN5 | Q—Q1 |
| 6 B—KB4 | O—O | 16 R—K1 | N—Q2 |
| 7 Q—Q2 | P—QR3 | 17 R—K7 | K—R1 |
| 8 O—O—O | P—QN4 | 18 R x N | B x P ch |
| 9 P—B3 | P—N5 | 19 K x B | Q x R |
| 10 N—Q5 | N x N | 20 B—B6 | Resigns |

## Lugano, 1968 Olympiad

White's puny rook pawn plays yeoman duty in clearing the path to envelope the enemy king.

ROBATSCH DEFENSE

| RESHEVSKY *White* | YANOFSKY *Black* | RESHEVSKY *White* | YANOFSKY *Black* |
|---|---|---|---|
| 1 P—Q4 | P—KN3 | 19 O—O—O | P x P |
| 2 P—K4 | B—N2 | 20 N x P | N—B4 |
| 3 N—KB3 | P—Q3 | 21 B—B5 | N—N6* |
| 4 N—B3 | N—Q2 | 22 N—B6 ch | Resigns |
| 5 B—QB4 | N—N3 | | |
| 6 B—N3 | P—QB3 | | |
| 7 P—QR4 | P—QR4 | | |
| 8 N—KN5 | N—R3 | | |
| 9 Q—B3 | O—O | | |
| 10 P—R4 | P—Q4 | | |
| 11 P—R5 | B—N5 | | |
| 12 Q—Q3 | P—K4 | | |
| 13 QP x P | Q—K2 | | |
| 14 RP x P | RP x P | | |
| 15 P—B3 | B—B1 | | |
| 16 B—K3 | Q x P | | |
| 17 B x N | Q x N | | |
| 18 B—K3 | Q x P | | |

YANOFSKY

RESHEVSKY

## Hungary, 1968

Black fails security clearance on the diagonal and falls victim to frontal incursion.

SCOTCH GAMBIT

| Ribli *White* | Imre *Black* | Ribli *White* | Imre *Black* |
|---|---|---|---|
| 1 P—K4 | P—K4 | 12 B—R3 | P—B4 |
| 2 N—KB3 | N—QB3 | 13 B—N5 ch | B—Q2 |
| 3 P—Q4 | P x P | 14 B x B ch | Q x B |
| 4 P—B3 | P x P | 15 B x P | N—K5 |
| 5 N x P | B—N5 | 16 B—R3 | N—Q7 |
| 6 B—QB4 | P—Q3 | 17 Q—N4 | N x R |
| 7 O—O | B x N | 18 R—Q1 | Q—B2 |
| 8 P x B | N—B3 | 19 Q—N5 ch | Q—B3 |
| 9 P—K5 | N x P | 20 Q x P ch | Q—K3 |
| 10 N x N | P x N | 21 Q x P | Resigns |
| 11 Q—N3 | Q—K2 | | |

## Hastings, 1968-69

White's exchange "sack" yields dividends when Black's king and queen run for cover.

KING'S FIANCHETTO DEFENSE

| SMEJKAL *White* | V. SMYSLOV *Black* |
|---|---|
| 1 P—K4 | P—KN3 |
| 2 P—Q4 | B—N2 |
| 3 P—QB3 | P—Q3 |
| 4 P—KB4 | N—KB3 |
| 5 P—K5 | N—Q4 |
| 6 N—B3 | O—O |
| 7 B—B4 | P—QB3 |
| 8 P—QR4 | N—R3 |
| 9 O—O | QN—B2 |
| 10 Q—K1 | P—B3 |
| 11 Q—R4 | B—K3 |
| 12 N—R3 | Q—Q2 |
| 13 B—Q2 | P—QN4 |
| 14 B—Q3 | N—N3 |
| 15 RP x P | P x NP |
| 16 QR—K1 | P—QR3 |
| 17 P x QP | P x P |
| 18 R x B | ...... |
| 18 ...... | Q x R |
| 19 P—B5 | P—N4 |
| 20 N x KNP | P x N |
| 21 QB x P | Q—Q2 |
| 22 P—B6 | B—R1 |
| 23 B—B5 | N—K3 |
| 24 Q—N4 | K—B2 |
| 25 Q—R5 ch | K—N1 |
| 26 Q—N4 | K—B2 |
| 27 B x P | K—K1 |
| 28 P—B7 ch | R x P |
| 29 B—N6 | N—Q1 |
| 30 Q—R5 | Q—K3 |
| 31 Q x B ch | K—Q2 |
| 32 B x R | Resigns |

V. SMYSLOV

SMEJKAL

## Challenger's Match, Kiev, 1968

Strategically and tactically, patience is the byword bolstered acutely.

KING'S INDIAN
DEFENSE

| | B. SPASSKY *White* | V. KORCHNOI *Black* |
|---|---|---|
| 1 | P—Q4 | N—KB3 |
| 2 | P—QB4 | P—KN3 |
| 3 | N—QB3 | B—N2 |
| 4 | P—K4 | P—Q3 |
| 5 | P—B3 | O—O |
| 6 | B—K3 | N—B3 |
| 7 | KN—K2 | P—QR3 |
| 8 | N—B1 | P—K4 |
| 9 | P—Q5 | N—Q5 |
| 10 | N—N3 | N x N |
| 11 | Q x N | P—B4 |
| 12 | P x P e.p. | P x P |
| 13 | O—O—O | B—K3 |
| 14 | Q—R3 | N—K1 |
| 15 | P—R4 | P—B3 |
| 16 | P—B5 | R—B2 |
| 17 | Q—R4 | Q—B2 |
| 18 | B—QB4 | B x B |
| 19 | Q x B | B—B1 |
| 20 | P—R5 | P x BP |
| 21 | P x P | P x P |
| 22 | Q—K6 | R—Q1 |
| 23 | R x R | Q x R |
| 24 | R—Q1 | Q—K2 |
| 25 | Q x QBP | N—B2 |
| 26 | Q—N6 | K—N2 |
| 27 | N—Q5 | Q—K3 |
| 28 | B x P | B x B |
| 29 | Q x B | N—N4 |
| 30 | Q—K3 | Q—B3 ch |
| 31 | K—N1 | N—Q5 |
| 32 | R—QB1 | Q—N4 |
| 33 | N—B7 | Q—K7* |
| 34 | N—K6 ch | K—R2 |
| 35 | Q—R6 ch | Resigns |

V. KORCHNOI

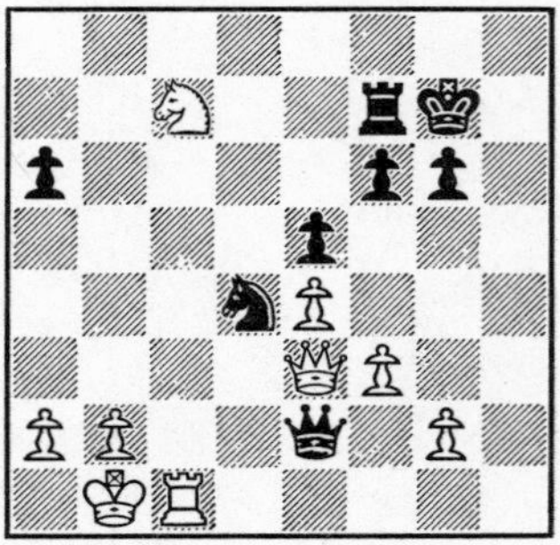

B. SPASSKY

## Soviet Championship, Alma Ata, 1968

Black is rudely awakened from a sweet dream of peace by a family check.

RUY LOPEZ

| M. TAL | TCHEREPKOV | M. TAL | TCHEREPKOV |
|---|---|---|---|
| *White* | *Black* | *White* | *Black* |
| 1 P—K4 | P—K4 | 24 Q—B2 | B x QP |
| 2 N—KB3 | N—QB3 | 25 B x B | Q x B |
| 3 B—N5 | P—QR3 | 26 Q—R7 | B—B3 |
| 4 B—R4 | N—B3 | 27 N—N5 | N—K2 |
| 5 O—O | B—K2 | 28 N—K4 | N—N1 |
| 6 R—K1 | P—QN4 | 29 B—K3 | B—K2 |
| 7 B—N3 | O—O | 30 N—N3 | R—Q3 |
| 8 P—B3 | P—Q3 | 31 N—B5 | R—KN3 |
| 9 P—KR3 | N—QR4 | 32 Q x N ch* | Resigns |
| 10 B—B2 | P—B4 | | |
| 11 P—Q4 | Q—B2 | | |
| 12 QN—Q2 | N—B3 | | |
| 13 P—R3 | N—Q2 | | |
| 14 P x KP | P x P | | |
| 15 P—QR4 | N—N3 | | |
| 16 P x P | P x P | | |
| 17 R x R | N x R | | |
| 18 N—B1 | N—N3 | | |
| 19 N—K3 | B—K3 | | |
| 20 N—Q5 | N x N | | |
| 21 P x N | R—Q1 | | |
| 22 B x P ch | K—B1 | | |
| 23 B—K4 | Q—Q3 | | |

TCHEREPKOV

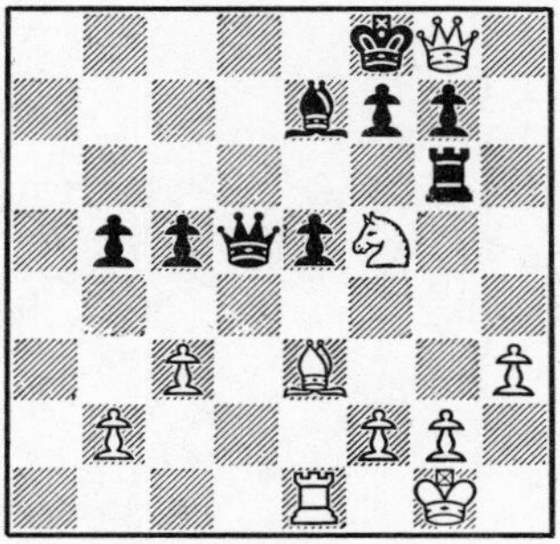

M. TAL

## 1968 Bulgarian Championship

White "sacks" the exchange violently to expose the enemy king.

FRENCH DEFENSE

| G. Tringov | I. Radulov | G. Tringov | I. Radulov |
|---|---|---|---|
| *White* | *Black* | *White* | *Black* |
| 1 P—K4 | P—K3 | 19 R x N | P x R |
| 2 P—Q4 | P—Q4 | 20 N x P | R—B2 |
| 3 N—Q2 | P x P | 21 Q—N5 ch | R—N2 |
| 4 N x P | N—Q2 | 22 Q x BP | Resigns |
| 5 N—KB3 | KN—B3 | | |
| 6 B—KN5 | B—K2 | | |
| 7 N x N ch | B x N | | |
| 8 Q—Q2 | O—O | | |
| 9 O—O—O | B x B | | |
| 10 N x B | N—B3 | | |
| 11 P—KR4 | P—QN3 | | |
| 12 R—R3 | B—N2 | | |
| 13 B—Q3 | Q—K2 | | |
| 14 R—N3 | P—N3 | | |
| 15 P—R5 | N x P | | |
| 16 R—R3 | P—KB4 | | |
| 17 R—K1 | Q—Q3 | | |
| 18 R x P | Q x P* | | |

I. RADULOV

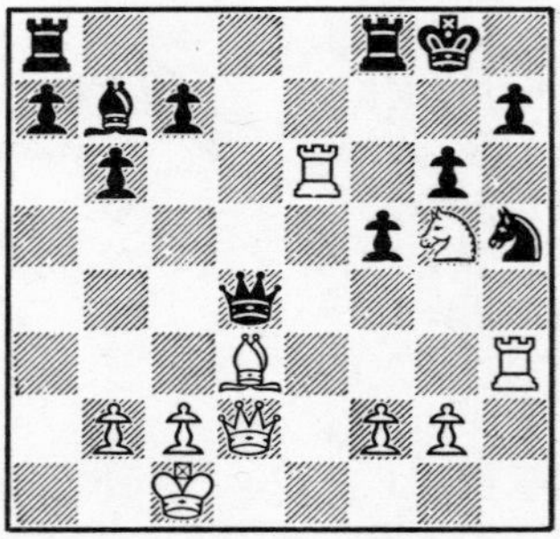

G. TRINGOV

## Akropolis, 1968

A piece "sack" breaches the enemy pawn barrier and the ensuing invasion plays havoc with Black's king.

KING'S INDIAN
REVERSED

| L. VIZANTIADIS | V. CIOCALTEA |
|---|---|
| *White* | *Black* |
| 1 N—KB3 | P—QB4 |
| 2 P—KN3 | N—QB3 |
| 3 B—N2 | P—Q4 |
| 4 O—O | N—B3 |
| 5 P—Q3 | P—K3 |
| 6 QN—Q2 | B—K2 |
| 7 P—K4 | O—O |
| 8 R—K1 | Q—B2 |
| 9 P—K5 | N—Q2 |
| 10 Q—K2 | P—QN4 |
| 11 N—B1 | P—QR4 |
| 12 P—KR4 | P—N5 |
| 13 B—B4 | B—R3 |
| 14 N—K3 | R—R2 |
| 15 P—R5 | R—B1 |
| 16 P—R6 | P—N3 |
| 17 N x P | P x N |
| 18 P—K6 | Q—Q1 |
| 19 P x P ch | K—B1 |
| 20 N—N5 | B x N |
| 21 B x B | N—B3 |
| 22 B x N | R—K2 |
| 23 Q—B3 | K x P |
| 24 B—N7 ch | K—K1* |
| 25 B—R3 | Resigns |

V. CIOCALTEA

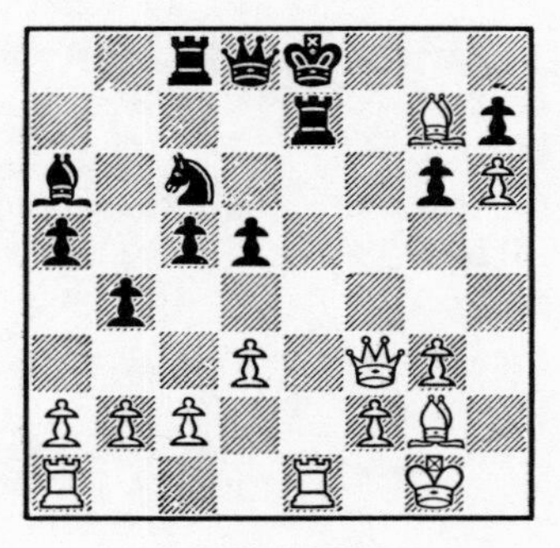

L. VIZANTIADIS

## California Championship, 1969

White's victory here presages a rosy future in the forthcoming U.S. championship. Addison finishes second to Reshevsky.

QUEEN'S GAMBIT
DECLINED

| ADDISON *White* | WOOD *Black* | ADDISON *White* | WOOD *Black* |
|---|---|---|---|
| 1 P—Q4 | N—KB3 | 25 R—B3 ch | K—K2 |
| 2 P—QB4 | P—K3 | 26 P—B5 | P x P |
| 3 N—QB3 | P—Q4 | 27 P x P | R—KB1 |
| 4 B—N5 | B—K2 | 28 R—N7 ch | K—K1 |
| 5 P—K3 | O—O | 29 R x N | R x R/6 |
| 6 N—B3 | P—B3 | 30 R x R ch | K x R |
| 7 Q—B2 | QN—Q2 | 31 N x R | K—K2 |
| 8 O—O—O | P—QN3 | 32 K—Q2 | K—B3 |
| 9 P—K4 | N x P | 33 K—K3 | B—R3 |
| 10 N x N | P x N | 34 K—Q4 | Resigns |
| 11 B x B | Q x B | | |
| 12 Q x P | B—N2 | | |
| 13 B—Q3 | N—B3 | | |
| 14 Q—R4 | KR—K1 | | |
| 15 KR—K1 | QR—Q1 | | |
| 16 R—K3 | P—N3 | | |
| 17 P—KN4 | K—N2 | | |
| 18 P—N5 | N—R4 | | |
| 19 N—K5 | P—B3 | | |
| 20 P x P ch | Q x P | | |
| 21 Q x Q ch | N x Q* | | |
| 22 B x P | P x B | | |
| 23 R—N1 | N—Q2 | | |
| 24 R x P ch | K—B1 | | |

WOOD

ADDISON

## Great Plains Open, Texas, 1969

A spine-tingling cliff-hanger all the way.

SICILIAN DEFENSE

| A. BISGUIER *White* | J. HALL *Black* | A. BISGUIER *White* | J. HALL *Black* |
|---|---|---|---|
| 1 P—Q4 | N—KB3 | 20 B—K2 | Q—B4 ch |
| 2 P—QB4 | P—KN3 | 21 K—R1 | N—N5 |
| 3 N—QB3 | B—N2 | 22 B x N/B | P x B |
| 4 P—K4 | P—Q3 | 23 Q—N7 | R—Q1 |
| 5 B—K2 | O—O | 24 P—KR3 | N—B7 ch |
| 6 P—B4 | P—B4 | 25 R x N | Q x R |
| 7 N—B3 | P x P | 26 Q—B7 | Q—R5 |
| 8 N x P | QN—Q2 | 27 P—K5 | K—R1 |
| 9 B—K3 | N—B4 | 28 N—B6 | B x N |
| 10 B—B3 | P—K4 | 29 P x B | Q x P |
| 11 N/4—N5 | P x P | 30 N—K4 | Q—K2 |
| 12 B x P | N/3—Q2 | 31 Q x BP | B—K3 |
| 13 B x P | N—K4 | 32 Q—B3 ch | P—B3 |
| 14 O—O | N/B—Q6 | 33 R x R ch | Q x R |
| 15 N—Q5 | N x NP | 34 N x P | Q—Q8 ch |
| 16 Q—N3 | N/7 x P | 35 K—R2 | Q—Q3 ch |
| 17 B x R | Q x B | 36 K—N1 | Q—K2 |
| 18 QR—Q1 | B—Q2 | 37 Q—K5 | K—N2 |
| 19 N/N—B3 | P—QN4 | 38 N—Q5 ch | Resigns |

## Busum, 1969

Black's queen sparks a pitfall and inherits the windfall.

RETI OPENING

| BOBOTSOV *White* | LARSEN *Black* | BOBOTSOV *White* | LARSEN *Black* |
|---|---|---|---|
| 1 P—QB4 | N—KB3 | 15 P—B3 | B—Q2 |
| 2 N—QB3 | P—K3 | Resigns | |
| 3 N—B3 | B—N5 | | |
| 4 P—KN3 | O—O | | |
| 5 B—N2 | P—Q4 | | |
| 6 O—O | P x P | | |
| 7 Q—R4 | N—R3 | | |
| 8 P—QR3 | B—Q2 | | |
| 9 N—QN5 | Q—K1 | | |
| 10 KN—Q4 | P—K4 | | |
| 11 B x P | ...... | | |
| 11 ...... | P x N | | |
| 12 B x N | B—KR6 | | |
| 13 P x B | Q—K5 | | |
| 14 B—N7 | Q x B | | |

LARSEN

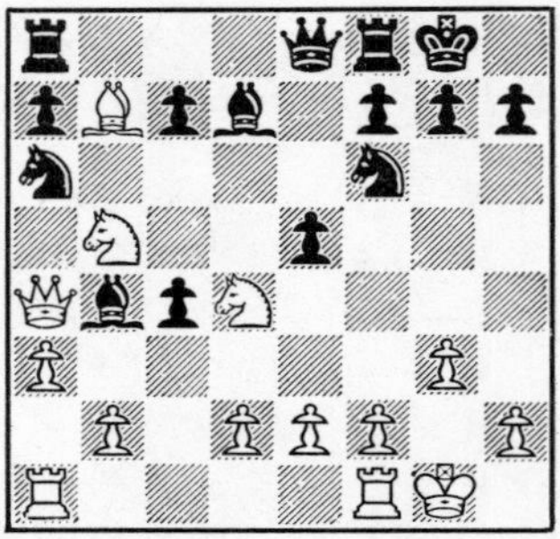

BOBOTSOV

## U.S. Championship, New York, 1969-70

A crucial, dramatic and decisive *partie*. Black's sacrifice of the exchange leads to an A-B-C ending for veteran and now 7-time United States titleholder, Sammy Reshevsky.

QUEEN'S INDIAN
DEFENSE

| | L. Evans *White* | S. Reshevsky *Black* |
|---|---|---|
| 1 | P—Q4 | N—KB3 |
| 2 | P—QB4 | P—K3 |
| 3 | N—KB3 | P—QN3 |
| 4 | N—B3 | B—N2 |
| 5 | P—QR3 | P—Q4 |
| 6 | B—N5 | B—K2 |
| 7 | P—K3 | O—O |
| 8 | R—B1 | N—K5 |
| 9 | B x B | Q x B |
| 10 | P x P | P x P |
| 11 | N x N | P x N |
| 12 | N—Q2 | R—B1 |
| 13 | B—K2 | N—Q2 |
| 14 | O—O | P—QB4 |
| 15 | P x P | N x P |
| 16 | N—N3 | R—Q1 |
| 17 | Q—B2 | N—Q6 |
| 18 | QR—Q1 | QR—B1 |
| 19 | Q—N1 | R—Q3 |
| 20 | N—Q4* | ...... |
| 20 | ...... | R x N |
| 21 | P x R | N—B5 |
| 22 | KR—K1 | Q—N4 |
| 23 | P—KN3 | P—K6 |
| 24 | P—B3 | N x B ch |
| 25 | R x N | B x P |
| 26 | R—QB1 | R—K1 |
| 27 | R/2—K1 | B—N2 |
| 28 | R—B7 | Q—Q4 |
| 29 | R x B | Q x R |
| 30 | Q—Q3 | Q—K5 |
| 31 | Q x Q | R x Q |
| 32 | K—N2 | P—B4 |
| 33 | K—B3 | K—B2 |
| 34 | R x P | R x R ch |
| 35 | K x R | P—KN4 |
| 36 | P—KR4 | P—KR3 |
| 37 | P—Q5 | K—K2 |
| 38 | K—Q4 | K—Q3 |
| 39 | P x P | P x P |
| 40 | P—R4 | P—R4 |
| 41 | P—N3 | P—N5 |
| 42 | K—K3 | K x P |
| | Resigns | |

S. RESHEVSKY

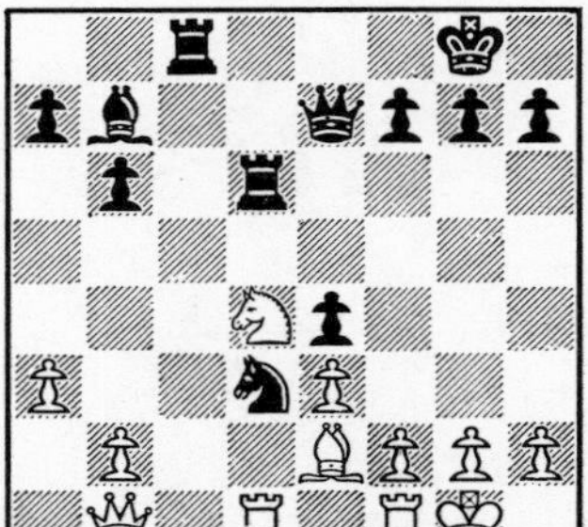

L. EVANS

## Tallinn, 1969

Subtleties and finesses validate a mating net.

VIENNA GAME

| GUFELD *White* | TARVE *Black* |
|---|---|
| 1 P—K4 | P—K4 |
| 2 N—QB3 | N—KB3 |
| 3 B—B4 | N x P |
| 4 Q—R5 | N—Q3 |
| 5 B—N3 | B—K2 |
| 6 N—B3 | O—O |
| 7 P—KR4 | N—B3 |
| 8 N—KN5 | P—KR3 |
| 9 Q—N6 | B x N |
| 10 P x B | Q x P |
| 11 Q x Q | P x Q |
| 12 P—Q3 | N—B4 |
| 13 B x P | N/3—Q5* |
| 14 N—Q5 | N x B |
| 15 N—B6 ch | P x N |
| 16 B x P | N—N2 |
| 17 RP x N | R—K1 |
| 18 P—KN4 | R—K3 |
| 19 P—N5 | P—N3 |
| 20 K—K2 | P—K5 |
| 21 P—Q4 | P—K6 |
| 22 P—KB3 | P—Q4 |
| 23 R—KR4 | B—R3 ch |
| 24 P—B4 | Resigns |

TARVE

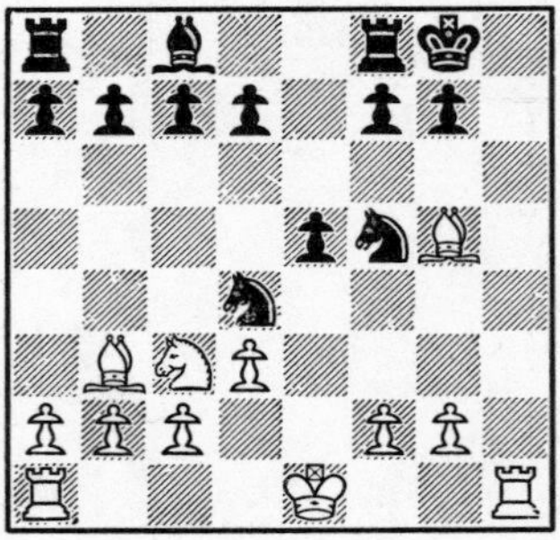

GUFELD

## 37th Soviet Championship, Moscow, 1969

A free-swinging, desperado melee in coffee-house style, with no holds barred.

THREE KNIGHTS
OPENING

| | GUFELD *White* | PETROSIAN *Black* |
|---|---|---|
| 1 | P—K4 | P—K4 |
| 2 | N—KB3 | N—QB3 |
| 3 | N—B3 | P—KN3 |
| 4 | P—Q4 | P x P |
| 5 | N—Q5 | B—N2 |
| 6 | B—KN5 | QN—K2 |
| 7 | N x P | P—QB3 |
| 8 | N—QB3 | P—KR3 |
| 9 | B—K3 | N—B3 |
| 10 | B—QB4 | O—O |
| 11 | Q—B3 | P—Q4 |
| 12 | P x P | P—B4 |
| 13 | N/4—N5 | P—R3 |
| 14 | P—Q6 | N—B4 |
| 15 | N—B7 | N x P |
| 16 | O—O—O | Q x N |
| 17 | B—B4 | B—N5 |
| 18 | Q—Q3 | P—QN4 |
| 19 | B—Q5 | QR—Q1 |
| 20 | P—B3 | P—N5 |
| 21 | Q x NP* | ...... |
| 21 | ...... | P x N |
| 22 | P x B | Q—N3 |
| 23 | P—QN3 | Q—N5 |
| | Resigns | |

PETROSIAN

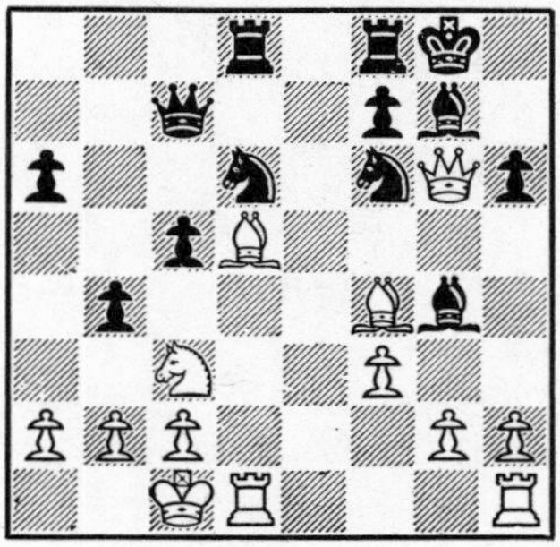

GUFELD

## Junior World Championship, Stockholm, 1969

White gives up material violently to expose the enemy king and retrieves all. Then, by attrition, he reduces the position to "skin and bones."

SICILIAN DEFENSE

| J. Kaplan<br>Puerto Rico | J. Juhnke<br>West Germany | J. Kaplan | J. Juhnke |
|---|---|---|---|
| *White* | *Black* | *White* | *Black* |
| 1 P—K4 | P—QB4 | 16 B x B | N x B |
| 2 N—KB3 | N—QB3 | 17 Q—R4 | N—R3 |
| 3 P—Q4 | P x P | 18 P—KN4 | Q—Q3 |
| 4 N x P | P—KN3 | 19 KR—B1 | P—QB4 |
| 5 B—K3 | N—B3 | 20 B—K5 | Q—K3 |
| 6 N—QB3 | B—N2 | 21 N x P | P x B |
| 7 N x N | NP x N | 22 P—B5 | Q—QB3 |
| 8 P—K5 | N—N1 | 23 P x P ch | K—N1 |
| 9 B—Q4 | P—B3 | 24 N—B6 ch | K—R1 |
| 10 P—B4 | N—R3 | 25 N x R | Q x N |
| 11 P x P | P x P | 26 P—N5 | Q x P |
| 12 Q—K2 ch | K—B2 | 27 P x N | B x RP ch |
| 13 O—O—O | P—Q4 | 28 K—N1 | B—N4 |
| 14 Q—B2 | R—K1 | 29 Q—QB4 | Resigns |
| 15 B—K2 | B—KN5 | | |

## Zagreb, 1969

Sacrificio, con amor! The immolation of Black's bishop presages a forced win.

ENGLISH OPENING

| KOVACHEVICH *White* | LOMBARDY *Black* | KOVACHEVICH *White* | LOMBARDY *Black* |
|---|---|---|---|
| 1 P—QB4 | P—K4 | 25 P x B | N x P |
| 2 N—QB3 | P—KB4 | 26 B—B3 | R—KB1 |
| 3 P—KN3 | N—KB3 | 27 B x N | Q x B ch |
| 4 B—N2 | N—B3 | 28 Q—N2 | R x N ch |
| 5 P—Q3 | B—K2 | 29 K x R | Q—Q8 ch |
| 6 P—QR3 | O—O | 30 K—B2 | Q—Q5 ch |
| 7 N—R3 | Q—K1 | 31 K—B3 | Q x R |
| 8 N—Q5 | B—Q1 | 32 B—N2 | Q—Q8 ch |
| 9 O—O | P—Q3 | 33 K—K3 | Q—N6 ch |
| 10 P—B4 | K—R1 | Resigns | |
| 11 N—B2 | P x P | | |
| 12 N x P | N—K4 | | |
| 13 Q—B2 | P—B3 | | |
| 14 P—QN4 | N/4—N5 | | |
| 15 N—Q1 | B—N3 ch | | |
| 16 P—B5 | B—B2 | | |
| 17 P—K4 | P x KP | | |
| 18 P x KP | P x P | | |
| 19 P x P | P—QN3 | | |
| 20 P—R3 | N—K4 | | |
| 21 N—K3 | N—R4 | | |
| 22 N x N | R x R ch | | |
| 23 N x R | Q x N | | |
| 24 P—N4* | ...... | | |
| 24 ...... | B x P | | |

LOMBARDY

KOVACHEVICH

## Soviet Championship, 1969

Black's brilliant recovery stymies White's assault and qualifies Taimanov as a world championship challenger.

SICILIAN DEFENSE

| LUTIKOV *White* | TAIMANOV *Black* | LUTIKOV *White* | TAIMANOV *Black* |
|---|---|---|---|
| 1 P—K4 | P—QB4 | 29 K—Q1 | Q—N8 ch |
| 2 N—KB3 | N—QB3 | 30 Q—K1 | Q x P |
| 3 P—Q4 | P x P | 31 Q—B1 | B—B6 ch |
| 4 N x P | P—K3 | 32 K—K1 | Q x P |
| 5 N—QB3 | Q—B2 | 33 R—N1 | Q x P ch |
| 6 B—K3 | P—QR3 | 34 K—B2 | P x RP |
| 7 B—Q3 | P—QN4 | 35 R—K1 | Q—B3 |
| 8 N x N | Q x N | 36 K—N3 | B—N7 |
| 9 B—Q4 | B—N2 | 37 Q—N1 | P x P |
| 10 Q—K2 | N—K2 | 38 Q—Q4 | Q—N4 ch |
| 11 P—B4 | P—N5 | 39 K—R2 | B—K5 |
| 12 N—N1 | N—N3 | 40 R/4 x B | P x R |
| 13 Q—B2 | B—Q3 | 41 Q x P | ...... |
| 14 B—K3 | O—O | Resigns | |
| 15 N—Q2 | QR—B1 | | |
| 16 P—KR4 | Q—B2 | | |
| 17 P—K5 | B—B4 | | |
| 18 P—R5 | B x B | | |
| 19 Q x B | N—K2 | | |
| 20 N—B4 | N—B4 | | |
| 21 Q—Q2 | B—Q4 | | |
| 22 N—K3 | N x N | | |
| 23 Q x N | Q—B4 | | |
| 24 Q—N3 | P—R3 | | |
| 25 R—R4 | Q—N8 ch | | |
| 26 K—Q2 | Q—Q5 | | |
| 27 P—B5 | ...... | | |
| 27 ...... | R x P ch | | |
| 28 K x R | P—N6 ch | | |

TAIMANOV

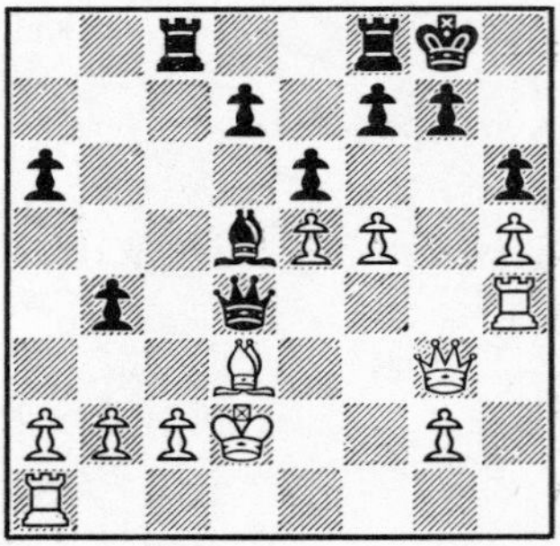

LUTIKOV

## Match U.S.S.R.—Yugoslavia, Skopje, 1969

"Always check, it may be mate," is the guiding aphorism. And it is mate!

SICILIAN DEFENSE

| A. Matanovic *White* | Gufeld *Black* | A. Matanovic *White* | Gufeld *Black* |
|---|---|---|---|
| 1 P—K4 | P—QB4 | 14 N—B7 ch | K—Q2 |
| 2 N—KB3 | P—Q3 | 15 Q—B7 ch | K—B3 |
| 3 P—Q4 | P x P | 16 N—Q5 | Q x KP |
| 4 N x P | N—KB3 | 17 Q—B7 ch | K x N |
| 5 N—QB3 | P—QR3 | 18 R—Q1 ch | K—K3 |
| 6 B—N5 | P—K3 | 19 R—K1 | Q x R ch |
| 7 P—B4 | QN—Q2 | 20 K x Q | P—R3 |
| 8 B—B4 | P—N4 | 21 P—B5 ch | K—Q4 |
| 9 B x KP | P x B | 22 Q x N | P x B |
| 10 N x KP | Q—N3 | 23 K—B2 | R—R5 |
| 11 N—Q5 | N x N | 24 R—Q1 ch | K—K4 |
| 12 Q x N | Q—K6 ch | 25 Q—B6 | R—N1 |
| 13 K—B1 | N—N3 | 26 Q—K8 ch | Resigns |

## Belgrade, 1969

In the beginning, White tries to destroy Black's cumbersome defense at the cost of tempi. In the end White's time-lag boomerangs with White in a mating net.

YUGOSLAV DEFENSE

| | MINIC *White* | RAKIC *Black* |
|---|---|---|
| 1 | P—K4 | P—KN3 |
| 2 | P—Q4 | B—N2 |
| 3 | P—QB4 | P—Q3 |
| 4 | N—QB3 | N—Q2 |
| 5 | P—B4 | P—K4 |
| 6 | QP x P | P x P |
| 7 | P—B5 | N—K2 |
| 8 | Q—B3 | N—QB3 |
| 9 | B—K3 | N—Q5 |
| 10 | Q—B2 | N—KB3 |
| 11 | P x P | BP x P |
| 12 | P—KR3 | O—O |
| 13 | N—B3 | P—B4 |
| 14 | O—O—O | Q—R4 |
| 15 | K—N1 | P—QN4 |
| 16 | Q—K1 | P—N5 |
| 17 | N—Q5 | Q—R5 |
| 18 | B x N | KP x B |
| 19 | B—Q3 | N x N |
| 20 | KP x N | P—N6 |
| 21 | P—QR3 | B—B4 |
| 22 | B x B | R x B |
| 23 | Q—K6 ch | K—R1 |
| 24 | Q—QB6 | Q x BP |
| 25 | Q x R ch | R—B1 |
| 26 | Q x P | Q—B7 ch |
| 27 | K—R1 | P—Q6 |
| 28 | R—QN1 | P—B5 |
| 29 | N—Q4 | Q—B7* |
| 30 | N—N5 | Q x Q |
| 31 | N x Q | P—B6 |
| 32 | QR—Q1 | R—B7 |
| 33 | P—Q6 | R x QNP |
| 34 | P—Q7 | R—R7 ch |
| 35 | K—N1 | P—B7 ch |
| 36 | K—B1 | B—R3 ch |
| | Resigns | |

RAKIC

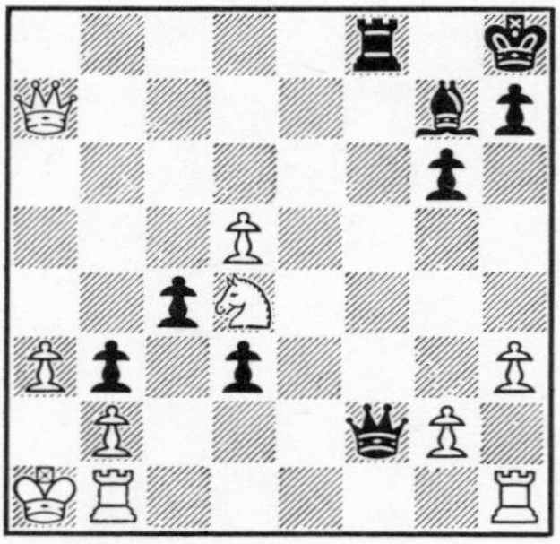

MINIC

## U.S.S.R.—Yugoslavia, Skopje, 1969

KEVITZ VARIATION

| A. Planninc | Lutikov |
|---|---|
| *White* | *Black* |
| 1 P—K4 | N—QB3 |
| 2 P—Q4 | P—K4 |
| 3 P x P | N x P |
| 4 N—KB3 | Q—B3 |
| 5 N x N | Q x N |
| 6 B—Q3 | B—N5 ch |
| 7 N—Q2 | N—B3 |
| 8 O—O | P—Q3 |
| 9 N—B4 | Q—K2 |
| 10 P—QB3 | B—QB4 |
| 11 P—QN4 | B—N3 |
| 12 P—QR4 | B—N5 |
| 13 Q—K1 | P—B3 |
| 14 B—N5 | P—KR3 |
| 15 B—R4 | B—B2 |
| 16 P—B4 | P—KN4 |
| 17 P x P | P x P |
| 18 B x P | P—Q4* |
| 19 P x P | B x P ch |
| 20 K—B2 | B—K3 |
| 21 K—K2 | B—B4 ch |
| 22 K—Q1 | B x B |
| 23 B x N | Q x Q ch |
| 24 R x Q ch | K—B1 |
| 25 B x R | B x N |
| 26 R—R1 | B—N6 ch |
| 27 K—B1 | B—Q3 |
| 28 B—B6 | K—K1 |
| 29 R—R8 ch | B—B1 |
| 30 B—N7 | Resigns |

LUTIKOV

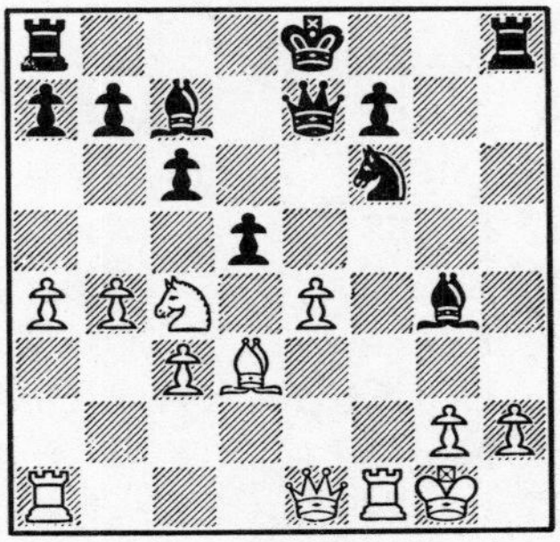

A. PLANNINC

## 37th Soviet Championship, Moscow, 1969

A field day for sockdolagers, when Black's king castles long right into his antagonist's stride.

ALEKHINE'S DEFENSE

| | Platonov *White* | Kurreitchik *Black* | | Platonov *White* | Kurreitchik *Black* |
|---|---|---|---|---|---|
| 1 | P—K4 | N—KB3 | 22 | P—N5 | R—Q4 |
| 2 | P—K5 | N—Q4 | 23 | P—B6 | KR—Q1 |
| 3 | P—Q4 | P—Q3 | 24 | N x P | Q x B ch |
| 4 | P—QB4 | N—N3 | 25 | R x Q | P x N |
| 5 | P—B4 | B—B4 | 26 | R—QR3 | P—QR3 |
| 6 | N—KB3 | P x P | 27 | R x R | R x R |
| 7 | BP x P | P—K3 | 28 | P x RP | Resigns |
| 8 | N—B3 | N—B3 | | | |
| 9 | B—K3 | Q—Q2 | | | |
| 10 | B—K2 | B—KN5 | | | |
| 11 | O—O | O—O—O | | | |
| 12 | P—B5 | N—Q4 | | | |
| 13 | N x N | Q x N | | | |
| 14 | P—N4 | Q—K5 | | | |
| 15 | Q—N3 | N x QP* | | | |
| 16 | N x N | B x B | | | |
| 17 | R—B4 | Q x P | | | |
| 18 | R—K1 | P—KN4 | | | |
| 19 | R—B2 | B—R4 | | | |
| 20 | R—Q2 | B—N2 | | | |
| 21 | Q—R4 | K—N1 | | | |

KURREITCHIK

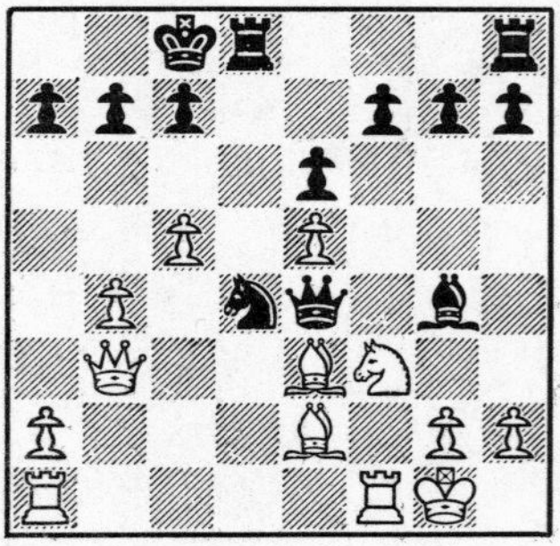

PLATONOV

## Soviet Union, 1969, First game of playoff match

A midgame pawn "sack" is the tie that binds, and an endgame fork sets up the victorious finale.

ENGLISH OPENING

L. POLUGAYEVSKY
T. PETROSIAN

| | *White* | *Black* |
|---|---|---|
| 1 | P—QB4 | N—KB3 |
| 2 | N—KB3 | P—K3 |
| 3 | P—KN3 | P—QN3 |
| 4 | B—N2 | B—N2 |
| 5 | O—O | B—K2 |
| 6 | P—N3 | O—O |
| 7 | B—N2 | P—Q4 |
| 8 | P—K3 | P—B4 |
| 9 | N—B3 | QN—Q2 |
| 10 | P—Q3 | R—B1 |
| 11 | Q—K2 | Q—B2 |
| 12 | P—K4 | P—Q5 |
| 13 | N—N1 | N—K1 |
| 14 | N—K1 | P—K4 |
| 15 | P—B4 | P—N3 |
| 16 | P—B5 | B—N4 |
| 17 | P—KR4 | B—K6 ch |
| 18 | K—R2 | P x P |
| 19 | P x P | P—K5 |
| 20 | B x P | B x B |
| 21 | P x B | N/1—B3 |
| 22 | N—N2 | KR—K1 |
| 23 | N—Q2 | B x N |
| 24 | Q x B* | ...... |
| 24 | ...... | Q x P ch |
| 25 | K x Q | N x P ch |

L. POLUGAYEVSKY
T. PETROSIAN

| | *White* | *Black* |
|---|---|---|
| 26 | K—B4 | N x Q |
| 27 | KR—K1 | N—B3 |
| 28 | R x R ch | R x R |
| 29 | R—K1 | N/7—K5 |
| 30 | R—K2 | K—B1 |
| 31 | K—B3 | P—Q6 |
| 32 | R—K3 | R—Q1 |
| 33 | R—K1 | P—Q7 |
| 34 | R—Q1 | N—N5 |
| 35 | N—K3 | N/N—B7 |
| 36 | B—B3 | R—Q6 |
| | Resigns | |

T. PETROSIAN

L. POLUGAYEVSKY

## United States Championship, N.Y., 1969-70

A curious "tasker" is the path White's queen rook traverses from its original square, clearly across the large middle diagonal to the very opposite end of the board.

NIMZO-INDIAN DEFENSE

| S. Reshevsky *White* | K. Burger *Black* | S. Reshevsky *White* | K. Burger *Black* |
|---|---|---|---|
| 1 P—Q4 | N—KB3 | 14 P—QN4 | Q—B5 |
| 2 P—QB4 | P—K3 | 15 N—Q2 | Q—B6 |
| 3 N—QB3 | B—N5 | 16 R—R2 | R—Q1 |
| 4 P—K3 | O—O | 17 R—B2 | Q—K4 |
| 5 B—Q3 | P—B4 | 18 B—N2 | Q—KN4 |
| 6 N—B3 | P—Q4 | 19 Q—K2 | N—K2 |
| 7 O—O | N—B3 | 20 P—B4 | Q—R3 |
| 8 P—QR3 | P x BP | 21 N—B4 | P—B4 |
| 9 B x P | B—R4 | 22 N x B | P x N |
| 10 B—Q3 | Q—K2 | 23 R—B7 | P x B |
| 11 N—K4 | N x N | 24 R x N | R—Q2 |
| 12 B x N | B—N3 | 25 R—K8 ch | K—B2 |
| 13 P x P | Q x P | 26 R—R8 | Resigns |

## 19th Game, World Championship, Moscow, 1969

Says Tal, "It must be a long time since we have seen in a match for the world championship such courageous and decisive play as that illustrated by Spassky."

There is complete coherence in the tailend combination.

SICILIAN DEFENSE

| B. Spassky | T. Petrosian | B. Spassky | T. Petrosian |
|---|---|---|---|
| *White* | *Black* | *White* | *Black* |
| 1 P—K4 | P—QB4 | 20 P x P | P x P |
| 2 N—KB3 | P—Q3 | 21 P—K5 | P x P |
| 3 P—Q4 | P x P | 22 N—K4 | N—R4 |
| 4 N x P | N—KB3 | 23 Q—N6 | P x N* |
| 5 N—QB3 | P—QR3 | 24 N—N5 | Resigns |
| 6 B—N5 | QN—Q2 | | |
| 7 B—QB4 | Q—R4 | | |
| 8 Q—Q2 | P—R3 | | |
| 9 B x N | N x B | | |
| 10 O—O—O | P—K3 | | |
| 11 KR—K1 | B—K2 | | |
| 12 P—B4 | O—O | | |
| 13 B—N3 | R—K1 | | |
| 14 K—N1 | B—B1 | | |
| 15 P—N4 | N x NP | | |
| 16 Q—N2 | N—B3 | | |
| 17 R—N1 | B—Q2 | | |
| 18 P—B5 | K—R1 | | |
| 19 QR—KB1 | Q—Q1 | | |

T. PETROSIAN

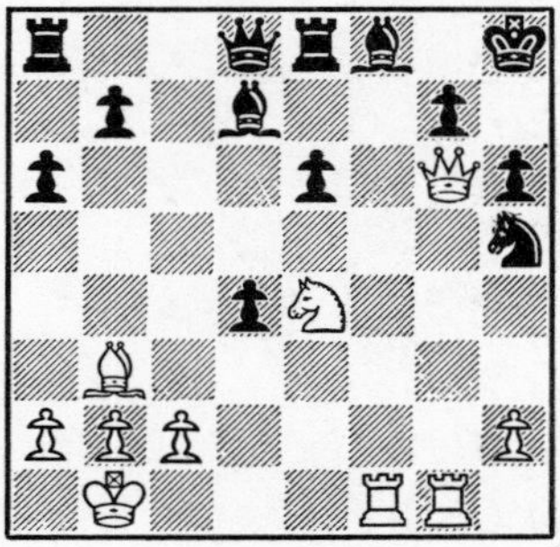

B. SPASSKY

## Fifth game of world championship match, Moscow, 1969

QUEEN'S GAMBIT
DECLINED

| B. SPASSKY *White* | T. PETROSIAN *Black* | B. SPASSKY *White* | T. PETROSIAN *Black* |
|---|---|---|---|
| 1 P—QB4 | N—KB3 | 23 Q—B5 | P—KR3 |
| 2 N—QB3 | P—K3 | 24 R—QB1 | Q—R3 |
| 3 N—B3 | P—Q4 | 25 R—B7 | P—QN4 |
| 4 P—Q4 | P—B4 | 26 N—Q4 | Q—N3 |
| 5 BP x P | N x P | 27 R—B8 | N—N2 |
| 6 P—K4 | N x N | 28 N—B6 | N—Q3* |
| 7 P x N | P x P | 29 N x R | N x Q |
| 8 P x P | B—N5 ch | 30 N—B6 | Resigns |
| 9 B—Q2 | B x B ch | | |
| 10 Q x B | O—O | | |
| 11 B—B4 | N—B3 | | |
| 12 O—O | P—QN3 | | |
| 13 QR—Q1 | B—N2 | | |
| 14 KR—K1 | R—B1 | | |
| 15 P—Q5 | P x P | | |
| 16 B x P | N—R4 | | |
| 17 Q—B4 | Q—B2 | | |
| 18 Q—B5 | B x B | | |
| 19 P x B | Q—B7 | | |
| 20 Q—B4 | Q x P | | |
| 21 P—Q6 | QR—Q1 | | |
| 22 P—Q7 | Q—B5 | | |

T. PETROSIAN

B. SPASSKY

## East Germany, 1969

The former world champion offers his queen because he sees one move farther ahead than his opponent in this simultaneous display.

SICILIAN DEFENSE

| TAL | ANONYMOUS | TAL | ANONYMOUS |
|---|---|---|---|
| *White* | *Black* | *White* | *Black* |
| 1 P—K4 | P—QB4 | 17 N x R | Q x Q |
| 2 N—KB3 | P—Q3 | 18 P x B | Resigns |
| 3 P—Q4 | P x P | | |
| 4 N x P | N—KB3 | | |
| 5 N—QB3 | P—KN3 | | |
| 6 B—K3 | B—N2 | | |
| 7 P—B3 | N—B3 | | |
| 8 Q—Q2 | B—Q2 | | |
| 9 O—O—O | Q—R4 | | |
| 10 K—N1 | R—QB1 | | |
| 11 P—KN4 | P—KR3 | | |
| 12 P—KR4 | P—R3 | | |
| 13 B—K2 | N—K4 | | |
| 14 P—N5 | P x P* | | |
| 15 P x P | R x R | | |
| 16 P x N | R x R ch | | |

ANONYMOUS

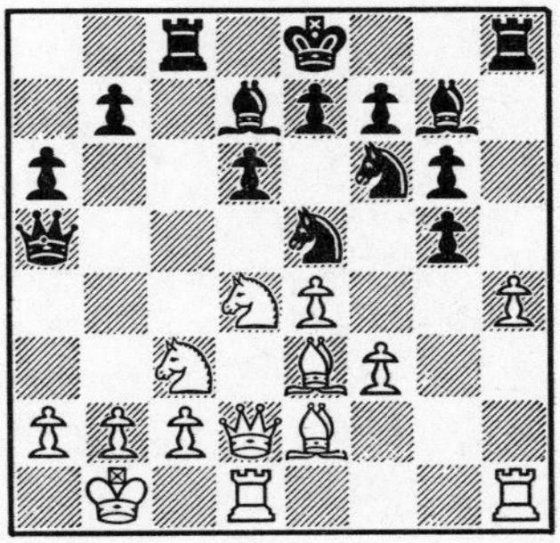

TAL

## Championship of Schwerin, East Germany, 1969

The sole loss of the tournament winner. White's combination is an original surprise, forcing the enemy queen into the open.

BENONI DEFENSE

| | WEHNERT *White* | ESPIG *Black* |
|---|---|---|
| 1 | P—Q4 | N—KB3 |
| 2 | P—QB4 | P—B4 |
| 3 | P—Q5 | P—K4 |
| 4 | N—QB3 | P—Q3 |
| 5 | P—K4 | B—K2 |
| 6 | B—K2 | O—O |
| 7 | N—B3 | N—R3 |
| 8 | O—O | N—B2 |
| 9 | R—N1 | N—Q2 |
| 10 | P—QR3 | N—K1 |
| 11 | P—QN4 | P—KN3 |
| 12 | B—R6 | N—N2 |
| 13 | Q—Q2 | P—B4 |
| 14 | N—KN5 | R—K1 |
| 15 | KP x P | NP x P* |
| 16 | B—R5 | N x B |
| 17 | N—K6 | Q—N3 |
| 18 | P x P | Q—R4 |
| 19 | P x P | B—B3 |
| 20 | Q—K2 | N—N2 |
| 21 | Q—B3 | P—K5 |
| 22 | N x P | P x N |
| 23 | Q—N3 | Q—B6 |
| 24 | P—B3 | R—N1 |
| 25 | R—N3 | Q—K4 |

| | WEHNERT *White* | ESPIG *Black* |
|---|---|---|
| 26 | P—B4 | Q x N |
| 27 | P x Q | B—Q5 ch |
| 28 | K—R1 | R x P |
| 29 | Q—N5 | R x B |
| 30 | Q x R | N—B3 |
| 31 | R—N3 | N—N5 |
| 32 | Q—N5 | B—B3 |
| 33 | Q—Q5 ch | B—K3 |
| 34 | Q x KP | R—QB1 |
| 35 | P—R3 | R x P |
| 36 | Q—K2 | Resigns |

ESPIG

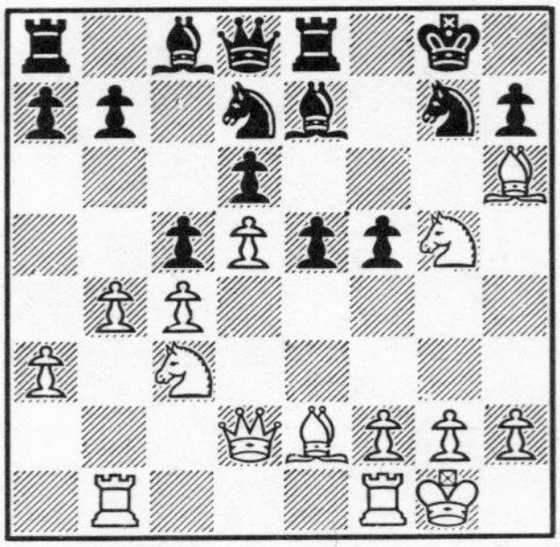

WEHNERT

## Concord, Calif., 1970

Center control and a pair of flamboyant bishops outweigh the exchange in this relative table of values.

SICILIAN DEFENSE

| R. CLARK White | J. ACERS Black | R. CLARK White | J. ACERS Black |
|---|---|---|---|
| 1 P—K4 | P—QB4 | 16 Q—R5 | B—K6 |
| 2 N—KB3 | N—QB3 | 17 P—KR4 | Q—N1 |
| 3 P—Q4 | P x P | 18 Q—N5 | Q—B2 |
| 4 N x P | N—B3 | 19 R—R2 | R—N1 |
| 5 N—QB3 | P—KN3 | 20 Q—Q3 | B—Q5 |
| 6 B—K3 | B—N2 | 21 P—B3 | R x P |
| 7 P—B3 | O—O | 22 R x R | B x P ch |
| 8 Q—Q2 | P—Q4 | 23 R—Q2 | B x R |
| 9 P x P | N x P | 24 R—B2 | Q—N3 |
| 10 N x N/6 | P x N | 25 Q—R3 | B—B4 |
| 11 B—Q4 | P—K4 | 26 R—K2 | B—Q5 |
| 12 B—B5 | B—K3 | 27 Q—N3 | Q—R4 ch |
| 13 B x R | Q x B | 28 K—Q1 | B—Q2 |
| 14 N x N | P x N | 29 Q—N8 ch | K—N2 |
| 15 P—KN3 | B—R3 | Resigns | |

## Israel Championship, Tel Aviv, 1970

A *zwischenzug* upsets the balance in a battle of pawn storms.

SICILIAN DEFENSE

| M. Czerniak *White* | M. Kalir *Black* | M. Czerniak *White* | M. Kalir *Black* |
|---|---|---|---|
| 1 P—K4 | P—QB4 | 14 P—N5 | N—K4 |
| 2 P—KN3 | N—QB3 | 15 N—KB4 | N—B2 |
| 3 B—N2 | P—KN3 | 16 Q—R4 | P—B3 |
| 4 N—K2 | B—N2 | 17 N/4—Q5 | P—K3 |
| 5 O—O | P—Q3 | 18 P x KP | B x P |
| 6 P—Q3 | N—B3 | 19 N x N | Q x N |
| 7 P—KB4 | O—O | 20 P x P | Q—Q1 |
| 8 N—Q2 | N—K1 | 21 N—Q5 | B x N |
| 9 N—B4 | P—QN4 | 22 B—N5 | Q—B2 |
| 10 N—K3 | R—N1 | 23 P x B/5 | P—R3 |
| 11 P—B5 | P—N5 | 24 P x B | R x R ch |
| 12 P—N4 | P—QR4 | 25 R x R | Resigns |
| 13 Q—K1 | P—R5 | | |

## Buenos Aires, International, 1970

Teetering over the edge, Bobby rights himself after Black's 33 in this cliff hanger.

SICILIAN DEFENSE

| | R. FISCHER *White* | O. PANNO *Black* |
|---|---|---|
| 1 | P—K4 | P—QB4 |
| 2 | N—KB3 | P—K3 |
| 3 | P—Q3 | N—QB3 |
| 4 | P—KN3 | P—KN3 |
| 5 | B—N2 | B—N2 |
| 6 | O—O | KN—K2 |
| 7 | R—K1 | P—Q3 |
| 8 | P—B3 | O—O |
| 9 | P—Q4 | P x P |
| 10 | P x P | P—Q4 |
| 11 | P—K5 | B—Q2 |
| 12 | N—B3 | R—B1 |
| 13 | B—B4 | N—R4 |
| 14 | R—QB1 | P—QN4 |
| 15 | P—QN3 | P—N5 |
| 16 | N—K2 | B—N4 |
| 17 | Q—Q2 | N/4—B3 |
| 18 | P—N4 | P—QR4 |
| 19 | N—N3 | Q—N3 |
| 20 | P—KR4 | N—N1 |
| 21 | B—R6 | N—Q2 |
| 22 | Q—N5 | R x R |
| 23 | R x R | B x B |
| 24 | Q x B | R—B1 |
| 25 | R x R ch | N x R |
| 26 | P—R5 | Q—Q1 |
| 27 | N—N5 | N—B1 |
| 28 | B—K4 | Q—K2 |
| 29 | N x RP | N x N |
| 30 | P x P | P x P |
| 31 | B x NP | N—N4 |
| 32 | N—R5 | N—B6 ch* |
| 33 | K—N2 | N—R5 ch |
| 34 | K—N3 | N x B |
| 35 | N—B6 ch | K—B2 |
| 36 | Q—R7 ch | Resigns |

O. PANNO

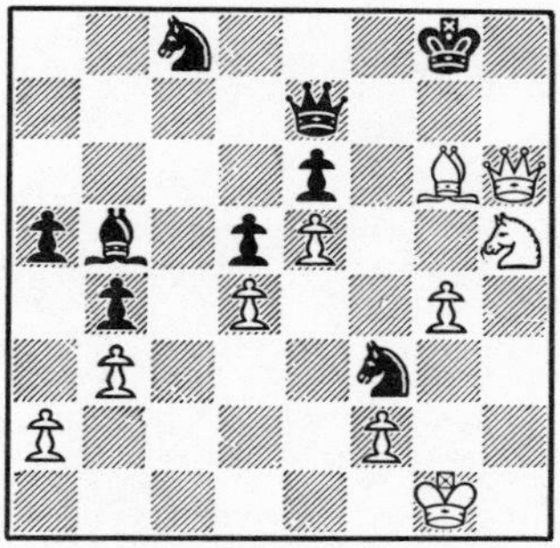

R. FISCHER

## Soviet Union v. World, Belgrade, 1970

Here, the "Stonewall" does a prison make for Black's king. This is Fischer's first battle after a period of retirement. A glorious comeback!

CARO-KANN DEFENSE

| | R. Fischer *White* | T. Petrosian *Black* |
|---|---|---|
| 1 | P—K4 | P—QB3 |
| 2 | P—Q4 | P—Q4 |
| 3 | P x P | P x P |
| 4 | B—Q3 | N—QB3 |
| 5 | P—QB3 | N—B3 |
| 6 | B—KB4 | B—N5 |
| 7 | Q—N3 | N—QR4 |
| 8 | Q—R4 ch | B—Q2 |
| 9 | Q—B2 | P—K3 |
| 10 | N—B3 | Q—N3 |
| 11 | P—QR4 | R—B1 |
| 12 | QN—Q2 | N—B3 |
| 13 | Q—N1 | N—KR4 |
| 14 | B—K3 | P—KR3 |
| 15 | N—K5 | N—B3 |
| 16 | P—R3 | B—Q3 |
| 17 | O—O | K—B1 |
| 18 | P—KB4 | B—K1 |
| 19 | B—KB2 | Q—B2 |
| 20 | B—R4 | N—KN1* |
| 21 | P—B5 | N x N |
| 22 | P x N | B x KP |
| 23 | P x P | B—KB3 |
| 24 | P x P | B x KBP |
| 25 | N—B3 | B x B |
| 26 | N x B | N—B3 |
| 27 | N—N6 ch | B x N |
| 28 | B x B | K—K2 |
| 29 | Q—B5 | K—Q1 |
| 30 | QR—K1 | Q—B4 ch |
| 31 | K—R1 | R—B1 |
| 32 | Q—K5 | R—QB2 |
| 33 | P—QN4 | Q—B3 |
| 34 | P—B4 | P x P |
| 35 | B—B5 | R/1—B2 |
| 36 | R—Q1 ch | KR—Q2 |
| 37 | B x R | R x B |
| 38 | Q—N8 ch | K—K2 |
| 39 | QR—K1 ch | Resigns |

T. PETROSIAN

R. FISCHER

## Palma De Mallorca, Spain, 1970

The opening is actually a Queen's Indian Defense with colors reversed!

NIMZOVICH ATTACK

| R. FISCHER<br>*White* | E. MECKING<br>*Black* | R. FISCHER<br>*White* | E. MECKING<br>*Black* |
|---|---|---|---|
| 1 P—QN3 | P—Q4 | 22 P—KN4 | P—R5 |
| 2 B—N2 | P—QB4 | 23 N—B3 | P x P |
| 3 N—KB3 | N—QB3 | 24 RP x P | K—N2 |
| 4 P—K3 | N—B3 | 25 P—N5 | P—K4 |
| 5 B—N5 | B—Q2 | 26 N—R4 | B—Q2 |
| 6 O—O | P—K3 | 27 R—Q6 | B—K3 |
| 7 P—Q3 | B—K2 | 28 K—B2 | K—B2 |
| 8 B x N | B x B | 29 R—N6 | R—K2 |
| 9 N—K5 | R—B1 | 30 P—K4 | P x P |
| 10 N—Q2 | O—O | 31 P x P | P—B5 |
| 11 P—KB4 | N—Q2 | 32 P—QN4 | B—N5 |
| 12 Q—N4 | N x N | 33 K—K3 | R—Q2 |
| 13 B x N | B—B3 | 34 P—N6 ch | K—B1 |
| 14 R—B3 | Q—K2 | 35 P x P | R x P |
| 15 R/1—KB1 | P—QR4 | 36 N—N6 ch | K—K1 |
| 16 R—N3 | B x B | 37 N x P | B—B1 |
| 17 BP x B | P—B4 | 38 N x P | K—Q1 |
| 18 P x P e.p. | R x P | 39 N—Q6 | R—N2 |
| 19 Q x P ch | Q x Q | 40 K—B2 | R—QB2 |
| 20 R x R | Q x R | 41 N x B | R x N |
| 21 P x Q | R—K1 | 42 R—Q6 ch | Resigns |

## Palma De Mallorca, Spain, 1970

If it were possible to patent opening variations, this one would belong to Fischer.

SICILIAN DEFENSE

| R. Fischer *White* | Rubinetti *Black* | R. Fischer *White* | Rubinetti *Black* |
|---|---|---|---|
| 1 P—K4 | P—QB4 | 13 P x P ch | K—Q2 |
| 2 N—KB3 | P—Q3 | 14 P—QN4 | N—R5 |
| 3 P—Q4 | P x P | 15 N x N | P x N |
| 4 N x P | N—KB3 | 16 P—QB4 | K—B1 |
| 5 N—QB3 | P—K3 | 17 Q x P | Q—Q2 |
| 6 B—QB4 | P—QR3 | 18 Q—N3 | P—N4 |
| 7 B—N3 | P—QN4 | 19 B—N3 | N—R4 |
| 8 O—O | B—N2 | 20 P—B5 | P x P |
| 9 R—K1 | QN—Q2 | 21 P x P | Q x P |
| 10 B—N5 | P—R3 | 22 R—K8 ch | K—Q2 |
| 11 B—R4 | N—B4 | 23 Q—R4 ch | B—B3 |
| 12 B—Q5 | P x B | 24 N x B | Resigns |

## Palma De Mallorca, Spain, 1970

An old-fashioned defense meets the fate it deserves.

CENTER COUNTER
GAME

| R. Fischer *White* | W. Addison *Black* | R. Fischer *White* | W. Addison *Black* |
|---|---|---|---|
| 1 P—K4 | P—Q4 | 13 B—N5 | B—K2 |
| 2 P x P | Q x P | 14 N—N3 | P—QR3 |
| 3 N—QB3 | Q—Q1 | 15 B—Q3 | Q—Q1 |
| 4 P—Q4 | N—KB3 | 16 P—KR4 | P—KR4 |
| 5 B—QB4 | B—B4 | 17 B—B5 | N—N3 |
| 6 Q—B3 | Q—B1 | 18 N/B—K4 | N x P |
| 7 B—N5 | B x P | 19 KR—Q1 | P—B3 |
| 8 R—B1 | B—N3 | 20 N—B3 | Q—N3 |
| 9 KN—K2 | QN—Q2 | 21 R x N | P x R |
| 10 O—O | P—K3 | 22 N x QP | Q x P |
| 11 B x N | P x B | 23 R—N1 | Q x P |
| 12 P—Q5 | P—K4 | 24 R x P | Resigns |

## Zagreb, 1970

A tactical foray on Black's 34th turn abruptly writes *finis* to this strategic gem.

RUY LOPEZ

| R. FISCHER *White* | S. GLIGORICH *Black* | R. FISCHER *White* | S. GLIGORICH *Black* |
|---|---|---|---|
| 1 P—K4 | P—K4 | 26 N—N3 | P—B3 |
| 2 N—KB3 | N—QB3 | 27 R—R1 | R—B1 |
| 3 B—N5 | P—QR3 | 28 K—N2 | R—B2 |
| 4 B—R4 | N—B3 | 29 P—B3 | N—B1 |
| 5 O—O | B—K2 | 30 P—R4 | P x P |
| 6 R—K1 | P—QN4 | 31 R x P | R—KR2 |
| 7 B—N3 | P—Q3 | 32 R/1—R1 | R x R |
| 8 P—B3 | O—O | 33 R x R | P—N4 |
| 9 P—KR3 | P—R3 | 34 R—R6 | K—N2* |
| 10 P—Q4 | R—K1 | 35 R x P | Resigns |
| 11 QN—Q2 | B—B1 | | |
| 12 N—B1 | B—N2 | | |
| 13 N—N3 | N—QR4 | | |
| 14 B—B2 | N—B5 | | |
| 15 P—N3 | N—N3 | | |
| 16 P—QR4 | P—B4 | | |
| 17 P—Q5 | P—B5 | | |
| 18 P—N4 | B—B1 | | |
| 19 B—K3 | B—Q2 | | |
| 20 P—R5 | N—B1 | | |
| 21 Q—Q2 | N—KR2 | | |
| 22 K—R2 | B—K2 | | |
| 23 N—B5 | B—N4 | | |
| 24 N x B | P x N | | |
| 25 P—N4 | P—N3 | | |

S. GLIGORICH

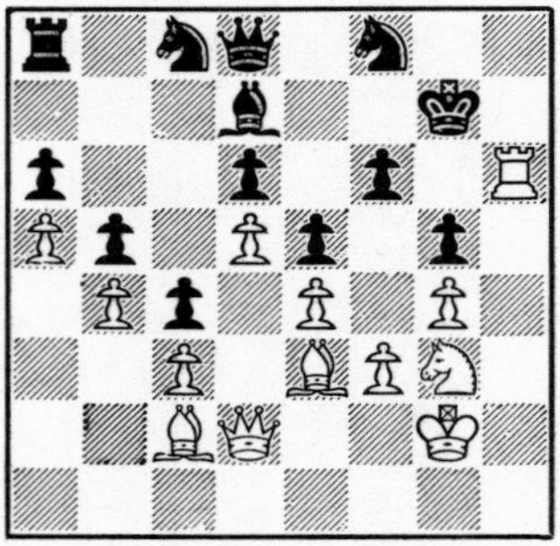

R. FISCHER

## Belgrade, 1970, Soviet Union vs. World

Fishing in troubled waters, Black is baited with worms for a queen.

RUY LOPEZ

| | E. Geller | S. Gligorich | | E. Geller | S. Gligorich |
|---|---|---|---|---|---|
| | *White* | *Black* | | *White* | *Black* |
| 1 | P—K4 | P—K4 | 28 | Q—Q3 | P—N3 |
| 2 | N—KB3 | N—QB3 | 29 | P—B5 | P x P |
| 3 | B—N5 | P—QR3 | 30 | N x P | Q—N3 |
| 4 | B—R4 | N—B3 | 31 | Q—K2 | Q—N4 |
| 5 | O—O | B—K2 | 32 | P—R4 | Q—B5 |
| 6 | R—K1 | P—QN4 | 33 | P—N3 | Q x KP |
| 7 | B—N3 | P—Q3 | 34 | Q—N4 ch | Q—N2 |
| 8 | P—B3 | O—O | 35 | N x Q | N—B3 |
| 9 | P—KR3 | P—R3 | 36 | Q—B4 | B x N |
| 10 | P—Q4 | R—K1 | 37 | Q—B7 | R—N1 |
| 11 | QN—Q2 | B—B1 | 38 | R—Q6 | N—N5 |
| 12 | N—B1 | B—N2 | 39 | R x N | B—Q5 ch |
| 13 | N—N3 | N—QR4 | 40 | K—B1 | Resigns |
| 14 | B—B2 | N—B5 | | | |
| 15 | P—N3 | N—N3 | | | |
| 16 | B—N2 | QN—Q2 | | | |
| 17 | Q—Q2 | P—B4 | | | |
| 18 | QR—Q1 | Q—R4 | | | |
| 19 | P x BP | P x P | | | |
| 20 | P—B4 | P—N5 | | | |
| 21 | P—QR4 | Q—B2 | | | |
| 22 | N—B5 | N—N1 | | | |
| 23 | N x KP | R x N | | | |
| 24 | B x R | Q x B | | | |
| 25 | P—B4 | Q—K3 | | | |
| 26 | P—K5 | N—K1 | | | |
| 27 | N—R4 | N—QB3 | | | |

S. GLIGORICH

E. GELLER

## Marshall Chess Club Championship, New York, 1970

SICILIAN DEFENSE

| | J. JACOBS *White* | C. WELDON *Black* |
|---|---|---|
| 1 | P—K4 | P—QB4 |
| 2 | N—QB3 | N—QB3 |
| 3 | N—B3 | N—B3 |
| 4 | P—Q4 | P x P |
| 5 | N x P | P—K4 |
| 6 | N/4—N5 | P—Q3 |
| 7 | B—N5 | P—QR3 |
| 8 | B x N | P x B |
| 9 | N—R3 | P—N4 |
| 10 | N—Q5 | P—B4 |
| 11 | P x P | B x P |
| 12 | Q—B3 | N—Q5 |
| 13 | N—B7 ch | Q x N |
| 14 | Q x R ch | K—K2 |
| 15 | P—QB3 | P—N5 |
| 16 | P x N | P x N |
| 17 | P x KP | P x NP |
| 18 | P x P ch* | ...... |
| 18 | ...... | K—B3 |
| 19 | P x Q | P x R/Q ch |
| 20 | K—K2 | Q—N7 ch |
| | Resigns | |

C. WELDON

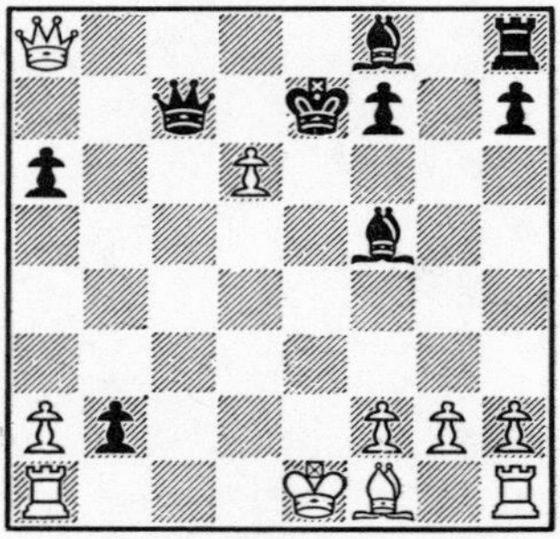

J. JACOBS

## National High School Championship, N.Y., 1970

Black's 13th prepares an elegant invasion which makes short shrift of White's *partie*. But 17, B-N6 might make the shrift even shorter.

SICILIAN DEFENSE

| G. Jones | P. Keretsky | G. Jones | P. Keretsky |
|---|---|---|---|
| *White* | *Black* | *White* | *Black* |
| 1 P—K4 | P—QB4 | 15 K—B1 | B—R3 ch |
| 2 N—KB3 | P—Q3 | 16 B—K3 | R—QB1 |
| 3 P—Q4 | P x P | 17 Q—Q4 | B x B ch |
| 4 P—Q4 | P x P | 18 Q x B | Q—R8 ch |
| 5 N—QB3 | P—KN3 | 19 K—Q2 | Q x P |
| 6 P—B3 | B—N2 | 20 B—Q3 | Q—B6 ch |
| 7 B—K3 | O—O | 21 K—K2 | B—B5 |
| 8 Q—Q2 | N—B3 | 22 QR—QB1 | N—R4 |
| 9 O—O—O | N x N | 23 KR—Q1 | B x B ch |
| 10 B x N | B—K3 | 24 P x B | Q—N7 ch |
| 11 B—K2 | Q—R4 | 25 Q—Q2 | N—B5 ch |
| 12 K—N1 | KR—B1 | 26 K—B1 | R x R |
| 13 P—KR4 | ...... | 27 Q x Q | R x R ch |
| 13 ...... | R x N | 28 K—B2 | N x P ch |
| 14 Q x R | Q x P ch | Resigns | |

## High School Championship, New York, 1970

Black's winning way is a 13-move "combino" born of midnight oil, bred on the dynamics of the position and a tail-end knight fork, ultimately meshing to perfection. Even so, 17, B-N6 spells *finis* sooner.

SICILIAN DEFENSE

| G. JONES *White* | P. KERETSKY *Black* | G. JONES *White* | P. KERETSKY *Black* |
|---|---|---|---|
| 1 P—K4 | P—QB4 | 22 QR—QB1 | N—R4 |
| 2 N—KB3 | P—Q3 | 23 KR—Q1 | B x B ch |
| 3 P—Q4 | P x P | 24 P x B | Q—N7 ch |
| 4 N x P | N—KB3 | 25 Q—Q2 | N—B5 ch |
| 5 N—QB3 | P—KN3 | 26 K—B1 | R x R |
| 6 P—B3 | B—N2 | 27 Q x Q | R x R ch |
| 7 B—K3 | O—O | 28 K—B2 | N x P ch |
| 8 Q—Q2 | N—B3 | Resigns | |
| 9 O—O—O | N x N | | |
| 10 B x N | B—K3 | | |
| 11 B—K2 | Q—R4 | | |
| 12 K—N1 | KR—B1 | | |
| 13 P—KR4 | ...... | | |
| 13 ...... | R x N | | |
| 14 Q x R | Q x P ch | | |
| 15 K—B1 | B—R3 ch | | |
| 16 B—K3 | R—QB1 | | |
| 17 Q—Q4 | B x B ch | | |
| 18 Q x B | Q—R8 ch | | |
| 19 K—Q2 | Q x P | | |
| 20 B—Q3 | Q—B6 ch | | |
| 21 K—K2 | B—B5 | | |

P. KERETSKY

G. JONES

## Boston, 1970

A sharp clash rewards White with the point and a brilliancy prize.

FRENCH DEFENSE

| L. Kavalek *White* | E. Formanek *Black* | L. Kavalek *White* | E. Formanek *Black* |
|---|---|---|---|
| 1 P—K4 | P—K3 | 17 P—N3 | N—R3 |
| 2 P—Q4 | P—Q4 | 18 B—R3 | N—KN5 |
| 3 N—QB3 | B—N5 | 19 B—Q6 | Q—Q1 |
| 4 P—K5 | N—K2 | 20 P—R5 | N x RP |
| 5 P—QR3 | B x N ch | 21 Q—B1 | N—B3 |
| 6 P x B | P—QB4 | 22 Q—R3 | P—KN4 |
| 7 N—B3 | QN—B3 | 23 KR—N1 | B—K1 |
| 8 P—QR4 | Q—R4 | 24 P x P | P x NP |
| 9 Q—Q2 | B—Q2 | 25 N—Q2 | R—N3 |
| 10 B—Q3 | P—B5 | 26 B—N2 | P—N3 |
| 11 B—K2 | P—B3 | 27 N x P | P x N |
| 12 B—R3 | O—O—O | 28 Q—R4 | R—QB2 |
| 13 O—O | QR—N1 | 29 R x P | P x R |
| 14 KR—K1 | P—R4 | 30 Q—R8 ch | N—N1 |
| 15 P—R4 | N—B4 | 31 Q x N ch | K—Q2 |
| 16 B—KB1 | R—R2 | 32 Q x P | Resigns |

## Soviet Union vs. World, Belgrade, 1970

Curiosity of curiosities. Early, world champion Spassky grounds Larsen with a poisoned rook. Unwillingly, the Dane reaches for it and capitulates almost at once.

QUEEN'S FIANCHETTO OPENING

| LARSEN *White* | SPASSKY *Black* |
|---|---|
| 1 P—QN3 | P—K4 |
| 2 B—N2 | N—QB3 |
| 3 P—QB4 | N—B3 |
| 4 N—KB3 | P—K5 |
| 5 N—Q4 | B—B4 |
| 6 N x N | QP x N |
| 7 P—K3 | B—B4 |
| 8 B—K2 | Q—K2 |
| 9 Q—B2 | O—O—O |
| 10 P—B4 | N—N5 |
| 11 P—N3 | P—KR4 |
| 12 P—KR3 | P—R5* |
| 13 P x N | P x P |
| 14 R—N1 | R—R8 |
| 15 R x R | P—N7 |
| 16 R—B1 | Q—R5 ch |
| 17 K—Q1 | P x R/Q ch |
| Resigns | |

SPASSKY

LARSEN

## Mulhouse, 1970

An elegant *zwischenzug*, 12, Q-B6 ch, an intermediary move instead of an expected recapture, forces capitulation.

CARO-KANN DEFENSE

J. C. LETZELTER M. GRIESMANN

| | *White* | *Black* |
|---|---|---|
| 1 | P—K4 | P—Q4 |
| 2 | P x P | N—KB3 |
| 3 | P—QB4 | P—B3 |
| 4 | P—Q4 | P x P |
| 5 | N—QB3 | N—B3 |
| 6 | N—B3 | B—N5 |
| 7 | P x P | N x P/4 |
| 8 | Q—N3 | B x N |
| 9 | P x B | P—K3 |
| 10 | Q x P | N x P |
| 11 | B—N5 ch | N x B |
| 12 | Q—B6 ch | K—K2 |
| 13 | Q x N/N | P—B3 |
| 14 | Q—N7 ch | K—K1 |
| 15 | O—O | N x N |
| 16 | R—K1 | Q—Q4* |
| 17 | R x P ch | K—Q1 |
| 18 | R—B6 | B—Q3 |
| 19 | Q x R ch | K—Q2 |

J. C. LETZELTER M. GRIESMANN

| | *White* | *Black* |
|---|---|---|
| 20 | Q—N7 ch | K—K3 |
| 21 | P x N | R—QN1 |
| 22 | Q x R | Q x R |
| 23 | Q—N8 ch | K—Q2 |
| 24 | Q x P ch | Resigns |

M. GRIESMANN

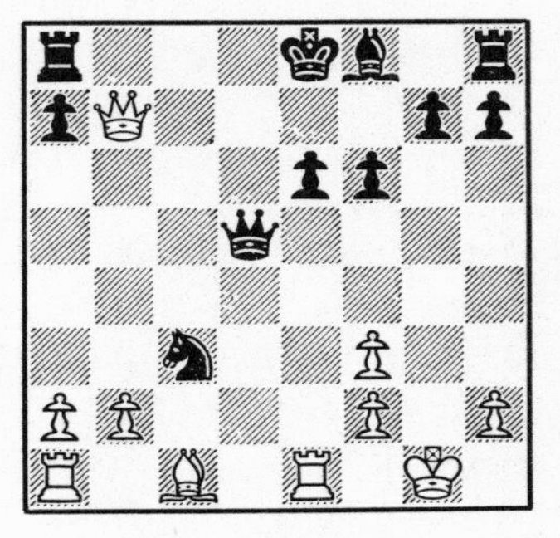

J. C. LETZELTER

## Praia da Rocha, 1970

A veteran grandmaster is treated like a chambon! White's men, save his king knight, which never moves, in concert confuse.

KING'S INDIAN DEFENSE

| | MARIOTTI White | GLIGORICH Black | | MARIOTTI White | GLIGORICH Black |
|---|---|---|---|---|---|
| 1 | P—Q4 | N—KB3 | 20 | K—B1 | P x P |
| 2 | P—QB4 | P—KN3 | 21 | K—N2 | N—K8 ch |
| 3 | N—QB3 | B—N2 | 22 | K—R1 | N—Q6 |
| 4 | P—K4 | P—Q3 | 23 | Q x P ch | K—N1 |
| 5 | P—B4 | P—B4 | 24 | Q—R7 ch | K—B2 |
| 6 | P—Q5 | O—O | 25 | B—K3 | Q—K2 |
| 7 | B—K2 | P—K3 | 26 | R—B1 ch | K—K1 |
| 8 | P x P | P x P | 27 | Q—N6 ch | R—B2 |
| 9 | P—KN4 | N—B3 | 28 | Q—B6 ch | Q—Q2 |
| 10 | P—KR4 | N—Q5 | 29 | R—K6 ch | K—B1 |
| 11 | P—R5 | P—Q4 | 30 | B x P ch | N x B |
| 12 | P—K5 | N—K5 | 31 | Q x N ch | K—N1 |
| 13 | RP x P | RP x P | 32 | R—Q6 | Q—N2 |
| 14 | Q—Q3 | P—QN4 | 33 | R x R | K x R |
| 15 | N x N | NP x P | 34 | B x P ch | K—K1 |
| 16 | Q—KR3 | P x N | 35 | B—Q5 | Q—K2 |
| 17 | Q—R7 ch | K—B2 | 36 | Q—B6 ch | K—B1 |
| 18 | P—B5 | KP x P | 37 | Q x R | Q—R5 ch |
| 19 | R—R6 | N—B7 ch | 38 | K—N2 | Resigns |

## Rovinj, Yugoslavia, 1970

A spine-tingler and cliff-hanger. Fischer's stellar play is apparently 29, RxP ch. But no! It is 30, N-B6 ch.

SICILIAN DEFENSE

| MINIC | R. FISCHER | MINIC | R. FISCHER |
|---|---|---|---|
| *White* | *Black* | *White* | *Black* |
| 1 P—K4 | P—QB4 | 26 B—B1 | R—N5 |
| 2 N—KB3 | P—Q3 | 27 Q—KR3 | N—B6 ch |
| 3 P—Q4 | P x P | 28 K—B1 | N—R5 ch |
| 4 N x P | N—KB3 | 29 K—N1 | R x P ch |
| 5 N—QB3 | P—QR3 | 30 R x R | . . . . . . |
| 6 B—KN5 | P—K3 | 30 . . . . . . | N—B6 ch |
| 7 P—B4 | B—K2 | 31 K—B1 | Q—R6 |
| 8 Q—B3 | Q—B2 | 32 B—Q3 | Q—R8 ch |
| 9 O—O—O | QN—Q2 | 33 K—Q2 | Q x R/7 ch |
| 10 P—KN4 | P—N4 | 34 K—K1 | N—K5 |
| 11 B x N | N x B | Resigns | |
| 12 P—N5 | N—Q2 | | |
| 13 P—QR3 | R—QN1 | | |
| 14 P—KR4 | P—N5 | | |
| 15 P x P | R x P | | |
| 16 B—R3 | O—O | | |
| 17 N—B5 | N—B4 | | |
| 18 N x B ch | Q x N | | |
| 19 P—R5 | B—N2 | | |
| 20 P—R6 | B x P | | |
| 21 N x B | N x N | | |
| 22 P x P | R—B1 | | |
| 23 R—R2 | R—R5 | | |
| 24 K—N1 | P—Q4 | | |
| 25 P—B4 | R/4 x P | | |

R. FISCHER

MINIC

## Olat, 1970

A triple award—the point, the brilliancy prize and the best-played-game encomium—is O'Kelly's credit here.

BENONI DEFENSE

| | O'KELLY *White* | TORAN *Black* |
|---|---|---|
| 1 | P—Q4 | N—KB3 |
| 2 | P—QB4 | P—QB4 |
| 3 | P—Q5 | P—QN4 |
| 4 | P x P | P—QR3 |
| 5 | P x P | B x P |
| 6 | N—QB3 | P—Q3 |
| 7 | N—B3 | P—KN3 |
| 8 | N—Q2 | B—KN2 |
| 9 | P—K4 | O—O |
| 10 | B x B | N x B |
| 11 | O—O | N—Q2 |
| 12 | N—B4 | N—N3 |
| 13 | N—K3 | Q—Q2 |
| 14 | P—QR4 | Q—N2 |
| 15 | R—R3 | KR—N1 |
| 16 | P—R4 | N—Q2 |
| 17 | P—KR5 | N—B3 |
| 18 | P x P | RP x P |
| 19 | P—B4 | Q—N5 |
| 20 | P—K5 | N—R4 |
| 21 | Q—B3 | P x P |
| 22 | P x P | Q—R5 |
| 23 | Q x P ch | K—R2* |
| 24 | N—B5 | P x N |
| 25 | Q x P ch | K—R1 |
| 26 | N—K4 | R—KB1 |
| 27 | N—B6 | N x N |
| 28 | P x N | B—R3 |
| 29 | R—R3 | Q—Q5 ch |
| 30 | K—R2 | R x P |
| 31 | Q—N5 | Resigns |

TORAN

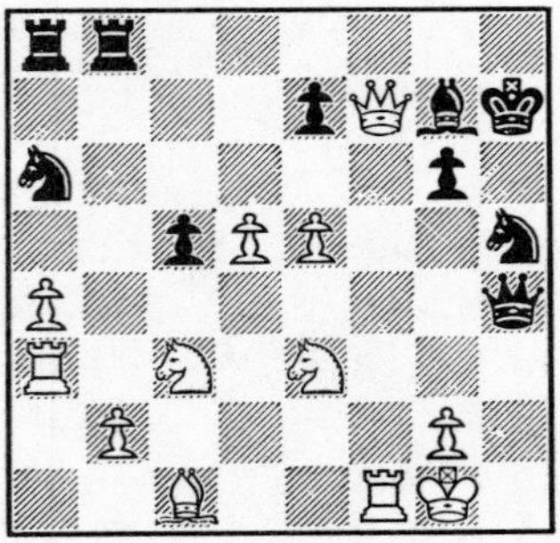

O'KELLY

## Malaga, 1970

White plays with abandon and talent to reach the enemy king. When the scope of a bishop is cut, other dangerous lines are opened.

SICILIAN DEFENSE

S. Tatai H. Schaufelberger

| | White | Black |
|---|---|---|
| 1 | P—K4 | P—QB4 |
| 2 | N—KB3 | P—Q3 |
| 3 | P—Q4 | P x P |
| 4 | N x P | N—KB3 |
| 5 | N—QB3 | P—K3 |
| 6 | B—K2 | P—QR3 |
| 7 | P—B4 | Q—B2 |
| 8 | B—B3 | N—B3 |
| 9 | O—O | B—K2 |
| 10 | B—K3 | O—O |
| 11 | Q—K1 | R—N1 |
| 12 | R—Q1 | N—Q2 |
| 13 | K—R1 | P—QN4 |
| 14 | N x N | Q x N |
| 15 | B—Q4 | R—K1 |
| 16 | Q—N3 | B—B1 |
| 17 | P—K5 | P—Q4 |
| 18 | P—B5 | N—B4* |
| 19 | N x QP | P x N |
| 20 | P—K6 | B—N2 |
| 21 | P x P ch | K x P |
| 22 | B—R5 ch | K—N1 |
| 23 | P—B6 | Resigns |

H. SCHAUFELBERGER

S. TATAI

## Palma De Mallorca, Spain, 1970

A surprising piece "sack" in the opening nets the point.

BENONI DEFENSE

| W. Uhlmann<br>*White* | R. Fischer<br>*Black* | W. Uhlmann<br>*White* | R. Fischer<br>*Black* |
|---|---|---|---|
| 1 P—Q4 | N—KB3 | 19 Q x Q | R x Q |
| 2 P—QB4 | P—B4 | 20 P—B4 | B—Q5 ch |
| 3 P—Q5 | P—K3 | 21 K—R1 | N—Q2 |
| 4 N—QB3 | P x P | 22 R—K7 | N—B3 |
| 5 P x P | P—Q3 | 23 R x NP | N—R4 |
| 6 P—K4 | P—KN3 | 24 K—R2 | B—K6 |
| 7 B—KB4 | P—QR3 | 25 B—K2 | B x P ch |
| 8 P—QR4 | B—N2 | 26 B x B | R x B |
| 9 N—B3 | O—O | 27 R—N6 | R x R |
| 10 B—K2 | B—N5 | 28 B x R | R—Q1 |
| 11 O—O | R—K1 | 29 B x P | K—N2 |
| 12 P—R3 | N x KP | 30 B—N5 | K—B3 |
| 13 N x N | R x N | 31 B—B6 | K—K4 |
| 14 B—KN5 | Q—K1 | 32 R—N7 | R—KB1 |
| 15 B—Q3 | B x N | 33 R—K7 ch | K—Q5 |
| 16 Q x B | R—QN5 | 34 R—Q7 | N—B3 |
| 17 QR—K1 | B—K4 | Resigns | |
| 18 Q—Q1 | Q x P | | |

## Buenos Aires, 1970

White proposes: "My queen for your king!" Black, rooked and shattered, disposes.

SICILIAN DEFENSE

| | V. Tukmakov<br>*White* | O. Panno<br>*Black* |
|---|---|---|
| 1 | P—K4 | P—QB4 |
| 2 | N—KB3 | P—K3 |
| 3 | P—Q4 | P x P |
| 4 | N x P | N—KB3 |
| 5 | N—QB3 | P—Q3 |
| 6 | B—K2 | B—K2 |
| 7 | O—O | O—O |
| 8 | B—K3 | N—B3 |
| 9 | P—B4 | Q—B2 |
| 10 | K—R1 | P—QR3 |
| 11 | P—QR4 | N—QR4 |
| 12 | Q—Q3 | B—Q2 |
| 13 | P—KN4 | K—R1 |
| 14 | P—N5 | N—N1 |
| 15 | R—B3 | N—QB3 |
| 16 | R—KN1 | N x N |
| 17 | B x N | P—B4 |
| 18 | R—R3 | P—K4 |
| 19 | N—Q5 | Q—Q1 |
| 20 | P x KP | BP x P |
| 21 | P—K6* | ...... |
| 21 | ...... | Resigns |

O. PANNO

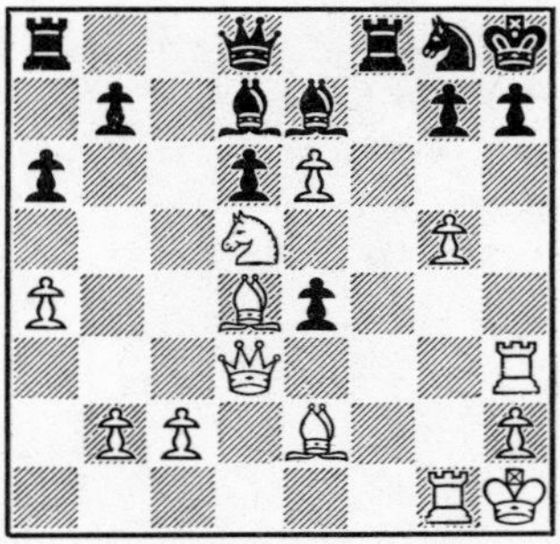

V. TUKMAKOV

## Belgium v. France match, Paris, 1970

A tactical assault crumbles an impregnable pawn barrier.

KING'S INDIAN
DEFENSE

| F. V. SETERS | C. BOUTTEVILLE | F. V. SETERS | C. BOUTTEVILLE |
|---|---|---|---|
| *White* | *Black* | *White* | *Black* |
| 1 P—Q4 | N—KB3 | 12 Q—Q2 | N x B |
| 2 P—QB4 | P—KN3 | 13 Q x N | O—O |
| 3 N—QB3 | B—N2 | 14 O—O | P—QR4 |
| 4 P—K4 | P—Q3 | 15 KR—Q1 | B—QR3 |
| 5 P—B3 | P—B3 | 16 N/2—B3 | P—K3 |
| 6 B—K3 | P—KR3 | 17 P—Q5 | BP x P |
| 7 B—Q3 | P—QN4 | 18 N x P | P x N |
| 8 KN—K2 | P x P | 19 B x P | N—Q2 |
| 9 B x P | P—Q4 | 20 B x R | Q x B |
| 10 B—N3 | P x P | 21 R x N | Resigns |
| 11 N x P | N—Q4 | | |

## Olat, 1970

A well-played opening and middle-game result in a mating net, and a bishop "sack" corrals the king.

CARO-KANN DEFENSE

| WESTERINEN *White* | POMAR *Black* | WESTERINEN *White* | POMAR *Black* |
|---|---|---|---|
| 1 P—K4 | P—QB3 | 18 P x P | B x P |
| 2 P—Q4 | P—Q4 | 19 QR—Q1 | Q—N3 |
| 3 N—QB3 | P x P | 20 N—K4 | N x N |
| 4 N x P | B—B4 | 21 KR x N | KR—K1 |
| 5 N—N3 | B—N3 | 22 K—B1 | P—N5 |
| 6 B—QB4 | N—B3 | 23 R—R4 | Q—B3 |
| 7 N/1—K2 | P—K3 | 24 Q—R3 | P—B3 |
| 8 O—O | QN—Q2 | 25 P—QB4 | N—B2 |
| 9 B—N3 | N—N3 | 26 B x P | R—B1 |
| 10 N—B4 | B—Q3 | 27 R—R8 ch | K—B2 |
| 11 R—K1 | QN—Q4 | 28 B x P | K x B |
| 12 N—Q3 | O—O | 29 R—Q7 ch | K—B3 |
| 13 N—K5 | P—B4 | 30 Q—R4 ch | K—K4 |
| 14 B—N5 | Q—B2 | 31 Q—N5 ch | R—B4 |
| 15 P—QB3 | QR—B1 | 32 P—B4 ch | K—K5 |
| 16 Q—B3 | P—N4 | 33 B—B2 ch | Resigns |
| 17 N x B | RP x N | | |

## Wijk aan Zee, Holland, 1971

The accolade—the phenomenal—should be added to the following game so that it may join the Evergreen and the Immortal in perpetuity to share its brilliance.

QUEEN'S GAMBIT
DECLINED

| | KORCHNOI *White* | NAJDORF *Black* |
|---|---|---|
| 1 | P—QB4 | N—KB3 |
| 2 | N—QB3 | P—K3 |
| 3 | N—B3 | P—Q4 |
| 4 | P—Q4 | P—B4 |
| 5 | BP x P | N x P |
| 6 | P—K4 | N x N |
| 7 | P x N | P x P |
| 8 | P x P | B—N5 ch |
| 9 | B—Q2 | B x B ch |
| 10 | Q x B | O—O |
| 11 | B—B4 | P—QN3 |
| 12 | O—O | B—N2 |
| 13 | KR—K1 | N—Q2 |
| 14 | QR—Q1 | QR—B1 |
| 15 | B—Q3 | R—K1 |
| 16 | Q—K3 | R—B6 |
| 17 | P—K5 | Q—B2 |
| 18 | N—N5 | N—B1 |
| 19 | N—K4 | B x N |
| 20 | Q x B | R—Q1 |
| 21 | P—KR4 | Q—K2 |
| 22 | Q—N4 | R—R6 |
| 23 | B—B4 | P—QN4 |
| 24 | B—N3 | P—QR4 |
| 25 | P—Q5 | P—R5* |
| 26 | P x P | P x B |
| 27 | P x P ch | K—R1 |
| 28 | R x R | Q x R |
| 29 | P x P | Q—K2 |
| 30 | P—K6 | R—R3 |
| 31 | P—B4 | P—R3 |
| 32 | P—B5 | N—R2 |
| 33 | R—QB1 | R—R1 |
| 34 | Q—B4 | N—B3 |
| 35 | Q—B7 | Q—N5 |
| 36 | Q—B8 ch | K—R2 |
| 37 | Q x R | Q—Q5 ch |
| 38 | K—B1 | Q—B5 ch |
| 39 | K—K2 | Q—K4 ch |
| 40 | K—Q1 | Resigns |

NAJDORF

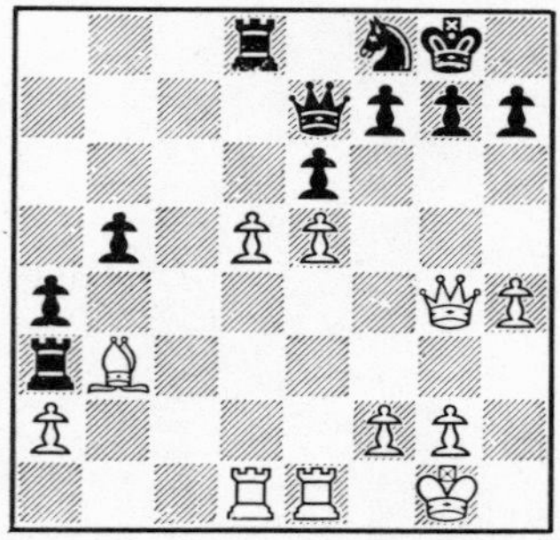

KORCHNOI

## Wilna, U.S.S.R., 1971

The Benoni Defense converts to a Benoni Gambit, proper, and the predicaments of the antagonist are perilous and cliff-hangerish.

BENONI DEFENSE

| | Kusmin | Alburt | | Kusmin | Alburt |
|---|---|---|---|---|---|
| | *White* | *Black* | | *White* | *Black* |
| 1 | P—Q4 | N—KB3 | 21 | N x N | Q x N |
| 2 | P—QB4 | P—B4 | 22 | P—K5 | R x P |
| 3 | P—Q5 | P—QN4 | 23 | P—K6 | N—B1 |
| 4 | P x P | P—QR3 | 24 | P x P | P—B5 |
| 5 | P x P | B x P | 25 | P—B5 | P—B6 |
| 6 | N—QB3 | P—N3 | 26 | P x P ch | K—R1 |
| 7 | P—K4 | B x B | 27 | R—B2 | P x P |
| 8 | K x B | P—Q3 | 28 | B x RP | B x B |
| 9 | P—KN3 | B—N2 | 29 | Q—B3 ch | P—K4 |
| 10 | K—N2 | O—O | 30 | P x P e.p. ch | B—N2 |
| 11 | N—B3 | QN—Q2 | 31 | Q—B3 | P—N8/Q |
| 12 | R—K1 | Q—N1 | 32 | R x Q | R x R ch |
| 13 | R—K2 | R—R2 | 33 | K x R | Q—B4 ch |
| 14 | B—N5 | P—R3 | 34 | K—N2 | R x R |
| 15 | B—Q2 | K—R2 | 35 | N—B5 | N—R2 |
| 16 | Q—B2 | Q—N2 | 36 | P—K7 | R—N7 ch |
| 17 | R—Q1 | R—QN1 | 37 | K—R3 | N—N4 ch |
| 18 | B—B1 | N—K1 | 38 | K—N4 | N—K3 |
| 19 | N—KR4 | N—B2 | 39 | Q—R8 ch | Resigns |
| 20 | P—B4 | N—N4 | | | |

## Tallinn, Estonia, 1971

L. S. D., morphine, cocaine, *et. al.* is a combination based on a dream. Here, typically Tal, is the way to "sacrifice with love."

SICILIAN DEFENSE

| | TAL *White* | WOOREMAA *Black* |
|---|---|---|
| 1 | P—K4 | P—QB4 |
| 2 | N—KB3 | P—K3 |
| 3 | P—Q4 | P x P |
| 4 | N x P | P—QR3 |
| 5 | B—Q3 | N—QB3 |
| 6 | B—K3 | N—B3 |
| 7 | O—O | Q—B2 |
| 8 | N—QB3 | B—Q3 |
| 9 | K—R1 | P—KR4 |
| 10 | P—B4 | N—N5 |
| 11 | Q—B3 | N x B |
| 12 | Q x N | Q—N3 |
| 13 | N/B—K2 | P—K4* |
| 14 | Q—N3 | P x N |
| 15 | Q x P | R—B1 |
| 16 | P—K5 | B—K2 |
| 17 | P—B5 | P—B3 |
| 18 | N—B4 | R—B2 |
| 19 | P x P | N—K4 |
| 20 | B—B4 | N x B |
| 21 | Q—N8 ch | B—B1 |
| 22 | N x P | N—Q3 |
| 23 | QR—K1 ch | K—Q1 |
| 24 | R—K7 | Q—N4 |
| 25 | KR—K1 | Q—Q4 |
| 26 | N—B4 | Q x RP |
| 27 | N—K6 ch | Q x N |
| 28 | P x Q | R x P |
| 29 | R—B7 | Resigns |

WOOREMAA

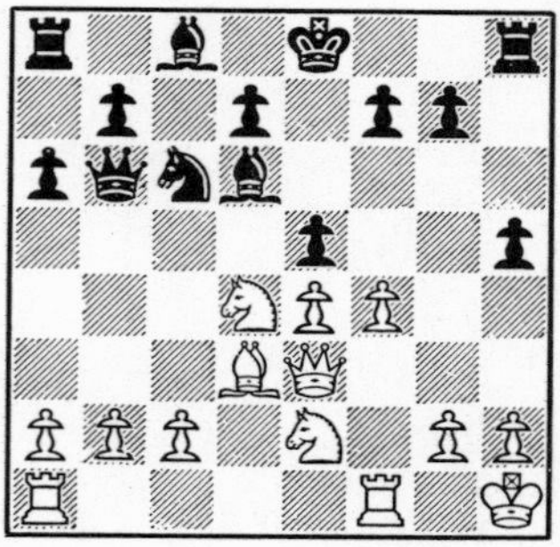

TAL

## 28th U.S.S.R. Championship, Dec. 1970 to Jan. 1971

NIMZO-INDIAN DEFENSE

| | TUKMAKOV *White* | KORCHNOI *Black* |
|---|---|---|
| 1 | P—Q4 | N—KB3 |
| 2 | P—QB4 | P—K3 |
| 3 | N—QB3 | B—N5 |
| 4 | P—K3 | O—O |
| 5 | B—Q3 | P—B4 |
| 6 | N—B3 | P—Q4 |
| 7 | O—O | P x BP |
| 8 | B x P | QN—Q2 |
| 9 | Q—N3 | P—QR3 |
| 10 | P—QR4 | Q—K2 |
| 11 | R—Q1 | B—R4 |
| 12 | Q—B2 | P x P |
| 13 | P x P | N—N3 |
| 14 | B—R2 | P—KR3 |
| 15 | N—K5 | B—Q2 |
| 16 | B—N1 | KR—Q1 |
| 17 | R—Q3 | QR—B1 |
| 18 | R—N3 | K—B1 |
| 19 | Q—Q2 | N/N—Q4 |
| 20 | B—N6 | B—K1* |
| 21 | Q x P | Q—N5 |
| 22 | Q—R8 ch | K—K2 |
| 23 | Q x P | Q x QP |
| 24 | N—Q3 | B x N |
| 25 | P x B | N x P |
| 26 | B—R3 ch | K—Q2 |
| 27 | R—K1 | K—B2 |
| 28 | B—K7 | N/6—Q4 |
| 29 | B x R ch | K x B |
| 30 | B—K4 | Q x P |
| 31 | B x N | N x B |
| 32 | Q—N5 ch | K—B2 |
| 33 | P—R4 | B—N4 |
| 34 | R—B1 ch | B—B3 |
| 35 | P—R5 | Q—Q5 |
| 36 | N—K5 | P—B3 |
| 37 | N x B | P x N |
| 38 | Q—N7 ch | K—Q3 |
| 39 | P—R6 | P—QB4 |
| 40 | Q—N4 | Q—Q7 |
| 41 | R—Q1 | Resigns |

KORCHNOI

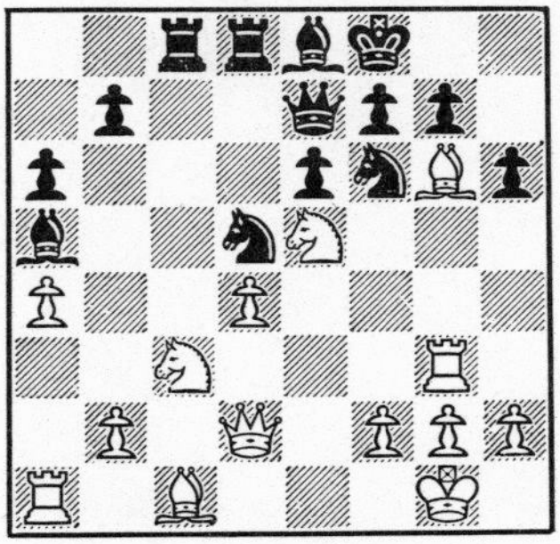

TUKMAKOV

# Index of Openings

# Index of Names